A doçura do mundo

A doçura do mundo

THRITY UMRIGAR

O melhor lugar do mundo é um só:
perto daqueles que amamos

Tradução
Vera Ribeiro

Título original: If Today Be Sweet

Editora Nova Fronteira S.A.
Rua Bambina, 25 — Botafogo — 22251-050
Rio de Janeiro — RJ — Brasil
Tel.: (21) 2131-1111 — Fax: (21) 2286-6755
http://www.novafronteira.com.br
e-mail: sac@novafronteira.com.br

CIP-Brasil. Catalogação-na-fonte
Sindicato Nacional dos Editores de Livros, RJ.

U43d Umrigar, Thrity N.
A doçura do mundo : o melhor lugar do mundo é um só : perto daqueles que amamos / Thrity Umrigar ; tradução Vera Ribeiro. – Rio de Janeiro : Nova Fronteira, 2008.

Tradução de: If today be sweet
ISBN 978-85-209-2052-7

1. Romance indiano (Inglês). I. Ribeiro, Vera. II. Título.

CDD 828.99353
CDU 821.111(540)-3

Este livro pertence a
Eust e Homai

Ah, enche a Taça: — de que vale repetir
Que célere passa o Tempo sob os nossos Pés?
Não nascidos no Amanhã e falecidos no Ontem,
Por que nos afligirmos com eles, se o Hoje pode ser Doce?

— Omar Khayyam

PRÓLOGO

*J*Á NÃO ME ENCONTRO AQUI. *Está acontecendo. Ela não sente mais minha presença no quarto, não consegue sentir o derradeiro beijo que lhe dou na testa. É assim que deve ser. E não estou triste, isso não me diminui. Orgulho-me, ao contrário. Fiz minha parte. Afinal, foi o empurrão que lhe dei, foi meu estímulo que a fez transpor a cerca. Agora, ela deixou para trás todos os meses de alvoroço e inquietude, tormento e preocupação. Percebo-o em seu rosto, o alívio da decisão. Está em seu andar, sua postura, na inclinação da cabeça. Digo e repito: ela é a mulher que amei, a mulher com quem me casei. Sempre pareceu ilusoriamente frágil, e Deus sabe que é sensível como um passarinho, mas por dentro, por dentro, tem a dureza da pedra. Foi isso que sempre amei nela — essa força, essa bússola interna que a orientou em inúmeras tempestades. Afinal, ela cuidou de minha mãe idosa e rabugenta até o dia de sua morte, não foi? E, se conseguiu* *sobreviver ao convívio com mamãe, ora, pode sobreviver a qualquer coisa. Foi o que repeti a mim mesmo nos terríveis meses iniciais. Que minha mulher era uma sobrevivente. Que encontraria seu caminho no mundo sem mim.*

Mesmo assim, não posso mentir: é bom estar aqui. Sinto saudade de todos eles — de minha esposa amada, meu filho, minha nora e meu precioso netinho. Até de todos os outros que aqui se reuniram para comemorar o Ano-Novo. Se descobrisse como fazê-lo, pediria a um deles para me servir um bom e forte uísque escocês. E comeria um dos kebabs *preparados pela minha mulher. Mas não é este o meu lugar. Já não faço parte daqui. Não cabe a mim celebrar o novo ano, e nem o mereço. E, no exato instante em que a solidão parece insuportável, contemplo o rosto de meu filho. Seus olhos. Eles vasculham a sala. Até quando come um* kebab *de cordeiro, mesmo enquanto bebe seu vinho, sussurra algo no ouvido da mulher ou dá um tapinha nas costas do melhor amigo, ao fazer todas essas coisas, ele examina a sala. Está procurando por mim. Sente saudade de mim. Tenho que desviar os olhos da tristeza que vejo nesse rosto querido. Anseio por afagá-lo mais uma vez. Que há nesses seres humanos — e, neste ponto, pergunto a mim mesmo: ainda sou humano? — que injeta esse toque de tristeza nas ocasiões mais felizes? E, assim, apesar de minhas melhores intenções, apanho-me interferindo mais uma vez. Devagar, delicadamente, viro o queixo de meu filho até seus olhos pousarem no filho dele. Meu neto. Sete anos e lindo como o próprio mundo. Vejo a névoa de incompreensão e luto dissipar-se nos olhos de meu filho. Eles tornam a ficar límpidos e concentrados, ao observarem aquilo que ele criou. E ele vê o que eu vejo — um certo contorno de meu rosto na face do filho. Embora eu seja — tenha sido — um filho-da-puta feioso e enrugado, ele vê algo de meu no rosto imaculado e liso de meu neto. Eu também percebo a semelhança. E não é só isso, vejo o rosto de meu pai — o nariz afilado, os olhos atentos — no rosto do menino. Não é incrível? Meu velho de Udwada, morto há vinte anos, brinca de esconde-esconde por trás da face de um menino louro e de tez clara nos Estados Unidos. Então, sou obrigado a pensar: até que ponto posso estar realmente morto, enquanto meu filho e meu neto existirem? Que bom seria se eu tivesse pensado em dizer isso, hoje, mais cedo, a minha mulher! Isso a teria animado, poderia dar-lhe algo a que se agarrar.*

Mas isto é mera vaidade. Idéias absurdas de um morto que foi amante da boa vida. A verdade é que minha amada já não precisa que eu lhe aponte nenhuma dessas profundezas. É a arquiteta de sua própria existência. Dentro de uma hora, ela se aproximará do meu — nosso — seu — filho e lhe informará sua decisão. Ele ficará surpreso, até chocado, mas vai aceitá-la. E, logo, logo, sentirá orgulho dela, orgulho de sua independência, de sua determinação, de seu puro instinto de sobrevivência. Aprenderá, como eu, a enxergar além dos cinqüenta e dois quilos de seu corpo miúdo e a notar, em vez deles, a vontade férrea, a bússola moral resistente, o coração pulsátil e forte de um gigante.

Sou — fui — Rustom Sethna, e fui casado com uma mulher tola. Uma mulher que me adorava a tal ponto, confiava tanto em minha força, que se esquecia de medir seu próprio valor, sem nunca saber que carregava o mundo, o meu mundo, na palma da mão.

Mas esta história não é minha. Já dei as coisas por encerradas aqui. Agora é a história dela. Ela é que a levará adiante, irá conduzi-la para o novo ano.

Fiz minha parte para ajudá-la a moldar sua história. E disso eu me orgulho. Mas foi ela quem redigiu habilmente o último capítulo, e não houve nenhum ghost-writer, *nenhum escritor-fantasma — perdoem o trocadilho, mas, afinal, sou um cavalheiro parse, e os trocadilhos horrorosos são como leite materno para nós — para ajudá-la nisso.*

Sim, houve um momento em que minha amada ficou hesitante, incapaz de se decidir, e, sim, impacientei-me e lhe dei aquele maldito empurrão que a fez pular a droga da cerca. Mas a queda livre, o salto cego, o lindo vôo para seu novo futuro, bem, isso foi tudo obra dela.

CAPÍTULO UM

Tehmina Sethna, ou "Tammy", sentou-se numa cadeira do jardim ao lado da nora, Susan, e se aqueceu ao calor do sol quente que trouxera consigo, diretamente de Bombaim.

Faltava uma semana para o Natal, e Ohio desfrutava de uma verdadeira onda de calor. As duas mulheres sentaram-se na camaradagem do silêncio, no jardim da frente, Tehmina com um suéter azul-marinho por cima da túnica longa e calças compridas folgadas, seu *salwar-khameez* de batique. Usava o cabelo grisalho preso com dois grampos, de modo que a brisa leve e preguiçosa que corria os dedos pelo gramado não podia fazer muito para despenteá-lo. Não havia um pingo de neve em parte alguma.

— Vinte e um graus — disse Susan pela quinta vez. — Dezembro em Cleveland, e está fazendo vinte e um graus. É um put... é inacreditável.

Tehmina abriu um sorriso.

— Eu lhe avisei — comentou.

Susan deslizou os óculos escuros pelo nariz e espiou a sogra por cima deles.

— Bem, você fez de mim uma crente fervorosa — disse, em tom descontraído. — Importar todo esse sol da Índia! Puxa, mamãe, se as coisas continuarem assim, não há jeito de deixarmos que você volte para lá. A prefeita de Rosemont Heights fará um pronunciamento, ou qualquer coisa assim, proibindo-a de ir embora.

Dentro de Tehmina, algo se derreteu e se transformou em mel ante as palavras de Susan. Ela olhou para a moça à sua esquerda. Os raios de sol massagearam e levantaram a boca de Susan, em geral curvada para baixo, abrindo-a num sorriso. As mãos de Susan — Tehmina ainda se lembrava da primeira vez em que as vira, e se deslumbrara ao perceber como as mãos das norte-americanas eram grandes, masculinas e abrutalhadas — pendiam frouxas junto ao corpo, abertas, relaxadas. O olhar aflito que ela exibia quase todo o tempo, e que deixava Tehmina sobressaltada e nervosa perto da nora, aquele olhar fora substituído por contentamento e felicidade.

Tehmina lembrou-se de Susan durante suas visitas anteriores aos Estados Unidos — serena, risonha, feliz. Dessa vez, havia algo diferente, faltava alguma coisa, e Tehmina sabia exatamente o que — quem — estava faltando. Seu amado e falecido Rustom não estava com ela dessa vez. Rustom, com sua risada sonora e sua confiança ilimitada; o mesmo Rustom que era capaz de entrar em qualquer lugar — num novo restaurante, num novo apartamento, até num novo país — e se pôr imediatamente à vontade, deixando as pessoas ao seu redor à vontade também. Rustom, que sabia fazer a nora branca e loura rir e enrubescer como se tivesse voltado aos tempos de escola. Rustom, que sabia fazer o filho sério e compenetrado, Sorab, arrebentar de orgulho de seu velho.

Tehmina beliscou o lábio inferior entre o indicador e o polegar. Diferente de mim, pensou. Minha presença agora é apenas um fardo para Susan e Sorab. Não é como nos velhos tempos. Rustom e ela tinham visitado as crianças inúmeras vezes nos Estados Unidos, e os momentos sempre foram agradáveis.

A luz moveu-se nas árvores do outro lado da rua, trazendo uma lembrança a Tehmina. Um incidente do ano anterior. "Vocês sabem o que estamos fazendo?", gritara Rustom para todos eles, da piscina do hotel em San Diego. "Estamos criando lembranças para o futuro. Uma coisa alegre para vocês recordarem, garotos, quando nós, os velhotes, já não estivermos por perto."

Sorab dera imediatamente uma gravata no pai. Os dois estavam com água pelos joelhos, enquanto Tehmina e Susan descansavam em espreguiçadeiras junto à piscina. O pequeno Cavas, que todos chamavam de Cookie, cochilava ao lado da mãe. Tehmina vislumbrou a água azul, seu marido e o filho. A água reluzia nos rostos e peitos morenos de Rustom e Sorab. Ela notara, displicentemente, que a barriga do marido era mais firme que a do filho. Muitos anos de dieta à base de carne de porco para Sorab, pensara. Preciso alertá-lo novamente sobre o colesterol.

"Que história é essa de quando vocês não estiverem mais por perto?", perguntara Sorab, apertando o laço e fazendo a cabeça do pai descansar em seu ombro. "Do jeito que você anda, papai, vai sobreviver a todos nós."

Rustom soltara-se da gravata do filho. "Quando a hora chega, chega", dissera, sorrindo. "'Move-se a mão que escreve e, tendo escrito, segue adiante'", havia acrescentado, nadando para longe do rapaz.

Sorab soltara um resmungo: "Você e o seu Omar Khayyam." Virando-se para Susan, tinha dito: "Eu juro que meu pai tem um poema de Omar Khayyam para todas as ocasiões."

De volta ao presente, Tehmina mexeu-se na cadeira e se voltou para a nora:

— Lembra-se da nossa viagem à Califórnia no ano passado? Recorda o que meu marido disse na piscina, sobre a mão que escreve e segue adiante? Você acha que ele teve... uma sensação, uma intuição de que ia morrer?

Susan continuou olhando para frente. Mesmo por trás dos óculos escuros, Tehmina percebeu que a nora havia enrijecido. O silêncio, subitamente frio, zumbiu ao redor. Quando Susan falou, tinha a voz tensa como uma corda esticada:

— Mãe, lembra-se do que o Sorab lhe disse? Que não é para você ficar pensando no passado? De que adianta pensar... nessas coisas tristes, se isso só a deixa abatida?

Tehmina ia começando a dar uma resposta. Teve vontade de dizer: Quando você tiver conhecido e amado o Sorab por tanto tempo quanto amei meu marido, saberá o que é sentir saudade de alguém de uma forma tão intensa, que é como se nossos próprios órgãos nos traíssem. O coração, a pele, o cérebro, todos se transformam em traidores. Tudo aquilo que pensávamos possuir descobrimos que era partilhado com a outra pessoa. Como explicar a você, Susan, a sensação da morte de um marido? É um choque tão grande quanto experimentar o primeiro inverno em Ohio, com aquele vento cortante batendo no rosto entorpecido.

Também sentiu vontade de dizer: Esse é o problema de vocês, norte-americanos, *deekra* — e Tehmina resvalou para o carinhoso tratamento indiano —, é que vocês todos pensam demais no riso e na diversão, como se a vida fosse um filme de Walt Disney. Uma coisa inventada por crianças. Já na Índia, a vida é um melodrama de Bollywood — cheia de perdas e tristeza. E, por isso, todos rejeitam a indústria de cinema indiano e preferem Disney. Até o meu Sorab foi seduzido por sua vida ao estilo Disney, por toda essa busca da felicidade e busca do dinheiro, e busca disso e daquilo. Mas, este ano, aprendi uma nova lição. Talvez o nosso jeito seja melhor, no final das contas. Veja quanto dinheiro vocês gastam com analistas, terapeutas e sabe-se lá o quê. Até meu próprio filho fica me dizendo para tomar aquele comprimido, como é que se chama? — *Prosaico*, ou coisa assim. É que os seus períodos de luto não duram o que precisariam durar. Por que conversar com um terapeuta, a quem você tem que pagar para ouvi-la, quando poderia falar com um avô, uma tia ou um tio? É meio como procurar uma prostituta, não é, ter que pagar a alguém para escutá-la?

No silêncio frágil, Susan riu, e foi um som tão tenso que pareceu o estalar de um elástico.

— Ora, vamos, mamãe, anime-se! Está um dia lindo demais para desperdiçá-lo com tristezas.

Tehmina sentiu o rosto contorcer-se de raiva. Para disfarçar, abriu a boca num bocejo forçado.

— Tem razão. Mas esse sol todo está me deixando com sono. Acho que vou entrar um pouco.

— Mamãe — disse Susan, cuja mão vermelha tocou a dela. — Desculpe. Eu sou uma idiota. Desculpe. Sei que a morte do papai é difícil para você. É só que... bom, também está sendo difícil para o Sorab. E vê-la abatida o deixa tão triste que... bem, eu fico perturbada.

Tehmina segurou a mão da nora e a encostou no rosto.

— Eu sei, querida, eu sei. E prometo me esforçar mais. É só que o meu Rustom era um esteio tão grande de força, que é como se alguma coisa dentro de mim houvesse desmoronado neste último ano.

As duas se olharam, ambas segurando as lágrimas. De repente, o céu da tarde pareceu frio e hibernal, e Tehmina estremeceu. Notando o tremor, Susan levantou-se da cadeira.

— Você está com frio — disse. — Escute, por que não entra um pouco? Eu espero o Cookie chegar no ônibus da escola, e aí todos podemos tomar um chá de hortelã com um lanchinho. Afinal, não é sempre que posso estar em casa no último dia de aula do meu filho.

O rosto de Tehmina iluminou-se com a idéia de que o neto logo chegaria. Ela ergueu o corpo da espreguiçadeira verde e branca.

— Foi bom termos feito todas as compras de manhã — comentou. — O menino ficará contente por encontrá-la em casa, em vez de achar apenas a velha avó.

As duas haviam passado a manhã no shopping. Susan tirara o dia de folga para fazer umas compras de Natal.

— É ótimo estar em casa no meio da semana. Parece que a gente nunca mais tem tempo para fazer todas as coisas que...

A batida da porta de um carro e uma freada na casa vizinha engoliram o resto das palavras de Susan. Tara Jones recuou de marcha a ré da garagem ao lado e saiu para a rua. A janela do carro estava aberta e, do lugar em que se encontravam, Tehmina e Susan puderam ver as manchas vermelhas em sua pele e o cabelo castanho, despenteado como sempre.

Susan estremeceu.

— Essa mulher — resmungou, enquanto Tara pisava no acelerador e se afastava, sem sequer dar um aceno. — Mal posso esperar que o

Antonio venda a casa na primavera, aí ela vai ter que ir embora. Deus sabe que faz poucos meses que ela está aqui, e já tenho a sensação de estarmos suportando há anos a música alta e a gritaria dela com os meninos.

— A música eu consigo tolerar — respondeu Tehmina, pensando nas melodias que berravam nos alto-falantes das ruas de Bombaim em todas as festas indianas. — O que não suporto é a maldade dela com os filhos. Uns meninos tão meigos! Eu gostaria que o Antonio fizesse alguma coisa a esse respeito.

Susan bufou:

— Antonio. Nem vamos falar do Antonio. Desde que ele e Marita se mudaram para o interior, ele age como se não tivesse nada a ver com essa casa. Como se ela ainda não estivesse no seu nome. Como se essa tal de Tara fosse uma estranha que invadiu a casa dele, e não a meia-irmã de Marita. Ele vem agindo como se não tivesse o menor controle da situação.

Tehmina estivera em casa no dia em que Antonio, um homem cortês e sociável, na faixa dos setenta anos, dera uma passada para falar com Sorab. Durante anos, Antonio fora dono de um restaurante italiano muito popular na vizinhança, do qual os Sethna eram clientes assíduos, pois se tratava de um dos poucos restaurantes de família em Rosemont Heights, uma cidade dominada por cadeias de lojas como a Applebee's e a Cracker Barrel. Na verdade, tinha sido durante uma refeição feita lá que Sorab havia mencionado de passagem estar procurando uma casa nova, e Antonio tinha recomendado que eles dessem uma olhada na casa vizinha à sua, no Condomínio Evergreen.

Ao levar uma bandeja com chá e biscoitos para a sala, Tehmina encontrara os dois homens sentados frente a frente, com os joelhos quase encostados. Sorab exibia a expressão sofrida que seu rosto assumia toda vez que ele precisava abordar um assunto difícil.

"E como vai a casa nova, Tony?", começara Sorab.

"Esplêndida, esplêndida", dissera Antonio, reclinando-se na cadeira. "Tenho cinco acres de terra em volta, vejo cervos todas as manhãs. A patroa está adorando." Ele aceitara a xícara de chá de Tehmina com um sorriso, dizendo: "Vocês precisam nos visitar logo. Especialmente enquanto a Tammy ainda estiver na cidade. Também vai ser bom para o Cookie dar umas corridas por lá. Gastar um pouco daquela energia, não é?"

"Nós adoraríamos", dissera Tehmina em tom afável, entregando a xícara a Antonio.

Sorab pigarreou.

"Hum, e quando é que você pretende pôr a casa à venda, Tony? Não é bom deixar uma casa vazia durante o inverno."

"Pois é. E foi só por essa razão que concordei em deixar a meia-irmã da Marita mudar-se para lá por alguns meses, o bastante para ela se reorganizar, espero. Depois que foi despejada da última casa, ela e os meninos ficaram sem ter para onde ir. Não é bom uma mulher jovem e dois filhos pequenos ficarem sozinhos no mundo. Parece que há um namorado, mas nem me pergunte", dissera Antonio, revirando os olhos. "Com essa moçada de hoje, quem é que sabe? Como é que eles dizem mesmo? O que vem fácil vai fácil."

Sorab olhara de relance para a mãe.

"É, bem... Mas acontece que... eles não se enquadram muito bem nesta vizinhança, entende o que eu quero dizer, Tony?"

Antonio havia encarado Sorab por um segundo e, em seguida, caíra na gargalhada. Mãe e filho trocaram olhares intrigados, enquanto o ex-vizinho ria copiosamente, a ponto de chorar.

"Que há de tão engraçado?", começara a perguntar Sorab, mas Antonio apenas abanava a cabeça, impossibilitado de falar, de tanto que ria.

"Não se enquadram nesta... desculpe, desculpe", dissera finalmente, enxugando as lágrimas. "É só que... Deus do céu, homem, que diplomata você é!", e se inclinara para a frente, pondo a mão no joelho de Sorab. "Você me conhece, não é? Tolerância zero com conversa mole. Por isso, vou lhe dizer a verdade. Escute, você e eu sabemos o que essa mulher é. Há uma expressão para isso: ralé branca."

Ao ver Tehmina sobressaltar-se, Antonio lhe fizera um aceno respeitoso, dizendo: "Perdoe-me, Tammy querida, mas estou conversando aqui com o Sorab, de homem pra homem", e tornara a pousar os olhos cinzentos no rosto constrangido do rapaz. "Então, o negócio é o seguinte. Prometi à Marita que deixaria essa parasita da irmã dela morar aqui até a casa ser vendida. Ajudá-la a se firmar de novo. Você sabe que a mudança para o interior foi idéia minha. Marita não queria sair do antigo bairro. É bem feito para mim, por me casar com uma mulher quase quinze anos mais moça. Enfim, ela estava certa de que ia morrer de tédio no interior. Disse que só se mudaria sob uma condição. E, assim, concordei em deixar a Tara ficar aqui, só para agradar a patroa. Foi um acordo amigável, pode-se dizer."

"Mas, Antonio", interrompera Sorab, "a Tara sabe ser uma pessoa muito difícil. É *rap* tocando até tarde da noite, e *alto*. E, meu Deus, o jeito como ela grita com os filhos...", acrescentara, estremecendo.

"São uns moleques mimados, é isso que eles são", dissera Antonio, como quem se solidarizasse. "E, escute, você tem minha permissão para mandá-la baixar o volume da música." Depois disso, a linha de sua boca, em geral bem-humorada, ficara mais tensa. "Desculpe, Sorab, mas tenho que pensar na minha vida familiar. E, de qualquer maneira, não posso pôr uma mãe solteira com os filhos na rua, não é? Além disso, olhe, é só por mais alguns meses. Tenho esperança de conseguir me livrar da casa assim que o tempo melhorar."

Agora, Tehmina perguntou-se quanto dessa conversa com Antonio teria sido relatada a Susan por Sorab.

— O Antonio disse que venderá a casa na primavera — comentou, cautelosa.

— Bem, nesse caso, mal posso esperar que ela chegue — retrucou Susan. Depois, olhando para o céu milagrosamente azul de dezembro, sorriu: — Mal posso esperar que a primavera chegue — repetiu. — Embora hoje ela pareça já ter chegado.

Tehmina levou consigo a lembrança desse sorriso ao entrar em casa, tirar da geladeira duas fatias de *daar-ni-pori*, sua apreciada torta doce de semolina e lentilha com passas e cerejas, e acender o forno para aquecê-las. Graças a Deus, Susan gostava de doces, como a família do homem com quem se casou, pensou com seus botões. Eles comeriam a torta quentinha com o chá.

Quando Cookie irrompeu cozinha adentro, quinze minutos depois, foi como se o dia ficasse ainda mais luminoso do que antes para Tehmina.

— Mamãe tá em casa, mamãe tá em casa, mamãe tá em casa! — gritou o menino. — E a vovó também! — acrescentou, atirando-se na cintura de Tehmina para ganhar seu abraço da tarde. — Legal! Vamos ligar pro papai e pedir pra ele também vir pra casa!

Tehmina sentiu-se envolver por uma lufada tão intensa de amor que, por um minuto, achou que havia uma janela aberta. Que graça de menino!, pensou consigo mesma, caloroso e afetuoso como um filhotinho de cachorro.

— Você é o melhor abraçador do mundo — murmurou, beijando o alto da cabeça de Cavas. Em resposta, o menino apertou-a ainda mais, até ela fingir que perdera o fôlego. — Onde está sua mamãe? — perguntou ela, dizendo em seguida: — Vá trocar de roupa lá em cima e volte já, está bem?

— Tá bem — sorriu o menino. — Me espera aqui.

Tehmina saiu da cozinha à procura de Susan. Franziu o cenho. A porta da frente continuava aberta.

Encontrou a nora na entrada de automóveis, com os dois meninos da família Jones.

Susan virou-se para ela antes que Tehmina pudesse cumprimentar Jerome e Joshua.

— É incrível — comentou com a sogra, como se os dois meninos não estivessem presentes. — Parece que a mãe deles saiu e os dois ficaram trancados do lado de fora. Vamos torcer para que ela volte logo.

Tehmina olhou para os dois garotos. Jerome tinha sete anos, a idade de Cavas, e Joshua, cinco. Ambos tinham rostos espertos feito passarinhos, com olhos castanhos e narizes afilados. Nesse momento, o nariz dos dois escorria, e Josh tentava livrar-se do muco fungando-o e, ao mesmo tempo, enxugando o nariz com o dorso da mão. Os rostos brancos dos meninos também exibiam riscas escuras, como se eles houvessem passado a tarde limpando chaminés. Ao fitar os pescoços, Tehmina viu linhas de sujeira e sentiu os dedos comicharem de vontade de pôr os dois na água quente e esfregar o encardido daqueles pescoços.

Era engraçado, pensou consigo mesma, como crianças brancas pobres sempre pareciam muito mais sujas que as crianças pobres da

Índia. Ou a sujeira não aparecia tanto na pele morena, ou o que ela sempre ouvira dizer — que a higiene era irmã da santidade na cultura hindu — era verdade. Tehmina lembrou-se de que, quando seu carro passava pelas favelas de Bombaim, era comum ela ver grupos de faveladas voltando para casa, carregando na cabeça grandes latões de cobre cheios d'água. Com o mesmo latão, provavelmente, elas cozinhavam, lavavam a louça e davam banho nos filhos. Então, como era possível que ali, nos Estados Unidos, onde todos tinham água encanada e tudo o mais, ainda houvesse crianças com a aparência de Jerome e Joshua?

A indignação de Tehmina deu lugar à piedade.

— Estou fazendo um lanche para o Cavas — disse a Susan. — Talvez esses meninos também estejam com fome.

Susan fitou-a com uma expressão incrédula. Como é que você pôde fazer isso comigo?, parecia dizer aquele olhar, mas Tehmina virou o rosto. Nesse momento, Josh manifestou-se:

— Tô com tanta fome que sou capaz de comer a casa toda — disse em voz alta.

Jerome deu um tapa no ombro do irmão.

— Não tá, não — retrucou. — Além disso, a mamãe já vai chegar — disse, e, como que para convencer as duas adultas que os fitavam, acrescentou: — O Joshy tá sempre com fome. A mamãe diz que ele deve ter lombriga, sei lá.

Dessa vez, Tehmina olhou diretamente para a nora, torcendo em silêncio para que ela fizesse o que era certo. Susan enfrentou seu olhar, depois baixou os olhos.

— Vamos fazer o seguinte — disse, dirigindo-se aos dois meninos. — Por que vocês não entram e tomam um chocolate quente, enquanto esperamos sua mãe? O que acha, Jerome?

Todos aguardaram em silêncio, enquanto Jerome passou um minuto olhando atentamente para Susan. De repente, como se tivesse sido outra a pergunta formulada, ele respondeu:

— Você é bonita. Tá legal, vamos.

— Muito obrigada, mamãe — resmungou Susan baixinho, enquanto os garotos saíam correndo à frente delas. Mas Tehmina ouviu o sorriso em sua voz. Preciso me lembrar disso da próxima vez que

Susan se aborrecer comigo, disse a si mesma. Quando lhe fizerem uma pergunta, responda com um elogio.

Os meninos sentaram-se no banco da cozinha, à espera do chocolate quente.

— Gosto dos quadros bonitos que vocês têm nas paredes — declarou Josh. — A gente não tem quadros lá em casa.

Jerome virou-se para o irmão caçula, sibilando:

— Temos, sim. Vou dizer pra mamãe que você contou uma mentira das grandes. Tem um quadro de Jesus no Jardim do Éden bem em cima da sua cama.

— Aquele não conta — retrucou Josh. — Tô falando de quadros de lagos e passarinhos e flores, coisas assim.

Nesse momento, Cavas entrou na cozinha, de jeans azuis e segurando seu livro dos personagens de quadrinhos Calvin e Hobbes.

— Oi, Jerome; oi, Joshy — disse, como se encontrar os dois meninos em sua casa fosse a coisa mais normal do mundo.

— Venha se sentar, Cavas — disse Tehmina, apontando para a banqueta de bar junto à bancada da cozinha. — Seu chocolate quente ficará pronto num minuto.

Os dois meninos riram disfarçadamente e se cutucaram nas costelas.

— Calças — repetiu Jerome. — Ela chamou você de Calças.

— *Vovó* — disse Cavas entre os dentes, com os olhos se enchendo de lágrimas envergonhadas. — Pare, por favor. — Virou-se para as visitas e disse: — Meu nome de verdade é Cookie.

Os dois garotos riram ainda mais.

— Se você é um *cookie*, eu vou te morder — disse Josh, fingindo investir contra Cavas.

— Que tipo de *cookie* você é? — acrescentou Jerome. — Com cobertura de chocolate? Com castanhas?

Josh lambeu os lábios e comentou:

— *Adoro cookie!* Nham, nham, nham.

— Está bem, meninos, já chega — interrompeu Susan, cortante como um chicote. — É só um apelido da família para Cavas, entenderam? Vocês sabem, como quando a mamãe os chama de docinho ou fofura.

— Mamãe diz que o meu apelido é Encrenca — anunciou Josh, orgulhoso.

De repente, Tehmina sentiu algo fino, metálico e afiado perpassar-lhe o coração. Encrenca. Que tipo de mãe apelida um filho de Encrenca? Foi até a geladeira e tirou duas costeletas de carneiro que haviam sobrado do jantar da véspera. Sorab tinha pedido que ela as guardasse, para repeti-las no jantar dessa noite, mas ela sabia que o filho entenderia. Ignorando o olhar inquisitivo de Susan, esquentou as costeletas no microondas e as colocou sobre duas *chappatis*, as panquecas que havia assado de manhã.

— Peguem isso, comam — disse.

Jerome olhou para a costeleta no prato à sua frente e fez uma careta.

— Eca! — exclamou. — O que é *isso*?

— É uma costeleta de carneiro. É bom. Você vai gostar. Prove.

— Costeleta? Que é isso? E o que é *carneiro*?

— É um hambúrguer — disse Susan. — Dê uma mordida. Se não gostar, não precisa comer — e abanou a cabeça de leve, num gesto que só Tehmina percebeu.

— Adoro hambúrguer do McDonald's — disse Josh. — Quando eu crescer, vou trabalhar no McDonald's e comer três Big Macs todo dia.

— Prove, *beta* — animou-o Tehmina, enrolando a costeleta na *chappati* e segurando-a junto à boca de Josh. O menino a deixava arrasada toda vez que falava alguma coisa.

Ele mordeu o sanduíche.

— É bom — disse, e deu outra mordida antes de engolir a primeira.

— Devagar, devagar — pediu Susan. — Não quero ninguém vomitando na minha cozinha.

Por alguma razão, isso pareceu engraçado aos três meninos.

— Ninguém vomitando na cozinha — repetiu Jerome, começando a devorar o sanduíche. — Não quero ninguém vomitando na minha cozinha.

Tehmina encostou-se na geladeira, sorrindo para as crianças. Nada lhe dava maior satisfação do que alimentar as pessoas. Era como se alimentar os outros saciasse seu próprio apetite. Rustom vivia dizendo: "Há duas coisas que nunca se deve recusar a outro ser humano: comida e educação." Como sempre, seu querido Rustom também tinha razão nisso. Tehmina deu um suspiro.

Ao ouvi-la suspirar, Cavas virou-se para a avó:

— Vovó, cadê seu chá?

— Ah, meu Deus — disse ela, com um risinho. — Com todo esse corre-corre, me esqueci de fazer o chá.

— Corre-corre — repetiu Jerome, rindo sozinho. — Corre-corre. Tiquetaque. Zunzunzum.

Cavas abanou a cabeça para Jerome:

— Você é bobo — declarou. Virou-se de frente para Tehmina e disse: — Vovó, quero que você tome o chá na caneca que eu lhe dei de aniversário.

Tehmina e Susan trocaram um olhar de encanto. Aquele era o jeito de Cavas se desculpar com a avó pela explosão anterior. O coração de Tehmina palpitou de orgulho e prazer. Ela teve vontade de se aproximar de Cookie e beijá-lo na cabeça encantadora, mas não soube dizer se isso o envergonharia ainda mais diante dos amigos. Assim, contentou-se em pegar a caneca de café que dizia VOVÓ Nº 1.

Mal ela e Susan se sentaram para o chá, ouviram o inconfundível ronco do silencioso do carro de Tara. Tehmina viu os olhos da nora se espremerem.

— Bem, parece que a mãe de vocês chegou — disse Susan.

— Não quero ir pra casa! — protestou Josh. — Quero ficar aqui.

Tehmina sentiu vontade de abrir a barriga, esconder o menino lá dentro e guardá-lo onde ele pudesse ficar seguro e aquecido para sempre. Nunca mais ninguém o chamaria de Encrenca. Nunca mais aquela tal de Tara gritaria e esbravejaria com ele. Mas Susan pensava diferente.

— Nada feito, parceiro — retrucou ela, pondo-se de pé. — Sua mamãe ficará preocupada ao ver que vocês não estão no quintal. Vamos, vou levá-los até lá.

— Também vou — disse Tehmina. Até então, nunca dera uma boa olhada na vizinha, nunca havia notado nada além da pele manchada e do cabelo desgrenhado. Agora, queria olhar fundo nos olhos de uma mulher capaz de receber duas dádivas preciosas de Deus e se referir a elas como Encrencas. Queria saber o que veria nos olhos de uma mulher assim.

— Ah, aí estão vocês — disse Tara, ao vê-los todos atravessarem o jardim e se dirigirem à entrada de sua garagem. Deu um tapinha na cabeça de Jerome quando ele se aproximou. — Seu pirralhinho — disse. — Eu saio por dois minutos e você se mete sabe Deus em que travessura. Quantas vezes eu já lhe disse para não entrar na casa dos outros?

Foi Susan quem falou:

— Para ser justa com o Jerome, no começo ele recusou nosso convite. Só entrou quando insistimos em que não esperasse você do lado de fora. Afinal, mesmo um dia ensolarado como este acaba ficando frio para uma criança.

Tara fixou os olhos num ponto além dos ombros de Susan.

— Não fiquei fora tanto tempo assim — resmungou. Fez sinal com a cabeça para o carro e prosseguiu: — Com essa lata-velha, eles sabem que nunca vou muito longe.

— Na verdade, as crianças ficaram em nossa casa por mais de meia hora, provavelmente — retrucou Susan, sem alterar a voz. — É tempo demais para deixar duas crianças pequenas sozinhas.

Tara espremeu os olhos.

— Escute aqui, moça, não preciso de ninguém controlando minhas idas e vindas. Eu lhe agradeço e tudo o mais, mas, da próxima vez, é só deixar meus filhos esperarem...

Os lábios de Susan quase desapareceram, e sua voz foi serena e firme:

— Espero que não haja uma próxima vez, Tara. A verdade é que é contra a lei...

Tara a interrompeu com um bufo:

— Ei, eu sei muito bem o que a lei diz. Não preciso de ninguém pra me ensinar a lei. Passei minha vida inteira neste país, então, pode crer, eu sei das coisas e...

Tehmina sentiu Susan enrijecer-se a seu lado.

— O que você quis dizer com esse comentário? — interrompeu ela, com o frio de dezembro na voz. — O que é que viver ou não viver a vida inteira neste país tem a ver com obedecer à lei?

— Ei, ei, fique fria, dona. Eu não quis dizer nada. Quer dizer, nem estava pensando em você ser casada com um estrangeiro... isso é problema seu, não meu.

Olhou para Tehmina e acenou com a cabeça, acrescentando:

— Não tenho nada contra as pessoas indianas nem chinesas nem negras. Eu... eu só não gosto é que venham me dar ordens, só isso.

Ao lado da mãe, Josh começou a choramingar:

— Mamãe, tô com frio — fungou. — Anda, mamãe, vamos entrar.

Susan deu meia-volta, pegando Tehmina pelo braço e Cavas pela mão.

— É, está na hora de entrarmos. Já perdemos muito tempo da nossa tarde com isso.

— Ei, dona, escute, sem ressentimentos! — gritou Tara, enquanto os três se afastavam. — Obrigada por ter olhado os meninos pra mim.

Tehmina quis virar-se para responder, mas Susan apertou-lhe o braço com mais força.

— Continue andando, mamãe — falou entre os dentes.

De volta à cozinha, o chá havia esfriado.

— Lá se foi um lindo e pacífico dia de folga — suspirou Susan. — Acabo de perder uma hora do meu dia — reclamou. Virou-se para o filho: — Suba e leia um pouco, amoreco. Depois a gente vai sair para fazer mais umas compras de Natal antes de o papai chegar, está bem?

Tehmina queria perguntar a Susan se ela achava que Tara tivera a intenção de menosprezar Sorab, e queria agradecer-lhe por ter saltado em defesa do marido. Queria saber mais sobre esse tipo de racismo gratuito, se ele era muito comum e se Susan ficava vulnerável por ser casada com um homem de pele escura. E, se era verdade que Susan havia sentido e experimentado esse racismo, isso por certo significava que Sorab, o seu Sorab — apesar das roupas bem passadas, das unhas bem cuidadas, do sotaque norte-americano, do relógio de ouro, do bom emprego, dos muitos diplomas —, também o havia sofrido. Tehmina sentiu um bolo no estômago ao pensar numa idiota ignorante como Tara destilando um veneno capaz de afetar um fio sequer do cabelo de seu precioso filho.

— Aquela mulher é uma bronca — disse à nora. — Por que é que Deus dá filhos tão meigos a pessoas como a Tara, aí está uma coisa que nunca vou entender.

Susan deu de ombros.

— Para você ver. Qualquer idiota pode ter filhos. O triste é que esses meninos crescerão rebeldes. Já se pode ver a agressividade no mais velho. Não quero mais os dois perto do nosso Cavas. — E se virou de frente para a sogra: — Você tem bom coração, mamãe. É algo que admiro muito, mas quero que me escute: nunca mais vou receber aqueles meninos aqui. Espero que você possa respeitar minha decisão.

O rosto de Tehmina anuviou-se. Antes que ela pudesse responder, Susan tornou a falar.

— Sinto muito, mamãe, mas preciso *mesmo* lhe pedir isso.

— É claro — resmungou ela, mas com a cabeça noutro lugar. É que Tehmina captara aquilo que Susan era educada demais para dizer: enquanto estiver na minha casa, você cumprirá minhas ordens.

Por um instante, pensou com saudade em seu amplo apartamento em Bombaim, um apartamento esperando lá, vazio, enquanto ela decidia onde queria passar o resto da vida, em que país desejava viver, se na Índia ou nos Estados Unidos. Nem nos sonhos mais desvairados ela havia imaginado ter que fazer a mesma escolha que Sorab fizera anos antes. Mas, por outro lado, nem nos mais desvairados sonhos ela havia imaginado que Rustom cairia morto, fulminado por um ataque cardíaco, e a deixaria levar sua vida sem ele.

Enquanto Susan se afastava, com um sorriso satisfeito, Tehmina pensou: Você acha que me conhece, minha nora, mas não conhece. Por exemplo, aposto que não sabe que eu sou uma viajante espacial. Mas sou. E viajo. Na minha cabeça, viajo no tempo e no espaço de um modo que você não é nem capaz de sonhar — de Ohio a Bombaim e de volta a Ohio; da terra dos vivos à terra dos mortos, onde mora o meu Rustom; do meu quarto nesta casa, forrado com papel de parede, para meu quarto pintado em Bombaim, do qual conheço cada centímetro — onde os lenços bordados ficam guardados na gaveta de baixo da cômoda, onde sei quais são os livros na mesa-de-cabeceira, e sei a cor da moldura da imagem pintada do sagrado Zoroastro, que Rustom me deu em meu aniversário de cinqüenta anos.

Sim, posso ser mais velha que você, Susan, e meus joelhos podem estalar quando me levanto de manhã, mas eu sou capaz de correr mais depressa e voar mais alto do que você jamais saberá.

CAPÍTULO DOIS

Eva Metzembaum buzinou quatro vezes antes de Tehmina sair lentamente pela porta da entrada e acenar para ela.

— Santo Deus, Tammy! — disse Eva, enquanto a amiga entrava no carro. — O que há com você hoje? Está se arrastando feito um caramujo. Achei que teria que sair do carro para ir buscá-la. — Deu uma olhadela para a própria barriga protuberante sob o vestido vermelho, larga feito uma prateleira em que ela poderia apoiar os cotovelos, e acrescentou: — Não que um exerciciozinho fosse me matar.

Tammy sorriu. Adorava isso em Eva, seu jeito de fazer graça do mundo e, no mesmo instante, virar seu humor contra si mesma, como o brilho faiscante de uma faca. Na Índia, Tammy se envergonharia de ser vista em público com uma mulher tão volumosa, que mais parecia um pequeno iate. Mas ali, nos Estados Unidos, Eva Metzembaum se tornara a única pessoa a quem podia confidenciar praticamente qualquer coisa.

As duas haviam se conhecido cinco anos antes, durante uma das visitas de Tehmina, quando Eva se aproximara dela na festa organizada pelos vizinhos do quarteirão, dissera olá e perguntara: "Você joga *bridge*? Cartas? Qualquer coisa?"

Tammy havia abanado a cabeça.

"Não, desculpe, não. Quer dizer, anos atrás eu jogava cartas. Mas foi há tanto tempo, que tenho certeza de não me lembrar de mais nada."

"Bobagem. É como andar de bicicleta. A gente nunca esquece. É o seguinte: somos um grupo de mulheres que se reúne para jogar nas tardes de terça-feira. Por que não se junta a nós esta semana?"

Instintivamente, Tehmina olhara em volta, à procura do marido ou do filho. Não sabia ao certo o que responder àquela mulher grande e redonda, de batom vermelho vivo, que avultava sobre ela feito uma roda-gigante.

"Eu... eu não tenho certeza de quais são os nossos planos para a próxima terça-feira, sra...?"

"Sra. Metzembaum. Mas nem tente dar um nó na língua com esse nome, meu bem. É só me chamar de Eva."

"E eu sou a Tehmina. Mas a maioria das pessoas me chama de Tammy."

"Ah, eu sei quem você é. E também conheço o seu filho. Que eu simplesmente adoro, permita-me dizer. Ele é um amor. Um dia desses, eu estava voltando daquela loja de departamentos, a Costco's, carregada de caixas e sacolas e me perguntando como ia fazer para levá-las para dentro de casa. O meu Sol... esse é o meu marido, Solomon... estava bem ali, na garagem, mexendo naquele Chevy antigo dele, mas você acha que *ele* ia ajudar a mulher a descarregar o carro? Nem pensar!" Eva fizera um som desdenhoso e olhara para Tehmina com uma expressão vazia: "Mas, por que é que eu estou lhe dizendo tudo isso? Qual era o meu objetivo?"

"Você estava falando que conhecia meu filho..."

Eva abrira um sorriso. Tinha dentes enormes.

"Isso mesmo. Sabe, desde a menopausa, minha memória já não é a mesma. Ou isso, ou então são os gins-tônicas que o meu Sol faz para mim todas as noites. Você gosta de gim-tônica, Tammy? Como assim, nunca tomou? Ora, eu preferiria abrir mão do oxigênio a ficar sem o meu gim-tônica! Seguinte, querida: quando você for ao nosso jogo de cartas na semana que vem, farei o meu Sol preparar uma ou duas jarras para todas as meninas."

Essa mulher passa de um assunto para outro como o sol entrando e saindo das nuvens, pensara Tehmina. "Quer dizer que você conhece o meu Sorab?", indagara com cautela, querendo voltar a conversa para o filho.

"Sorab?", dissera Eva, que pronunciava o nome como *Sourab*. "Ah, é claro. Ele é um homem admirável, um *mensch*, eu lhe garanto. Moramos naquela casa cinza ali, está vendo?", e havia apontado para uma casa ampla e moderna que, aos olhos destreinados de Tehmina, era igual a qualquer outra do condomínio. "Pois aí, o seu Sorab e o filhinho dele estavam dando uma volta à tardinha, e ele me viu atrapalhada com as caixas. E, quando eu menos esperava, lá estava ele me ajudando a levar as compras para dentro. Até o seu netinho, ah, foi uma graça, Tammy, pegou uma caixa enorme, com o dobro do tamanho dele, e saiu cambaleando com ela pela entrada lá de casa."

Eva dera uma olhada para onde os vizinhos se achavam reunidos, em volta das churrasqueiras fumegantes, e baixara a voz:

"Você pensa que um daqueles outros seria prestativo assim? Que nada, eles continuariam andando, fingindo olhar para o outro lado", tinha comentado, e prosseguira, sorrindo para Tehmina: "Eu perguntei ao seu Sorab: você tem certeza de que não é judeu? E ele deu uma risada e disse que só estava sendo um bom vizinho, mais nada. É um verdadeiro cavalheiro esse seu rapaz."

Tehmina ficara a um tempo constrangida e orgulhosa. E havia concluído que gostava muito daquela mulher grandalhona e bem-humorada. Qualquer um que fosse fã de Sorab era seu amigo.

Rustom havia aparecido nesse momento, segurando um prato de papel cheio de comida.

"Meu bem, você não vai comer? Quer que eu lhe traga um prato?"

"Ainda não", dissera Tehmina, virando-se para Eva. "Este é o meu marido, Rustom. Rustom, essa é a Eva."

Tehmina observara com fascínio a carne sacolejante dos braços nus de Eva, ao vê-la trocar um vigoroso aperto de mão com Rustom.

"O meu maridão está em algum lugar por aí", dissera Eva, com um aceno descuidado da mão. "Não que você vá vê-lo. É provável que ele esteja escondido em algum canto, embaixo do capô de um carro. Bem, se você vir um sujeito baixinho com as mãos sujas de graxa, é o meu Solomon. Consertar carros, essa é a paixão dele."

Tehmina dera um sorriso sem jeito, não sabendo ao certo como reagir à descrição que Eva tinha feito do marido. Mas Rustom não se deixara desconcertar.

"Seu marido trabalha com isso?"

"Ah, não, pelo amor de Deus. Ele era dono de uma pequena revendedora, mas agora está aposentado. Assim, passa o tempo remexendo no Chevrolet 1941 dele. Juro por Deus que ele se casaria com aquele carro se a lei permitisse. Mas, para mim, tudo bem. Isso o impede de ficar atrapalhando, é o que eu sempre digo."

Com uma olhadela confidencial para Tehmina, Eva concluíra:

"Você sabe como é, Tammy. Os homens se contentam com objetos: seus carros, seus cortadores de grama, seus barcos. Já nós, mulheres, precisamos de *gente*."

Rustom levantara as sobrancelhas. Com uma leve mesura para Eva, dissera em tom arrastado:

"Bem, com sua licença, senhoras. Vejo que têm muito o que conversar. Quanto a mim, vou atender ao chamado dos meus... martelos e carros."

Tehmina havia enrubescido, pronta para explicar o irônico senso de humor do marido àquela mulher grandona e calorosa, mas, para seu alívio, percebera que Eva dava risadas, balançando a cabeça enquanto Rustom se afastava.

"Esse aí é um demônio, logo se vê", dissera ela, com todos os queixos múltiplos dançando ao som de sua gargalhada. "Aposto que ele a mantém na linha, Tammy."

Agora, recordando aquela antiga conversa, Tehmina sentiu uma onda de afeição pela amiga. Graças a Deus, Eva precisava de gente. Com Rustom morto, Tehmina precisava mais do que nunca estar com alguém que gostasse de gente. Embora detestasse a si mesma quando tinha qualquer tipo de idéia pouco generosa em relação a Sorab e a Susan, às vezes Tehmina sentia que os meninos se ocupavam tanto com o trabalho, a casa e os carros, que tinham se tornado escravos de seus bens. Lembrou-se dos antigos desenhos de ficção científica que costumavam ser exibidos antes do filme principal em Bombaim, quando era pequena. Muitos deles eram protagonizados por robôs que faziam as vontades dos donos. Mas ali, nos Estados Unidos, era como se tivesse acontecido o inverso — os seres humanos tinham se transformado nos robôs, fazendo as vontades de suas bugigangas mecânicas.

Mas, afinal, o que você entende disso?, repreendeu-se. Quando foi a última vez que mandou pintar seu apartamento em Bombaim? Aqui, os meninos pintavam dois cômodos a cada verão. E olhe como o Sorab cuida dos carros dos dois — lava, encera, aspira o pó. Você é uma roceira, uma *ghaati* de Bombaim, quem é você para julgá-los?

Nesse momento, porém, voltou-lhe à lembrança uma cena com um ressaibo amargo. Um jantar na casa deles, duas semanas antes. Doze convidados, e Tehmina passara o dia inteiro na cozinha, preparando arroz com *curry* e camarão e *sali boti*, a carne de carneiro com damasco. Talvez suas mãos estivessem trêmulas de cansaço, ou talvez fosse por ela ter bebido duas taças de vinho, mas, qualquer que tivesse sido a razão, alguns grãos de arroz haviam caído de seu prato no tapete da sala quando ela se sentara no sofá com o prato equilibrado no colo. E Susan se levantara no mesmo instante — Tehmina havia percebido os lábios da nora ficando tensos e apertados de desaprovação — e trouxera o aspirador portátil. Para seu tormento, a nora tinha aspirado o tapete em volta de seus pés. E ela ficara lá, grudada no sofá, de vergonha, sem saber onde pôr os pés e se devia levantar-se ou continuar sentada.

Por fim, Sorab notara seu mal-estar. "Ei, Suse, já chega", dissera ele, em tom descontraído. "Sei que a neura obsessivo-compulsiva está a mil hoje em dia, mas controle-se, meu bem."

A réplica de Susan, proferida entre os dentes, fora abafada pela gargalhada de Percy Soonawalla. Percy era um velho amigo de infância de Sorab, que praticamente crescera na casa dos Sethna, e agora era um advogado de sucesso, especialista em imigração.

"Ei, chefinho, aí é que está o problema desses casamentos interraciais, *yaar*", dissera Percy, olhando para sua quarta mulher, Julie.

"Todas essas norte-americanas têm o gene do distúrbio obsessivo-compulsivo. Já os imprestáveis de seus maridos, vindos da Índia, têm o gene da *bindaas*. Sabe o que quer dizer *bindaas*, meu bem? Quer dizer... inconseqüência, despreocupação..., como no jeito de ser da maioria dos homens parses."

Eva Metzembaum olhou de relance para Tehmina, engatando a marcha a ré em seu Buick marrom-claro e saindo lentamente da entrada.

— O que foi, Tammy, comeu alguma coisa estragada no café da manhã, é? Por que essa cara trombuda?

Tehmina abanou a cabeça.

— Nada, desculpe. Eu só estava pensando, só isso.

— Bem, se pensar a deixa com essa cara feia de ameixa seca, é melhor não pensar, pode crer. Melhor ficar com a cabeça completamente oca, que, aliás, é o que o Sol diz que eu tenho.

Tehmina sorriu. Eva sempre tinha um jeito de animá-la.

— Como vai o Solomon? — perguntou.

— Solomon? Ah, está ótimo. O velho continua funcionando a mil. Agora que está frio demais para trabalhar ao ar livre no seu precioso carro, ele fica zanzando pela casa, desanimado, lendo suas revistas automotivas e me enchendo a paciência. Mas, quando chegar o verão, nem saberá que eu existo. Acho que, daqui a uns cem anos, quando eu houver reencarnado como um *hamster* ou coisa parecida... vocês, indianos, acreditam em reencarnação, não é?, o Solomon ainda será encontrado com a cabeça enfiada sob o capô do seu precioso automóvel.

— Sabe, Eva, alguns anos atrás, você me deixaria chocada. Mas agora eu a conheço muito bem. Bastaria um dia sem o Solomon para você ficar perdida.

— Ah, isso eu não discuto. O Sol é legal — disse Eva, com um sorriso maroto. — Tem cara de castor, talvez, mas é um bom sujeito.

— Pfff! Que maluquices você diz! — riu Tehmina.

— E então, menina? Está pronta para ir ao mercado do produtor? E depois, se tivermos tempo, quem sabe não podemos dar uma passada no Target? A que horas o Cookie chega da escola?

O rosto de Tehmina murchou.

— As aulas acabaram, mas a Susan não quis deixá-lo em casa comigo, nem mesmo na semana do Natal. Por isso, matriculou-o numa aula de aprimoramento, ou enriquecimento.

— Hum. Aula de enriquecimento — repetiu Eva, estalando a língua. — Na minha época, a única coisa que poderia ser enriquecida era o arroz. Mas esses pais de hoje, para eles não basta criar filhos felizes e sadios. Não, a criança tem que dançar como Fred Astaire e dominar a matemática como Einstein — disse, e pôs a mão pesada e enrugada sobre a de Tehmina, cobrindo-a como uma tigela. — Não são só você e a sua nora, Tammy. O mesmo disparate acontece em toda parte. Ninguém acha que os avós sabem o bastante para ensinar alguma coisa aos netos. Veja o meu filho, David, e a mulher dele, na Flórida. Tratam o filho como se ele fosse o Messias.

— Mas isso é uma coisa que eu não entendo, Eva. Por que as crianças dos Estados Unidos vivem tão isoladas? Veja o nosso condomínio, por exemplo. Todas aquelas casas novas e grandes, mas não há calçadas. Como é que podem projetar essas casas nos mínimos detalhes, com o pé-direito alto, as banheiras sofisticadas e tudo o mais, e se esquecer de pôr calçadas? Eu lhe digo uma coisa: em Bombaim, até os bairros mais pobres têm calçadas... e o fato de elas serem todas quebradas e rachadas e de todo o mundo acabar andando pelo meio da rua é uma outra história.

— Ah, eu sei como é, Tammy, sei como é. Ora, no meu tempo, as crianças viviam na rua. Inverno ou verão, era lá que estava nossa vida, brincando do lado de fora. Agora, veja o meu neto. Joga tanto no computador, que eu lhe digo que ele terá cotocos em vez de polegares quando chegar aos quinze anos. E, se a gente o chama para dar uma volta, ele nos olha como se lhe tivéssemos pedido para assaltar um banco. Indignado.

Era muito boa a sensação de poder conversar assim com alguém, sem ser mal entendida. Susan e Sorab ficavam com aquela expressão sofrida e defensiva no rosto quando ela dizia alguma coisa que lhes parecia uma crítica aos Estados Unidos.

— E é muito engraçado — continuou Tehmina. — Todas as casas com crianças pequenas, aqui no Condomínio Evergreen, têm um conjunto idêntico de brinquedos no quintal: você sabe, o balanço, o escorrega e o resto. Então, por que esses pais todos não se unem e compram só um ou dois desses conjuntos e os põem numa área comum? Aí, todas as crianças poderiam brincar umas com as outras. Quer dizer, o meu Cavas tem uns amiguinhos no condomínio. Mas há uma porção de crianças que ele nem vê. Acho que nunca brincou com os garotos da casa ao lado.

Eva deu um suspiro dramático e disse:

— Ah, como seria bom se você e eu governássemos o mundo, Tammy! Cuidaríamos de todas as crianças, não é? Eu e meus irmãos éramos pobres, mas uma coisa eu lhe digo, tínhamos uns aos outros e éramos felizes. Não havia uma criança no velho bairro de quem não fôssemos amigos. E, se a gente fazia alguma coisa errada, Deus nos acuda! Qualquer mulher que passasse pela rua achava que tinha o direito divino de nos repreender. E, quando isso significava um ou dois tapas, bom, não adiantava reclamarmos com nossos pais. Eles só diziam que provavelmente tínhamos merecido.

Tehmina deu um sorriso sonhador.

— Nova Jersey lembra muito Bombaim — disse, ponderando consigo mesma se devia ou não contar a Eva a discussão que tivera com Tara uns dois dias antes. Mas, nesse momento, Eva perguntou:

— E então, o que acha, meu bem? Vamos tentar ir ao Target, depois de passar no mercado do produtor?

Tehmina nem precisou pensar:

— Eu adoraria. Quem sabe? Talvez esta seja minha única chance de fazer umas compras de Natal para os meninos, enquanto eles estão na rua.

Eva freou para não atropelar um esquilo que atravessou a rua em disparada.

— Natal — disse. — Para que serve uma festa que só faz deixar as pessoas tão tensas? Diga, você já viu algum cristão feliz no dia de Natal? Os únicos que se animam são aqueles birutas religiosos, e eles são tão amalucados que só sabem ficar contentes o tempo todo. Quanto aos outros, saem correndo para os terapeutas no dia seguinte, e para quê? Para poderem perder a cabeça de novo até chegar o Natal seguinte.

Tehmina sorriu ao dizer:

— Na Índia, quando eu estava na escola, era comum ansiarmos por viver um verdadeiro Natal branco. Sabe, víamos os cartões de Natal com as luzes, as árvores e a neve. Nenhum de nós jamais vira a neve. Chegávamos até a montar uma arvorezinha na escola, todo ano. E sabe o que usávamos para imitar a neve? Algodão.

Eva bufou:

— É, até aqui a gente vê umas criancinhas judias correndo para lá e para cá, querendo ser Jesus Cristo e a Virgem Maria. Para mim, aquilo é uma lavagem cerebral, se você quer saber — acrescentou, com um suspiro. — Eu gostaria de ir para algum lugar e fugir desses cristãos malucos por uma semana. Eles identificam um judeu a dois quilômetros de distância, e querem nos converter.

Tehmina riu.

— Eva, você só faz falar. Ora, deve ter mais amigos cristãos do que qualquer pessoa que eu conheça.

— E alguma vez eu disse que não? Não tenho nada contra os cristãos. Não, eu me oponho é a esse espalhafato que cerca as festas natalinas. Eu lhe pergunto, você já entrou numa loja, nesses últimos dias? Todas aquelas pessoas espumando pela boca, correndo para comprar coisas. Alguma delas parece feliz? Alguma delas pensa em Cristo? Não, eu lhe digo no que elas pensam: PlayStations e tevês de plasma e aparelhos de som estéreo. Isso lá é religião?

— Eu sei, eu sei, Eva. Concordo com você. A Susan e o Sorab, os dois trabalham muito. Quero dizer, há noites em que vejo meu filho chegar em casa e sinto o coração palpitar de medo. E me pergunto: será que a Susan não vê como ele parece cansado, exausto? Será que não se importa? Então, percebo a mesma expressão no rosto dela. E fico pensando: para que eles trabalham tanto? Por que não podem comprar uma casa menor, com um jardim menor e tudo o mais? Por que o Sorab precisa ter um horário tão longo de trabalho?

— Porque ele subiu na esteira — disse Eva. As duas entraram no estacionamento, e Eva foi circulando devagar, tentando encontrar uma vaga para deixar o carro. — Você sabe o que é uma esteira ergométrica, não sabe? Pois muito bem, algum dia já tentou pular de um negócio daqueles quando ainda está em movimento? É dificílimo.

Não, o jeito é apertar o botão de parar antes de descer. E, neste país, ninguém jamais quer apertar esse botão.

Tehmina virou-se para a amiga:

— Eva, esse é o meu maior medo. Você sabe que as crianças querem que eu fique aqui. O Sorab, em especial, anda preocupado com a idéia de que, agora que o Rustom se foi, não haja ninguém em Bombaim para cuidar de mim. Somos uma família pequena, sem muitos primos ou tios, e eu me lembro bem de como me senti sozinha nos meses seguintes à morte do Rustom.

Fez uma pausa, não querendo relembrar os dias difíceis que haviam sucedido o funeral do marido, e continuou:

— Mesmo assim... Bombaim é a minha casa. Aqui, tenho medo de ser sempre uma estrangeira, de nunca me acostumar com todos esses hábitos.

Eva estacionou numa vaga e pôs o carro em ponto morto. Mas não desligou o motor. Em vez disso, examinou Tehmina com ar avaliativo e, por fim, disse:

— Tammy, você é como uma pessoa da família para mim. Então, posso lhe falar de coração, como faria com a minha irmã Rose? O que eu quero lhe dizer é isto: pelo amor de Deus, Tammy, não seja boba. Seu filho e sua nora querem você aqui, então fique. E como é que você pode se chamar de estrangeira aqui? Estrangeiro é quem vem aos Estados Unidos, tira umas fotos da Estátua da Liberdade, anda no bondinho de São Francisco e volta para casa achando que conhece o país; isso é que é um estrangeiro. Mas você e seu falecido marido estiveram aqui tantas vezes, que você sabe o preço do leite na mercearia. E, se viesse morar aqui, eu a ensinaria a dirigir. Seu filho pode lhe comprar um carro, para você ter sua independência.

— Não é isso, Eva. É só que... em Bombaim, estou na minha casa, levando a minha vida. Faço um trabalho voluntário duas vezes por semana no Centro Shanti, que é um abrigo para crianças órfãs. Ajudo uma vizinha idosa a fazer suas compras uma ou duas vezes por semana. De vez em quando, encontro meus velhos amigos. Sabe, são pessoas que conheço há mais de quarenta anos.

Inclinou o corpo e olhou atentamente para os olhos azuis de Eva.

— Sabe, lá em Bombaim, eu me sinto uma pessoa, uma pessoa cuja vida tem um sentido, segue um caminho. Aqui, apesar de todos os esforços do Sorab, não consigo deixar de me sentir um ornamento, uma peça decorativa. Quase como um embrulho que alguém tivesse largado na porta dele. Acho... o que eu estou dizendo, Eva, é que... não me sinto necessária aqui. Afora uma ou outra preocupação ocasional, os meninos ficarão perfeitamente felizes sem mim.

Eva deu um suspiro e disse, quase sem se fazer ouvir:

— É engraçado, a vida é muito engraçada.

— O quê?

— Nada, nada. Eu só estava pensando... Se o meu David e a mulher dele nos pedissem para nos mudarmos para um lugar mais próximo, eu meteria a casa toda numa mala e me mudaria no dia seguinte. Mas eles estão muito ocupados criando seu filhinho mimado: escola particular, aulas de música, *camping* diurno para superdotados... quem é que tem tempo ou energia para gastar com os pais? Você tem sorte, Tammy, por seu filho a querer por perto.

Tehmina engoliu em seco.

— Eu sei. Eu sei, acredite. Dez vezes por dia, digo a mim mesma que sou uma velha ingrata. É por causa do Sorab que não consigo decidir o que fazer. Uma parte de mim quer ficar aqui e ajudar... você sabe, ajudar a aliviar o fardo de meus filhos, o máximo que eu puder. Tenho vontade de cozinhar para o Sorab, de estar em casa quando o Cookie chega da escola. Eva — continuou Tehmina, começando a chorar —, essa não é uma decisão que eu esperasse ter que tomar na minha idade. Já foi bastante difícil ver meu único filho nos deixar quando estava com vinte e um anos. Não imaginei que, um dia, eu também tivesse que segui-lo para um novo país.

O lábio inferior de Eva ficou trêmulo.

— Ah, fofinha, está tudo bem. Ah, minha querida Tammy, é muito difícil, eu entendo. Sabe, dizem que nós, os judeus, somos um povo nômade. Estamos acostumados a viver feito passarinhos, indo de um lugar para outro. Mas você... a maioria das pessoas só tem um lugar a que chama lar. Eu compreendo, meu bem, juro que compreendo. É uma grande decisão para se tomar.

— E o Rustom não está aqui para me ajudar a tomá-la. Essa é a parte estranha. Eu me apanho procurando o Rustom para que ele decida por mim. E aí me lembro: ele é a única razão de eu estar diante dessa decisão, para começo de conversa.

— É, a vida do outro passa a ser uma pele — murmurou Eva. — Quando se é casado por muito tempo, o outro se torna tão conhecido quanto a própria pele.

Tehmina assentiu com a cabeça, agradecida.

— É isso que não consigo explicar a ninguém. A Susan, o Sorab, todos eles esperam que eu... ora, ainda esta semana, a Susan me repreendeu por eu ter mencionado o nome do meu marido.

Eva estalou a língua.

— E o que você esperava, Tammy? É sua nora, não tenho nada contra ela, mas ela não é judia, é uma gói. Esse pessoal branco, eles são bons para fazer os ônibus andarem no horário. No mais, em qualquer coisa que envolva um coração batendo, pode esquecer.

— Mas *você* é branca — protestou Tehmina.

— Sim, mas não branca como a Susan. Não como a minha nora. Sou mais como você, Tammy. Sei que o mundo é feito de sangue, pus, suor e fezes. E não tenho medo disso. Gente como a sua nora pensa que o mundo é feito de açúcar e temperos. E o mais estranho é que, para pessoas como ela, essa é a face que o mundo exibe.

Pensando no rosto pálido e cansado de Susan ao voltar do trabalho, Tehmina sentiu um momento de mal-estar com a descrição que Eva fizera de sua nora. Aquilo não podia ser verdade, com certeza. Susan certamente já tinha sofrido, com certeza também já vira o lado negro da vida. Tehmina abanou a cabeça e tornou a voltar a atenção para a mulher a seu lado.

— Eva, tenho um favor para lhe pedir, uma coisa que ando querendo pedir há muito tempo.

Eva pareceu surpresa:

— Quer ir a outro lugar?

— Não, não. Não é isso. Eu queria pedir... será que você pode me chamar de Tehmina, em vez de Tammy? Afinal, esse é o meu nome verdadeiro.

Eva ficou quieta. Depois, passou o braço em volta dos ombros da amiga.

— Desculpe. Nós, americanos, somos muito arrogantes. Não conseguimos pronunciar o nome de uma pessoa, e aí queremos mudá-lo, para nos favorecer. Isso também aconteceu com muitos de meus ancestrais. E aqui estou eu... — interrompeu-se, abanando a cabeça. — Enfim, será uma honra para mim chamá-la por seu verdadeiro nome, Tehmina. E vou ficar atenta para que as moças do nosso grupo de carteado façam o mesmo.

— Não me importa como as outras me chamem — disse Tehmina. — É só... era você que eu queria que usasse meu nome, só isso.

Eva tirou o corpo volumoso do carro.

— Fico lisonjeada. Está decidido. É Tehmina, e pronto. Agora, venha. Vamos comprar umas frutas e legumes, antes que todos os melhores sejam levados.

Tehmina adorava ir ao mercado do produtor. Ali se sentia à vontade e humana. A água suja e parada no chão, os gritos dos vendedores competindo pelos fregueses para que estes experimentassem seus produtos, até o cheiro das frutas apodrecidas e do peixe fresco, tudo lhe parecia familiar. Fazer compras nessa feira era como fazer compras em Bombaim — muito barulho, tudo apinhado de gente, um zumbido de atividade. Pegar as frutas e legumes, barganhar com os barraqueiros de vez em quando, provar as amostras de frutas picadas que eles ofereciam, tudo a fazia sentir-se humana, como se o mercado estivesse cravado numa parte do mundo que ela ainda podia reconhecer e na qual vivia. Que contraste com os supermercados anti-sépticos, refrigerados, feericamente iluminados e limpos em que os meninos faziam compras! Um lugar em que os tomates e as abobrinhas vinham embrulhados em bandejas de plástico e onde as pessoas olhavam torto se a gente tocava uma fruta e a levava ao nariz para sentir seu perfume. Não que cheirá-las fizesse alguma diferença — nenhuma das frutas e legumes das mercearias dos Estados Unidos tinha aroma nem sabor, é verdade. Era como se o país ficasse tão fascinado com o tamanho e a cor — as bananas, os pêssegos e as maçãs eram todos maiores do que qualquer um que Tehmina já tivesse visto em Bombaim — que se esquecesse de que as frutas eram mais do que um objeto decorativo. Morder uma maçã ou uma laranja norte-americanas era provar o gosto da decepção. Nada explodia em sabor, nada era doce ou de gosto marcante como as frutas de Bombaim. Nem mesmo as rosas dos Estados Unidos tinham perfume, coisa que Tehmina ainda não conseguia muito bem aceitar.

Agora, ziguezagueando pelos corredores estreitos do mercado, ela se sentiu zonza de empolgação e com uma satisfação estranha e profunda. Era como se houvesse voltado a se juntar à raça humana, engajada numa atividade que a ligava ao resto do mundo. Dos mercados de Istambul aos bazares de Bombaim, era isso que as mulheres faziam — seguravam e apalpavam o alimento que depois iriam preparar, conversavam, discutiam e brincavam com os homens e mulheres que lhes vendiam esse alimento. Ao contrário dos supermercados, não havia uma película de plástico protegendo as frutas e legumes, até eles mesmos ficarem com gosto de plástico; nenhum homem bem barbeado, num imaculado jaleco branco, olhava-a com silencioso desagrado quando ela pegava um objeto e o punha de volta. Os supermercados pareciam ter sido construídos para uma raça de seres perfeitos; a feira dos produtores era construída em escala humana — um lugar para seres humanos comuns e falíveis.

Havia outra coisa de que Tehmina e Eva gostavam quando iam lá.

— Olhe só para aquela ali — disse Eva nesse momento, cutucando a amiga. — Acho que a vejo toda vez que venho aqui.

As duas sorriram ao ver uma senhora baixa, de tez escura, circulando pelos corredores com um casaco de pele branco, imponente como uma rainha, inspecionando os pimentões e as cenouras como se fossem seus súditos. Bem ao lado dela, um homem de aparência maltrapilha, óculos colados com fita adesiva e furos no sujo sobretudo de inverno, andava arrastando os pés. Era isso que havia de admirável na feira — ela era um desfile da humanidade, como se uma espécie de democracia brotasse entre o alho e a acelga. Tehmina voltou a pensar na mercearia em que Sorab e Susan faziam suas compras. Que insípidas e uniformes pareciam as pessoas que compravam lá, exatamente como as casas do condomínio! No supermercado, todos pareciam saudáveis, limpos e bem esfregados, sem um traço da individualidade e das excentricidades pitorescas que os compradores da feira exibiam nos rostos interessantes e multicores.

Tehmina adorava sair das anêmicas ruas suburbanas de Rosemont Heights e entrar em Cleveland. Por que os meninos não compraram uma casa no centro de Cleveland?, lamentou-se, mesmo sabendo a resposta. Sorab contara a ela no mês anterior, na noite seguinte ao Dia de Ação de Graças, quando todos tinham ido à Public Square para assistir à cerimônia de iluminação da árvore de Natal. Apesar do ar gelado da noite, Tehmina sentira-se aquecida. Talvez se houvesse aquecido com a cidra e o chocolate quentes que Sorab havia comprado para todos, enquanto eles tremiam durante os discursos intermináveis dos líderes municipais, à espera do momento em que a Public Square irromperia numa explosão de luzes vermelhas e verdes. Porém fora mais do que isso, Tehmina sabia. O que lhe aquecera a alma tinha sido a multidão de dez mil pessoas, todas amontoadas, todas se encostando de leve, uma massa de corpos em busca de calor, proximidade e refúgio uns nos outros. E que multidão tinha sido! Animada, ruidosa, bem-humorada. Aplaudia com gosto as bandas das escolas secundárias e o DJ local que era o animador do show; e vaiava com gosto toda vez que mais um político subia ao palco. A multidão era formada por pessoas de todas as raças e cores, de todas as classes sociais, tanto assim que homens com sobretudos de fina lã trocavam pilhérias com os sem-teto que passavam o dia zanzando na Public Square, homens com sapatos furados. Havia dez mil dessas pessoas lá, à espera da cerimônia de iluminação da árvore, mas, para Tehmina, a sensação fora de que eram uma só. Uma só massa, um organismo, todas movendo-se juntas ao ritmo da música, inalando juntas o ar gélido, exalando juntas aquelas nuvens de sopro congelado. Fora maravilhoso. Empolgante. E levara Tehmina a se sentir totalmente diferente de como ela havia se sentido em Rosemont Heights. Naquela multidão, tinha sido fácil desaparecer, abandonar o próprio corpo e se tornar vazia, ilimitada e expansiva como o céu. Parte de um todo. Já em Rosemont Heights, ela se sentia constrangida com seu corpo, sentia o peso da cabeça balançando sobre o pescoço, o peso das mãos caídas dos lados, a pressão incômoda de sua pele escura. Tehmina sabia que um outro casal inter-racial morava no Condomínio Evergreen. E que um médico sino-americano morava na rua seguinte. Mas, afora isso, a colônia de moradores parecia uniformemente similar. Nenhum homem com sapatos furados e bafo de uísque morava no Condomínio Evergreen. E, mesmo que morasse, ninguém riria e conversaria com ele do jeito que os homens bem-vestidos tinham feito naquele momento.

Tehmina se dirigira ao filho, tomando o cuidado de modular a voz para que ele a ouvisse além do som da música, mas não Susan:

"Há pessoas morando no centro de Cleveland?"

"Algumas sim, hoje em dia", gritara Sorab, acima do som. "Mas são solteiras, na maioria. Não há muitas famílias."

"Por quê?", perguntara ela, torcendo para que o filho não ouvisse a angústia em sua voz. "É um lugar tão bonito!"

Sorab fizera uma careta.

"As escolas são terríveis, mamãe. De jeito nenhum poríamos o Cookie numa escola de Cleveland." Depois, acompanhando o olhar da mãe para o ponto em que a Torre do Terminal parecia tocar o céu, ele havia acrescentado: "Os prédios são bonitos, reconheço. Mas você devia ver este lugar durante a semana, depois que o pessoal sai do trabalho. É uma cidade-fantasma. Não há ninguém, exceto os bebuns. Não é lugar para se viver com a família."

A despeito da própria vontade, as palavras haviam escapado dos lábios de Tehmina: "Esse lugar me faz lembrar a zona sul de Bombaim. Alguns daqueles prédios antigos e majestosos, como o edifício da Faculdade Elphinston e o do Terminal Ferroviário Victoria. E você não acha que a Torre do Terminal lembra a da antiga Universidade de Bombaim?"

Sorab dera de ombros. "Na verdade, não. Quer dizer, é um tipo diferente de arquitetura." Depois, sua expressão se abrandara, e ele havia prosseguido, já risonho: "Se eu soubesse que isso a deixaria com saudade de Bombaim, teríamos ficado em casa. A idéia era animá-la."

"Ah, mas eu estou feliz por ter vindo aqui. Muito feliz", dissera Tehmina, segurando a mão enluvada do filho e apertando-a com força. "Como posso não me sentir feliz quando meu filho está comigo?"

Diante dessa lembrança, Tehmina deu um longo suspiro e, embora Eva parecesse distraída com o cartaz que dizia LIMA-DA-PÉRSIA, DEZ POR US$1, ela o notou.

— Qual é o problema, Tamm... Tehmina? Por que está apitando feito um trem velho?

— Ah, eu só estava pensando — respondeu ela, voltando para Eva o rosto umedecido pelas brumas da memória. — Eu gostaria que você fosse me visitar em Bombaim. Ah... nós temos um mercado chamado Crawford, sabe? Eu gostaria que você pudesse vê-lo. Ah, meu Deus, você devia ver as frutas de lá, Eva. Só as mangas... e há também uma fruta chamada condessa, e outra chamada sapoti. O sapoti é muito parecido com o kiwi, sabe? Mas, por dentro, é doce como o açúcar.

Eva estalou a língua:

— Você sempre se emociona no mercado do produtor. Mas eu sabia que vir aqui a animaria. Nada como a casa da gente, não é, Tammy?

Tehmina já ia respondendo, quando sentiu alguém lhe dar um leve empurrão do lado. Afastou-se um pouco, mas a segunda cutucada veio com uma voz conhecida:

— Ei, ei, dona! — disse a voz pequenina, e Tehmina baixou os olhos. Viu, então, que era um dos meninos da casa vizinha. Era o caçula, erguendo os olhos para ela com um largo sorriso no rosto. Tehmina reparou nos cílios longos e nos grandes olhos castanhos do garoto.

— Ora, olá! — respondeu em tom caloroso, torcendo para ele não notar que tinha esquecido seu nome. — Como vai você? E como está seu irmão?

— Eu vou bem — disse baixinho uma voz tímida atrás dela, e, ao se virar para a segunda voz, Tehmina lembrou-se dos dois nomes. Jerome e Josh. É claro.

— Eu sabia quem era na hora que eu vi você — disse Josh, com um ar tão satisfeito, que Tehmina precisou resistir à ânsia de se curvar e lhe dar um beijo na cabeça. — Fui eu que vi você primeiro, não o Jerome — disse o menino, olhando ao redor. — O Cookie tá aqui?

— Fico muito contente por vocês terem me cumprimentado — respondeu Tehmina. — E não, o Cookie está... está numa aula.

— Mas as aulas acabaram — disse Jerome, parecendo intrigado.

— Eu sei. Mas o Cookie está numa aula... uma aula especial — disse Tehmina, olhando de relance para Eva, em busca de ajuda. — Esta é minha amiga Eva. E estes, Eva, são meus dois amigos, Joshy e Jerome. Eles moram... na casa vizinha à nossa.

Ela e Eva trocaram um olhar rápido. Eva conhecia Antonio, embora Tehmina não soubesse ao certo se algum dia ela havia tido algum contato com Tara ou com os meninos.

De repente, os dois pareceram tímidos, resmungando seus cumprimentos. Eva deu uma olhadela em volta e perguntou:

— Com quem vocês estão? Onde está sua mãe?

Jerome a fitou com ar desconfiado, mas Joshy respondeu:

— Ela foi lá dentro do mercado comprar cachorro-quente — disse, e baixou a voz. — O Jerome tem medo de entrar porque é lá que eles vendem os bichos mortos e tudo mais.

— Eu não tenho medo — objetou Jerome, prontamente. — Só fiquei aqui pra proteger você.

— Ha-ha. Tem medo, sim. A mamãe falou que você é um medroso de marca maior.

Jerome pareceu prestes a socar o irmãozinho, e Tehmina percebeu que era hora de intervir:

— Também detesto ir sozinha à parte interna da feira. Tenho muito medo de lá. É por isso que sempre venho com a minha amiga Eva.

Jerome deu uma espiada no corpanzil de Eva e balançou a cabeça, concordando:

— É porque ela é mais velha que você — declarou em tom solene.

Tehmina virou-se para Eva, para ver se ela se ofendera, mas a amiga estava escondendo o riso atrás do lenço. Apenas o chacoalhar dos braços a denunciava.

— Tem razão — disse Eva. — Eu tenho pelo menos uns quatrocentos anos.

Os dois meninos riram.

— Não, não tem, não — desmentiu-a Jerome. — Você é engraçada — acrescentou.

— Bem, quantos anos você acha que eu tenho?

Jerome a fitou longamente e disse, enfim:

— Você tem pelo menos trinta e oito.

Tehmina e Eva caíram na gargalhada.

— É um perfeito sedutor esse aí — disse Eva, e se virou para Tehmina: — Crianças e flores. Como é que alguém pode duvidar da existência de Deus, quando existem crianças e flores?

Joshy puxou um lado da túnica de Tehmina e disse, em tom de urgência:

— Tô com fome.

Jerome deu-lhe um tapa nas costas.

— Você tá sempre com fome — comentou, desdenhoso. — A mamãe diz que ele tem lombriga, sei lá. Diz que ele parece um mendiguinho, sempre pedindo comida.

Tehmina pensou nos milhões de brincadeiras diferentes que tinha inventado para fazer Sorab comer quando ele era pequeno, e em como tinha a sensação de ficar com a própria barriga cheia a cada garfada que o filho querido comia. Não conseguia imaginar uma mãe com má vontade de alimentar um filho pequeno.

— Você tomou o seu café da manhã? — perguntou com cautela, querendo e não querendo saber.

— Comi um bolinho, mas isso tem séculos — respondeu Josh.

— Quer uma banana? — perguntou Eva, enfiando a mão na sacola azul de plástico.

Josh fez uma careta:

— Banana é nojento. Você não tem um doce?

— Não faz bem comer tanto açúcar logo de manhã cedo, filhote — começou Tehmina, mas notou que os meninos não estavam ouvindo. Acompanhou o olhar de Josh e percebeu que ele tinha visto a mãe se aproximando. O rosto do garoto se iluminou:

— Mamãe! — exclamou ele.

Alguma coisa morreu dentro de Tehmina ao perceber a intensa hostilidade estampada no rosto de Tara. Havia uma expressão malévola nos olhos da mulher quando ela se aproximou e, apesar das manchas vermelhas, sua pele parecia cinzenta sob a fumaça do cigarro. Não gosto mesmo dessa mulher, pensou Tehmina, surpresa. Era raríssimo ela antipatizar com alguém. Mesmo assim, pelo bem dos meninos, forçou um sorriso agradável:

— Olá, Tara.

A mulher a olhou como se houvesse flagrado Tehmina no ato de seqüestrar seus filhos.

— Oi — resmungou Tara, voltando imediatamente a atenção para Jerome. — Eu disse para vocês ficarem perto da porta lateral — repreendeu, tirando-lhe o dedo da boca com um tapa. — Que é que vocês estão fazendo, andando por aí e falando com... gente? — E relanceou um olhar desdenhoso para Tehmina.

Ela sentiu o rosto enrubescer diante do insulto evidente.

— Os meninos só estavam sendo gentis — disse, ouvindo o gelo na própria voz. — Eles me reconheceram e vieram apenas me cumprimentar.

Tara olhou com insolência para a senhora idosa, descendo lentamente o olhar do alto de sua cabeça até os pés e depois encarando-a. Tehmina teve de se esforçar para não ficar envergonhada diante do olhar de menosprezo da vizinha.

— Ah, é? — disse, com ar indiferente. — Bom, eles não têm permissão para falar com estranhos.

A seu lado, Tehmina escutou Eva emitir algo que tinha o som suspeito de um rosnado. Antes que uma das mulheres pudesse dizer alguma coisa, entretanto, um Joshy impaciente as interrompeu:

— Mamãe, tô com fome — declarou em tom urgente. — A gente pode ir ao Mickey D's?

Tara reagiu como se o menino lhe houvesse pedido um cheque de mil dólares.

— Acabei de gastar três paus na porcaria dos cachorros-quentes de vocês — disse, agarrando Josh pelo braço, puxando-o em sua direção e começando a se afastar. — Vocês, moleques, pensam que dinheiro dá em árvore. Se aquele inútil do seu pai pagasse a pensão, talvez eu pudesse...

O resto das palavras de Tara foi engolido pela distância, à medida que ela se afastou, puxando Josh. Jerome deu uma olhadela desolada para Tehmina e saiu atrás deles.

— Pfff! — exclamou Eva. — Que foi *isso*? Aquela mulher é uma... você sabe, a palavra que rima com *luta*.

Tehmina assentiu com a cabeça.

— Ela é uma mulher detestável — disse, e se surpreendeu por estar com a voz trêmula de emoção. — Não merece aquelas duas graças de meninos. No começo da semana, deixou-os sozinhos por meia hora, depois de eles voltarem da escola. E era o último dia de aula, se bem me lembro. Susan e eu... nós os levamos para casa. Susan não gostou nada disso, posso lhe garantir. Não quer ter nada a ver com essa tal de Tara. Às vezes, dá até para ouvi-la, tarde da noite, xingando e gritando com as crianças.

— Coitadinhos — disse Eva, abanando a cabeça. — Sabe, vocês deviam dar queixa dessa mulher à associação de moradores, ou coisa parecida. Por perturbação da ordem. Será que aquele tal de Antonio estava com um parafuso a menos ao alugar a casa para uma mulher tão ruim?

— Ele não a alugou. Na verdade, a Tara é meia-irmã da mulher dele. Antonio só está deixando que ela more lá durante o inverno, até vender a casa, na próxima primavera. Pelo menos, é o que ele diz.

— Bah, família! — exclamou Eva, abanando-se com um saco de papel pardo. Tehmina notou que, embora fizesse frio no mercado, sua amiga transpirava. Em contraste com o casaco pesado e a echarpe usados por Tehmina, Eva vestia apenas um suéter de lã. No instante seguinte, ela tirou do bolso um lenço grande, de tamanho família, e enxugou o rosto afogueado.

— Qual é a desse calor? O Solomon diz que eu pareço um salmão grelhado. E estamos em dezembro, em Ohio!

Como Eva podia estar com calor?, pensou Tehmina. Aquele único dia mais quente que ocorrera no início da semana já se fora. Ela notou que todos os vendedores usavam gorros de lã com protetores nas orelhas e luvas cortadas nas pontas dos dedos. Antes que pudesse dizer algo, porém, Eva continuou:

— Por acaso não sofri um bocado com os parentes do meu marido, para não falar em meus próprios pais, que Deus tenha suas almas? E até hoje, você pensa que eu tenho um minuto de sossego, com sete irmãos e irmãs? É só precisarem enfrentar um probleminha na vida, eles passam a mão no telefone para falar comigo, tão rápidos quanto uma pulga pulando num cachorro. E agora, até os filhos deles deram para ligar para a titia Eva quando precisam de alguma coisa.

Mas Eva sorriu e continuou:

— Está bem. Chega dessa minha choradeira. Sabe o que a pobre da mamãe costumava dizer? Este mundo perverso estava aqui ontem e estará aqui amanhã. Não adianta derramar lágrimas por causa dele.

As duas recomeçaram as compras, Tehmina de barraca em barraca, perguntando se tinham abóbora-moranga, da qual precisava para fazer seu *dhansak daal*, o tradicional *curry* de lentilhas, legumes e carne servido com arroz levemente adocicado. Mas os vendedores, em sua maioria gregos, italianos e mexicanos, olhavam-na com uma expressão vazia, e ela resolveu esperar que os meninos a levassem à loja indiana. Em vez disso, comprou berinjela japonesa, quiabo, abóbora, pimentão e uma dúzia de tangerinas, além de ramos frescos de coentro e cachos de uvas. Talvez pudesse poupar aos meninos uma ida ao supermercado, mais para o final da semana.

— Tehmina! — exclamou Eva, por fim. — É melhor você ir mais devagar, querida. Se fizer mais compras, teremos que chamar um táxi para levá-las até o carro. E você quer que nos sobre um tempinho para irmos ao Target, *yah*?

O sol brilhava forte quando as duas saíram do antigo edifício de pedra da feira dos produtores e se encaminharam para o carro de Eva. Talvez fosse a luz do sol que fez os olhos de Tehmina se encherem de água. Mas, enquanto ajudava Eva a guardar as sacolas de compras na mala, ela reconheceu o que estava sentindo. Era felicidade. Pela primeira vez em meses, sentia-se realmente livre e feliz.

Mesmo assim, alguma coisa a incomodava. Concentrando-se nesse ponto negro em seu íntimo, reconheceu o que a estava perturbando: o encontro anterior com Tara, uma nuvem escura e solitária num perfeito céu azul.

CAPÍTULO TRÊS

MULHERES.

Sorab Sethna tinha a sensação de estar se afogando num mar de mulheres. Sua nova chefe, Grace Butler, era apenas a última que parecia ter vindo ao mundo para transformar sua vida numa tortura. Vejamos hoje cedo, por exemplo. Grace o convocara a seu escritório para discutir os velhíssimos planos de Sorab de tirar férias na semana seguinte ao Natal. Não vinha ao caso que ele tivesse pedido para reservar esse período já fazia quase um ano. Não vinha ao caso que houvesse tirado essa mesma semana de férias nos oito anos anteriores. E que todos os seus colegas e ex-chefes soubessem disso e nunca lhe houvessem negado esse pedido. Afinal, Sorab quase nunca usava todos os seus períodos acumulados de férias. Sua última avaliação anual tinha sido tão brilhante quanto a anterior. Aliás, Sorab costumava pensar na expressão *avaliação brilhante* como uma palavra só, costurada pelos invariáveis elogios que ele recebia dos superiores. Os outros executivos que passassem horas olhando para trás e se inquietando com quem estava prestes a alcançá-los. Os outros que passassem as noites burilando as palavras exatas com que pediriam um aumento aos patrões. Sorab nunca havia pedido um aumento em sua vida; na verdade, toda vez que trocara de emprego, nunca chegara sequer a perguntar qual seria seu novo salário, ciente de que seria mais generoso do que o anterior. E, embora fosse o menino de ouro de todas as agências em que havia trabalhado, ele também havia escapado às facadas pelas costas, às maquinações e às intrigas que haviam derrubado tantos outros. Sorab não esperava nada senão lisura e tratamento cordial por parte de terceiros e, de algum modo, milagrosamente, era o que recebia. Quando era pequeno, na escola da Catedral, em Bombaim, seu pai, Rustom, costumava dizer-lhe: "Nunca se ressinta do sucesso de outro homem, filho. Lembre-se, cada um de nós vive seu próprio destino. Nossas vidas correm todas em vias paralelas — o sucesso dos outros não nos puxa para baixo, e seu fracasso não nos empurra para cima. Concentre-se apenas nos seus próprios boletins escolares e no seu trabalho." Sorab tinha levado a sério a mensagem do pai, primeiro na escola da Catedral, depois na faculdade, nos Estados Unidos, e, agora, no mundo empresarial. Ainda se lembrava, horrorizado, da primeira vez em que ouvira falar do escândalo de Tonya Harding e Nancy Kerrigan nas Olimpíadas. Seu primeiro pensamento tinha sido: por que a Tonya simplesmente não se esforçou mais e derrotou a Nancy de maneira justa e honesta?

O trabalho árduo superava tudo o mais. Sorab sabia que isso era tão verdadeiro quanto o fato de ser o único filho de Rustom Sethna. A Canfield & Associates, da qual era agora um dos vice-presidentes, contratava executivos recém-saídos de prestigiosas faculdades de administração. Eles eram jovens, de queixo quadrado, viris e agressivos. Acima de tudo, eram solteiros, o que significava que podiam cumprir horários de trabalho inviáveis para Sorab. Mesmo assim, ele não se preocupava. Sem falsa modéstia, sabia que, neurônio por neurônio, idéia por idéia, era capaz de ficar à altura de qualquer um deles. Em muitas ocasiões, deixara homens quinze anos mais moços boquiabertos e de queixo caído nas reuniões de diretoria.

Pelo menos, essas tinham sido as condições constantes de trabalho de Sorab na Canfield até seis meses antes, quando Grace Butler substituiu o afável Malcolm Duvall. Agora, muitas vezes ele se apanhava sentado em seu escritório, rabiscando a esmo e remoendo idéias sombrias a respeito de Grace Butler, em vez de se concentrar no relatório à sua frente. Ah, o modo como a mulher o havia interrompido numa de suas apresentações, dizendo: "Bem, Sorab, está tudo muito bom, tudo muito bem, mas é *tão* século XX! Que é que você tem, digamos, que seja capaz de arrepiar até o pêlo da minha nuca?"

Era assim que ela falava, em clichês. Quem mais falava daquele jeito, a não ser cabeças-de-vento que faziam bolas de chiclete nos seriados cômicos de televisão? *Fabutástico*. Essa era outra das palavras favoritas de Grace Butler. Agora, os executivos-júnior andavam pelo escritório dizendo palavras como *fabutástico* e *esplendossônico*. Aquilo que fora meramente bom, durante o reinado de Malcolm Duvall, agora era *de um puta brilho incrível*. O que era ótimo passara a ser *o supra-sumo do máximo*.

E o que ela fizera na reunião executiva desse dia tinha sido para lá de execrável. Sorab havia mencionado que estaria fora durante a última semana de dezembro, e Grace o havia fitado como se ele tivesse acabado de confessar uma série de assaltos a bancos por todo o território dos Estados Unidos.

"Mas isso é impossível!", exclamara, num arquejo. "Ora, meu Deus, essa é uma de nossas semanas mais importantes. De jeito nenhum um alto executivo pode se ausentar. Além do mais, eu mesma estou planejando tirar uns dias na época das festas."

Sorab havia percorrido os olhos pela sala de conferências, sem saber ao certo o que dizer. Será que Grace realmente pretendia discutir sua programação de férias numa reunião de diretoria? Antes que ele pudesse responder, porém, a mulher o tirara da dificuldade: "Podemos conversar em meu escritório logo depois da reunião, está bem? Precisamos resolver isso."

Seria imaginação de Sorab, ou Gerry Frazier, o novo sujeito que Grace havia contratado da Faculdade de Administração Weatherhead, tinha lançado em direção a ela um rápido sorriso de solidariedade?

Sorab fervia de raiva ao entrar no escritório de Grace. Mas tinha conseguido manter uma expressão impassível.

"Bonitas flores", havia comentado, fazendo sinal com a cabeça para o enorme buquê de rosas amarelas na mesa de Grace.

"Obrigada. São do Bryan. Tivemos uma briguinha ontem à noite. Acho que é a maneira de ele pedir desculpas."

Bryan era o namorado de Grace e, embora Sorab não o conhecesse, nutria um toque instintivo de simpatia pelo desconhecido, toda vez que Grace mencionava seu nome.

Mas não nesse momento. Que grande idiota, pensara Sorab. Devia ter caído fora enquanto estava por cima.

Grace havia aberto a boca e Sorab sabia que era preciso se prevenir contra o que estava por vir — revelações pessoais sobre o relacionamento dela com Bryan, que depois seriam seguidas por um discurso sobre os hábitos imprevisíveis e exasperantes dos homens, tema que interminavelmente a inspirava. Grace era uma mescla irritante de frieza e familiaridade. Em várias ocasiões, Sorab se admirara ao ver como uma mulher que dirigia a agência com tantos pruridos de sigilo, escondendo o jogo cuidadosamente, também falava de sua vida pessoal com os colegas como se conversasse com seu terapeuta. Mais uma vez, ele havia pensado com saudade no aristocrático e cerimonioso Malcolm Duvall — aquele Malcolm de poucas palavras, com seu sotaque britânico, sua distinção clara entre o público e o privado, sua postura serena e sóbria. Como é que o Malcolm podia ter escolhido como sucessora essa loura fria como pedra e cheia de caprichos, com suas saias curtas demais? Embora Joe Canfield, o fundador da agência e atual presidente do conselho diretor, fosse o responsável pela decisão final, Sorab sabia que Joe nunca teria escolhido Grace sem a bênção de Malcolm. Será que nem mesmo o bom e velho Malcolm era imune, em última instância, à sedução do estilo em lugar da substância? E será que ele, Sorab, era um terceiro-mundista tão simplório, tão incorrigivelmente antiquado, tão imperdoavelmente sul-asiático, *desi*, tão completamente... — ah, meu Deus, tão completamente *século XX* —, que Joe havia preferido Grace a ele?

"O Bryan é um bom sujeito", fora dizendo Grace, "mas, às vezes, nossa, eu simplesmente...".

"Grace", interrompera Sorab, em tom mais alto do que havia suposto. "Devo dizer que não gostei... isto é, que gostaria que você tivesse esperado para discutir meus planos de férias até estarmos..."

"Ah, santa mãe, Sorab, pare de ser tão *melindroso*. Você sempre acha que estou tentando atingi-lo. Sabe, é esse tipo de coisa que me faz pensar se você está realmente pronto para assumir o departamento, quando o Kurt se aposentar."

Sorab fixara os olhos na mulher sentada à sua frente, dizendo enfim:

"Não vejo o que isso tem a ver com minha possível gestão do departamento. Só estava querendo dizer que..."

"É, bom, o que *eu* quero dizer é que acho que você não devia ter planejado suas férias sem antes me consultar. O Bryan quer me levar para esquiar por alguns dias, e não posso acreditar que você..."

"Grace", cortara Sorab, com cuidado, "marquei as minhas férias há quase um ano. Sempre fizemos assim aqui na Canfield. A folha com as marcações circula em janeiro e..."

"Bem, sabe, esse é mais um exemplo daquele raciocínio de clube dos veteranos. Sempre prestando atenção a como as coisas costumavam ser. É isso que estou tentando fazer aqui, Sorab, agitar as coisas. Todos vocês, da velha-guarda, estão acomodados há tempo demais. E posso lhe dizer desde já que as coisas vão mudar por aqui."

Clube dos veteranos? Será que ela sequer me vê, ou enxerga a cor da minha pele?, pensara Sorab. Será que está me colocando no mesmo bolo com todos aqueles brancos de meia-idade que trabalham aqui há séculos? Será que pensa que uso calças de xadrez verde e saio para jogar golfe todo fim de semana? Nesse momento, porém, seu pensamento fora desviado por outra idéia mais pungente:

"Que está dizendo exatamente, Grace?", perguntara Sorab, retirando qualquer emoção da voz. "Que é que vai mudar por aqui?"

No mesmo instante, notara que Grace tinha evitado seu olhar. Em vez disso, mirara o relógio na parede atrás dele.

"Veja, realmente não quero entrar em toda essa discussão agora. Já passa muito das seis e eu preciso *meeesmo* sair daqui. Mas, já que topamos com o assunto... acho que posso muito bem ser franca, Sorab. Estou ficando meio inquieta com a idéia de você assumir o departamento quando o Kurt for embora, no ano que vem. Você, sei lá, você tem me parecido distraído ultimamente, e ando com a sensação... Quero dizer, não estou convencida de que você esteja pronto para assumir o cargo."

De uma forma inexplicável, mortificante, Sorab sentira vontade de chorar. Sentara-se rígido na poltrona de couro marrom, hirto de vergonha de como seu corpo parecia prestes a traí-lo, a capitular diante das palavras humilhantes e inverídicas de Grace. Mas a verdade era que, em toda a sua carreira profissional, ninguém jamais lhe dissera que ele não estava apto a assumir um cargo. Todos os seus superiores o tinham visto como o menino-maravilha, o homem certo para solucionar problemas. A última vez em que um superior manifestara desapontamento com ele tinha sido na terceira série primária, quando o diretor Francis D'Mello estalara a língua para o menino sentado à sua frente e lhe perguntara que diabos o haviam impelido a participar de uma guerra de balões de água. E até essa, a mais branda das reprimendas, tinha sido demais para Sorab, que, a partir desse incidente, tratara de manter distância dos meninos mais turbulentos da turma. Agora, ele se sentia tomado por uma combinação de emoções — indignação diante das acusações de Grace, ojeriza à sua falsidade e, pior do que tudo, um desejo desesperado e infantil de aplacá-la, de fazê-la ver como estava errada.

Ele pigarreou.

"Não sei muito bem o que dizer", começara, e tinha podido perceber, pelo ligeiro espremer dos olhos de Grace, que ela havia escutado o tremor traiçoeiro em sua voz. "Acho... acho que eu simplesmente não esperava por isso, Grace. E, para ser franco, não sei ao certo a que você se refere quando diz..."

Grace dera um salto da cadeira.

"Puxa, eu sinto muito, mas realmente preciso correr. O Bryan comprou ingressos para a orquestra, hoje à noite. Ouvi dizer que o maestro convidado é *fantabuloso*", e dera uma olhadela em Sorab. "Veja bem, não estou dizendo que já tenha tomado uma decisão. Só queria que você soubesse que estou mantendo todas as minhas opções em aberto. Várias pessoas mencionaram o nome do Gerry, e há também outros candidatos de valor."

Gerry? Gerry Frazier? Será que ele ouvira direito? Aquele novo sujeitinho convencido, arrogante, boçal, fofoqueiro e puxa-saco, de olhos vazios como o céu cinzento? Gerry parecia um Dan Quayle bronzeado e musculoso. Raios, ainda um dia desses Sorab ouvira Bill Dixon dizer, irritado: "Pelo amor de Deus, Gerry, se você passasse mais tempo no escritório que na academia, talvez aprendesse alguma coisa." E Gerry apenas abrira seu sorriso de praxe, aquele que fazia todas as secretárias desmaiarem. A idéia de Gerry dirigindo o departamento era tão absurda quanto a de Paris Hilton dirigindo o Pentágono.

Grace havia fechado a maleta de couro castanho-claro:

"Bem, tenho que ir andando. Façamos o seguinte, vamos almoçar, mais para o fim da semana. E me avise o que decidir sobre suas férias."

Ao voltar para seu escritório, Sorab trancou a porta e fez algo que nunca fizera antes — chutou a lata de lixo. A embalagem do sanduíche de frango que ele comera no almoço rolou para o chão. Da lata de Coca-Cola entornou um filete de sobra de refrigerante. Sorab pegou sua maleta. Havia combinado de jantar com Susan no Tropez, e agora teria que dirigir feito um louco para chegar lá na hora. E tudo por ter tido que se sentar no escritório daquela idiota esquizofrênica e ouvi-la falar o que ela fazia melhor — nada. Um xingamento obsceno lhe veio à cabeça feito uma labareda, mas Sorab jogou-lhe um pouco de areia e a apagou. Detestava palavrões dirigidos às mulheres. E pensar nas mulheres o fez se lembrar do rosto magro e moreno de Juanita, a hispânica de meia-idade que fazia a limpeza do escritório todas as noites. Ele não podia deixar aquela bagunça no chão para Juanita limpar. Abaixou-se para pegar o papel do sanduíche e a lata de Coca, no lugar para onde haviam rolado, embaixo de sua mesa, e tornou a jogá-los no lixo.

No carro, Sorab considerou se deveria telefonar para Susan e lhe dizer que estava atrasado. Com uma olhadela para o relógio, calculou que conseguiria chegar na hora se andasse depressa e a maioria dos sinais estivesse verde. Em vez de ligar para a mulher, pegou o celular e teclou o número de seu melhor amigo, Percy Soonawalla, no escritório de advocacia. Depois do encontro com Grace, precisava de uma conversa simples, objetiva e despretensiosa com outro homem.

— Michelle? — disse ao telefone. — Oi, é o Sorab. O Percy ainda está aí?

Um instante depois, a voz conhecida e reconfortante de Percy fez-se ouvir do outro lado da linha.

— E aí, chefinho? *Kem che*? Tudo bem? Ainda está no trabalho? Quer me encontrar rapidinho para beber alguma coisa?

Sorab sorriu. O bom e velho Percy. Os dois eram amigos desde a terceira série primária, na Catedral, e, depois de perder a mãe, Percy havia praticamente morado com os Sethna. Dois anos depois de Sorab ir para os Estados Unidos, Percy o seguira. Agora, era especialista em imigração e advogava no maior escritório de advocacia da região.

— Não posso. Vou me encontrar com a Susan para jantar.

— Ah, que merda! Estou seco por um uísque a droga do dia inteiro.

Sorab deu um suspiro.

— Sei o que você quer dizer — comentou, e fez uma pausa. — Lembra-se daquela noite no Anil's, quando estávamos no penúltimo ano do secundário? Eu queria poder voltar àquela época e ficar chapado daquele jeito, bêbado de cair. Talvez isso ajudasse a esquecer a lembrança do meu último encontro com minha chefa encantadora.

— E por que não pode? — veio a resposta rápida. — *Arre yaar*, ora essa, foi justamente por isso que viemos para este país, não foi? Para ter a liberdade de correr atrás das mulheres e encher a cara quando quiséssemos. Afinal, não é essa a tal da busca da felicidade: o direito de entornar umas boas doses de uísque, espiar embaixo das saias das lourinhas norte-americanas, com aquelas pernas compridas, e comer carne e ovos em quantidade suficiente para elevar o colesterol a níveis inéditos e inexplorados? Diacho, não é à toa que chamam isto de Terra Prometida.

E Percy continuou:

— Escute o que eu lhe digo, Sorab, você precisa aprender a usufruir dos seus sagrados direitos constitucionais. Se não, vai acabar com uma úlcera, parceiro, por falta de diversão. Se eu fosse você, dava um bolo na Susan hoje e ia beber comigo.

E é por isso, provavelmente, que você está na sua quarta mulher, pensou Sorab. Ainda havia momentos em que ele mal conseguia acreditar: como é que o Percy, que não era nenhum Gary Cooper, trocava de mulheres como outros homens trocavam de restaurante? E o mais estranho era que, toda vez que ele se casava com uma nova mulher, sua felicidade era tão imensa e contagiante que ele conseguia convencer todos os amigos — para não falar nele mesmo — de que dessa vez tinha acertado na mosca, encontrado sua alma gêmea, seu verdadeiro amor. E aí, passados um ou dois anos, lá estava ele reclamando da pensão e do acordo do divórcio. "Sabe qual é o seu problema, parceiro?", dissera-lhe Sorab, certa vez. "Você tem a síndrome de Elizabeth Taylor — não parece entender que pode dormir com uma pessoa sem se casar com ela." Mas Percy dera de ombros: "Culpado da acusação. Acho que sou um romântico incorrigível."

Nesse momento, Sorab ouviu o amigo respirar fundo do outro lado da linha:

— *Chal ne, gadhera*, e aí, malandro, vai ou não vai sair para beber comigo?

— Não vai dar — disse Sorab. — A Susan está me esperando no Tropez. Por falar nisso, vou ter que desligar assim que chegar lá, ok? Graças à falta de consideração da minha chefa, estou atrasado. E a Susan detesta esperar sozinha em restaurantes.

— Não a culpo por isso. E o que aconteceu com a diaba hoje?

— A baboseira de sempre. Ficou toda surpresa por eu tirar uma semana de férias depois do Natal, quando até a faxineira sabe que faço isso todo ano. E, para piorar as coisas, ela disse...

Mas a idéia de contar ao velho amigo a ameaça de Grace de lhe recusar a promoção era vergonhosa demais para Sorab. Afinal, eles eram meninos da Catedral, e os alunos da Catedral eram sempre bem-sucedidos. Todos os indianos com que ele e Percy se relacionavam — médicos, advogados, engenheiros, empresários — tinham ido para os Estados Unidos e feito fortuna. Muitos eram casados com norte-americanas; muitos tinham filhos matriculados em Yale e Stanford; a maioria possuía grandes mansões nos subúrbios residenciais. Fazia muito tempo que Sorab dera a conhecer a esse círculo de amigos que esperava chefiar seu departamento dentro em breve e, um dia, a empresa. Isso, até uma loura burra que só tinha Bryan no bestunto resolver bagunçar o seu barato. Merda. Agora ele estava falando feito o Percy, fazendo aliterações.

— Ei, você ainda está aí? — veio a voz do amigo ao telefone, clara e ansiosa.

Sorab deu um suspiro.

— Sim, estou aqui. Sabe, parceiro, acho que você é quem está certo: ser seu próprio patrão, divorciar-se quando as coisas não funcionam e tentar a sorte outra vez.

Percy tinha ouvido alguma coisa na voz do amigo, como este sabia que aconteceria:

— O que foi, Sorab? As coisas não andam bem em casa?

— Não, não, quer dizer, vai tudo razoavelmente bem. É só que a Susan e eu... você sabe, é difícil termos a mamãe conosco por tanto tempo. Quero dizer, é a primeira vez que ela vem para cá sozinha desde a morte do papai. E, sei lá, não é tão divertido como quando ele estava presente. E a Susan fica me perguntando quais são os planos da mamãe, se ela vai ou não vai se instalar aqui de vez, e eu mesmo não sei a resposta. É que, toda vez que tento imprensar a mamãe, é meio como tentar arpoar um peixe, sabe? Ela se esquiva e escapa das minhas mãos. E aí, sabe como é, às vezes isso causa uns atritos entre mim e a Susan.

Sorab quase podia ouvir Percy franzindo o cenho ao telefone, como era seu hábito quando se concentrava em algo.

— É, eu mesmo andei pensando em lhe fazer umas perguntas sobre isso. Só estava esperando passarem as festas natalinas. Se ela ficar, precisarei dar entrada nuns documentos dentro em breve, pedindo no mínimo uma extensão do visto, dependendo do que ela resolver. Você sabe como é aquele maldito Serviço de Imigração e Naturalização: é mais fácil os continentes voltarem a se juntar do que recebermos uma resposta deles. Ela precisa mesmo se decidir logo, Sorab.

— Eu sei, eu sei. Mas, para ser franco com você, parceiro, não sei o que está havendo, se a mamãe anda deprimida ou o quê. Ou talvez só estivesse acostumada com papai tomando todas as decisões importantes. Mas ela parece paralisada. Num dia, tenho a sensação de que ela poderia morar aqui e até ser feliz aqui. Mas aí, no minuto seguinte, ela diz alguma coisa sobre a sua querida Bombaim, e sobre como está ansiosa por retomar suas reuniões de *bridge*, quando voltar para lá em fevereiro, e aí eu já não sei mais o que pensar. Isso também está levando a Susan à loucura.

— Mulheres — disse Percy. — Mulheres. Isso só prova que elas continuam as mesmas em qualquer idade: indecisas, imprevisíveis, irresolutas. E não é engraçado como todo o mundo sente saudade de Bombaim, desde que não esteja vivendo lá? Mas escute. Eu falo com ela, está bem? Vocês vão à festa do Homi e da Perin esta semana, certo? E devem levar a mamãe, não é? Ótimo. Tentarei conversar com ela nesse dia. Como advogado dela, eu preciso saber.

— Seria ótimo. Talvez ela seja menos evasiva com você.

— Talvez eu também deva ter uma conversinha com a mulher diabólica. E dizer a ela para tratar meu melhor amigo com mais respeito.

Sorab deu uma bufadela ao dizer:

— Respeito? Aquela mulher não saberia nem soletrar essa palavra.

— É uma pena você não poder se divorciar da sua chefe. Acho que deveriam começar toda uma nova categoria de pessoas de quem a gente pudesse se divorciar: chefes, professores, funcionários da imigração, pais, filhos, bichos de estimação, senhorios, Tom DeLay, Donald Trump, recepcionistas do Wal-Mart. Afinal, por que a alegria do divórcio tem que ficar restrita aos cônjuges?

Sorab riu.

— Sinto que vem por aí um novo processo.

— É, uma ação judicial coletiva, representando noventa por cento de todos os norte-americanos — disse Percy.

Sorab entrou na rotatória do estacionamento do Tropez e parou o carro em frente à placa preta que dizia MANOBRISTAS.

— Sabe de uma coisa? Você tem o mesmo senso de humor idiota que tinha no secundário. Lembra-se de como costumava deixar o pobre do sr. Singh trocando as bolas, com seus versos sacanas e seus trocadilhos? — provocou Sorab, entregando as chaves do carro a um rapaz de camisa marrom-clara.

— De vez em quando, você também faz seus trocadilhos...

— Tudo bem, tudo bem... — resmungou Sorab. — *Ae*, escute, estou no restaurante. Ligo para você depois, está bem?

— Vá lá. Divirta-se com aquele seu encanto de esposa. E fale com ela sobre meu convite permanente: se ela se cansar de você, continua podendo se casar comigo. Tenho certeza de que a Julie não se incomodará por eu ter uma outra esposa. Quer dizer, se os muçulmanos e os mórmons podem...

— Eu digo a ela — interrompeu Sorab. Correu os olhos pelo restaurante à procura de Amy, a moça de cabelo preto que costumava conduzi-lo à sua mesa. — E escute, Percy, obrigado por tudo. Como sempre.

— Não foi nada. Nós, homens, temos que nos unir contra essas mulheres perversas e suas ciladas. Olhe, não se preocupe. Eu converso com mamãe Tehmina. Daremos um jeito nas coisas, sim?

Ao desligar, Sorab localizou Susan numa mesa perto da janela. Como de hábito, ela levara um livro para ler enquanto o esperava. No primeiro encontro oficial dos dois, ele ficara perplexo ao vê-la aparecer no restaurante carregando um romance, e interpretara mal suas razões. "Achou mesmo que o encontro seria tão chato que você precisaria ler?", tinha-lhe perguntado. Mas, depois de tantos anos juntos, Sorab conhecia o jeito de Susan, uma mulher muito tímida, e sabia o quanto ela detestava esperar sozinha em restaurantes ou qualquer outro lugar público. O livro proporcionava uma fuga bem-vinda.

Susan ergueu os olhos e o avistou do outro lado do salão. Fechou o livro e lhe deu um aceno. Inexplicavelmente, Sorab sentiu um nó na garganta. A querida Susan, a mesma Susan de sempre. Como parecia sólida e substancial, depois do superficialismo frágil de Grace Butler! Susan jamais usaria uma palavra como *brilhantástico*. Ela era um lar, um porto seguro, um refúgio da vulgaridade do mundo.

Ao atravessar o restaurante para se encontrar com a mulher, Sorab sentiu o corpo relaxar pela primeira vez em todo aquele dia.

CAPÍTULO QUATRO

— Oi, meu bem — disse Sorab, inclinando-se para beijar o rosto da mulher. — Desculpe tê-la feito esperar. Eu estava pronto para sair quando a Grace resolveu que tinha que falar comigo, naquele instante.

Susan sorriu.

— Tudo bem. Imaginei que você estivesse funcionando pelo fuso horário de Bombaim.

Seria uma alfinetada? Sorab olhou para a mulher com mais atenção. Ultimamente, era impossível saber o que Susan estava de fato pensando. Aquela velha intimidade, na qual ele era capaz de ler os pensamentos da esposa e concluir as frases que ela começava, parecia escapar-lhe agora. E, de repente, Sorab sentiu agudamente a perda dessa intimidade, com a mesma intensidade com que ainda sentia a perda do pai, decorridos oito meses da morte de Rustom.

— Ai, pelo amor de Deus, Sorab! Foi uma *piada*. Eu lhe disse que estava tudo bem. Deixe de ser tão sensível!

Não era assim que ele havia imaginado essa noite. Toda a idéia do jantar com Susan fora os dois passarem algum tempo juntos, a sós, longe da presença benigna mas impertinente de sua mãe. No entanto, mal decorridos dois minutos, ele já estava na defensiva, sentindo-se exatamente como em casa nos últimos dias. Que merda, pensou. Podia ter ficado em casa e economizado cinqüenta paus. É mais barato ficar infeliz em casa. Lembrou-se do encontro com Grace Butler, um pouco mais cedo, e teve a mesma sensação de que a conversa lhe escapava a todo o pano. Como é que as mulheres fazem isso?, perguntou-se. Como conseguem levar um homem a se sentir culpado por tirar férias mais do que merecidas? Como conseguem fazer um homem que está prestes a desembolsar um bom dinheiro no jantar sentir-se como uma titica por chegar cinco minutos atrasado? Deu uma olhada em volta, procurando um garçom, pois não queria deixar Susan perceber o quanto suas palavras o haviam perturbado.

— Meu bem — disse ela, segurando-lhe a mão. — Escute, eu...

Mas nesse momento, o garçom, um rapaz novo que Sorab não reconheceu, aproximou-se para perguntar o que eles gostariam de beber.

— Uma *margarita* com gelo — disse Sorab. — E com sal.

— Traga duas — acrescentou Susan, com a mão ainda cobrindo a do marido.

Virou-se para ele, assim que o garçom se afastou.

— Olha, vamos começar de novo, pode ser? Acho que começamos com o pé esquerdo.

Sorab fez um esforço consciente para afastar a tristeza que o envolvia.

— Está bem — sorriu. — Então, imagine que estou entrando no restaurante, certo? E aí me abaixo para lhe dar um beijo. E digo: "Desculpe, meu bem. O trânsito estava infernal."

— E eu digo: "Meu Deus, Sorab, você está um arraso de lindo. E aí, que tal esquecermos o jantar e, sabe como é, hein?"

— Na sua casa ou na minha? — disse ele, feliz por entrar na brincadeira.

Os olhos de Susan estavam verdes e dourados à luz ambiente.

— Receio que tenha de ser na minha. A sua tem um garotinho e uma vovó idosa, além de um peixinho dourado.

A voz de Sorab soou rouca:

— E o que faremos na sua casa?

Susan passou a língua nos lábios.

— O que você quiser. Qualquer coisa. Satisfação garantida.

Apesar do exagero jocoso da imitação de prostituta feita por Susan, Sorab sentiu um leve latejo na virilha.

— Querida, estou começando a achar que esquecer o jantar é uma ótima idéia.

Os dois riam quando o garçom trouxe as bebidas e anotou seu pedido dos pratos.

— Olha, esses sujeitos sabem fazer *margaritas* — suspirou Susan, tomando um gole grande e demorado. — Sabe, até que eu gostaria de ter um lugarzinho para mim... só um refúgio, quando o Cookie e... e todo o resto se tornassem uma barra pesada demais.

Sorab ouviu o que ela não dissera.

— Mamãe andou criando dificuldades hoje? — perguntou baixinho, temeroso da resposta.

— Não, na verdade, não. Quer dizer, ela passou quase o dia todo fazendo compras com a Eva Metzembaum. Foram ao mercado do produtor, só Deus sabe por quê. Ela chegou em casa carregada de frutas e legumes. Acontece que, por acaso, eu tinha ido fazer compras depois do trabalho, de modo que agora temos baldes de tangerinas e uns duzentos quilos de quiabo em casa.

Embora Susan fizesse uma valente tentativa de manter um tom leve, Sorab ouviu a frustração em sua voz. Sentiu uma irritação momentânea com a mãe. Por que diabos ela precisava ir ao mercado sozinha? Vivia dizendo a Sorab que o Cookie não comia frutas e legumes suficientes. Seria essa a sua maneira de lhe esfregar isso na cara? Sua mãe era capaz de ser passivo-agressiva, ele sabia. Todas as malditas mulheres parses eram.

Sorab disse a Susan:

— Provavelmente, ela só estava tentando ser útil. Você sabe o quanto ela quer contribuir com sua parte para a família.

Susan deu um longo suspiro.

— Eu sei, Sorab, eu sei. É só que... por que ela não pode ajudar nas coisas que são úteis? Quer dizer, as coisas que eu espero que ela faça, como limpar a banheira depois de usar o chuveiro, ou passar o aspirador de vez em quando, isso ela não faz. Você sabia que tenho de lavar a banheira todos os dias, antes de tomar meu banho? E eu já disse a ela inúmeras vezes: "Mamãe, se você quer ajudar, por favor, passe o aspirador." Mas ela espera até eu finalmente pegar o aparelho. E aí insiste em tirá-lo de mim.

Sorab sentiu a conhecida onda de calor na nuca que lhe vinha toda vez que Susan fazia uma crítica a Tehmina. Ouviu a frustração na voz de sua mulher, mas a imagem que lhe surgiu na mente foi outra, mais antiga — a de sua mãe debruçada sobre a bancada da cozinha, picando cebolas, com o rosto afogueado pelo vapor da panela de pressão e pela ardência da cebola. Você se dá conta de que minha mãe passou — desperdiçou — toda a mocidade cozinhando e cuidando de outras cinco pessoas?, teve vontade de dizer a Susan. Papai e eu, meus avós e, depois, o Percy. E isso sem contar todos os meninos de rua e os cachorros sem dono que ela alimentava. Ela com certeza conquistou o direito de descansar na casa do próprio filho, não acha? Quanto a não lavar a banheira todas as vezes, mamãe mora num apartamento que não vê uma nova demão de tinta há vinte anos. Não é por maldade, Susan, é que a idéia nem lhe passa pela cabeça. E fico envergonhado demais para pedir a ela que faça isso. Ademais, detesto pensar na minha mãe, com o problema no quadril e tudo o mais, debruçada naquela banheira, procurando cada fiozinho grisalho revelador. Não quero que ela se sinta uma convidada em nossa casa. Quero que acredite que é a casa dela.

— Que foi? — perguntou Susan. — Você está me achando uma megera?

Mais uma vez, e não era a primeira, Sorab deslumbrou-se e ficou tenso ante a perspicácia de sua mulher. Por mais que Susan lhe parecesse cada vez mais envolta em mistério, ainda era capaz de ler seus pensamentos como um livro.

— Não, megera não. Não é nada disso. É só que...

É só que... há algumas coisas, algumas idéias tão fugidias, que escapolem feito peixes da rede das palavras. Algumas desigualdades eram tão grandes que ultrapassavam a linguagem, ultrapassavam as explicações. Que inveja Susan havia sentido ao saber dele pela primeira vez que sua mãe sempre tivera empregados! Que a pescadora, o jornaleiro, o padeiro e o açougueiro passavam pela casa dela todas as manhãs, entregando suas mercadorias. Como Susan imaginara ser fácil e luxuosa a vida de Tehmina! No entanto, não era assim que ele a recordava, de modo algum. O que ele relembrava da infância era uma confusão de campainhas tocando e vozes elevadas, e o rosto cansado e afobado de sua mãe, e as reclamações dos vizinhos e o barganhar com os vendedores, e as discussões com os criados e a fila de visitas inesperadas e parentes importunos, que apareciam sem avisar. E, de algum modo, como a maestrina de uma orquestra louca, sua mãe tinha que controlar tudo aquilo — domar os protestos estrídulos dos címbalos, silenciar os roncos surdos da percussão, consolar o lamento ressentido do violino. Ele nunca havia perguntado, e sua mãe nunca o dissera, mas Sorab sabia que Tehmina trocaria de bom grado os criados e os vendedores que lhe batiam à porta por uma lava-louças que não reclamasse, um aspirador de pó que não pedisse aumentos, um supermercado em que os preços fossem estáveis, uma secadora de roupas que não desse respostas tortas, e um processador de alimentos que picasse as cebolas sem deixar em sua esteira um rastro de lágrimas.

Sorab olhou para Susan, que tanto se esforçava por compreendê-lo, e sentiu entre eles um abismo tão gigantesco quanto a distância entre Bombaim e Ohio. Como explicar a ela a fenda que se abria em seu coração toda vez que havia um conflito entre as duas mulheres que ele mais amava no mundo? Como descrever-lhe seus primeiros anos nos Estados Unidos, quando ele havia experimentado aquele desarraigamento que só os imigrantes sentem, a tal ponto que era como se sua cabeça tocasse os céus da América enquanto os pés estavam fincados em Bombaim, como se ele se equilibrasse sobre dois continentes? Naqueles tempos, ele havia ansiado por seus sonhos, porque neles podia olhar pela janela do apartamento e ver, lá embaixo, o velho Ambassador de seu pai estacionado na rua coberta de neve. Ou então, mamãe cozinhava arroz com peixe ao molho *curry* na cozinha minúscula do apartamento de Ohio. Nos sonhos, ele ainda tocava a antiga vida com as pontas dos dedos. Sorab queria contar a Susan o quanto havia ansiado, durante anos, por uma vida sem disjunções, o quanto desejara ter todos os seus entes queridos sob o mesmo teto. E lhe contar como, depois que o pai e a mãe tinham começado a visitá-lo em Ohio, ele finalmente se sentira inteiro, completo, sem rachaduras.

— Em que está pensando, meu bem?

Sorab abanou a cabeça com vigor.

— Nada. Quer dizer, bom, eu só lamento que as coisas não estejam correndo bem entre você e a mamãe desta vez, sabe?

Os lábios de Susan desapareceram numa linha fina. Será que ela sempre havia exibido essa expressão gélida de desagrado?, perguntou-se Sorab. Ou será que a expressão era apenas mais freqüente e perceptível nos últimos tempos?

— Também lamento — disse Susan. — Eu... eu só não entendo o que deu nela nesta visita. Ela está tão, sei lá, tão rebelde, ou coisa assim, desta vez. E eu tento ajudar, mas ela simplesmente não parece solta e sociável como era no passado.

— Ou talvez ela esteja apenas sofrendo — retrucou Sorab. Disse-o com a voz áspera, mas não se importou. — Já parou para pensar nisso? Afinal, a mulher perdeu o marido com quem viveu quase quarenta anos.

Susan o encarou, boquiaberta, os olhos reluzindo com lágrimas.

— Isso é muito injusto. É um golpe baixo mesmo, Sorab. Você acha que não me dou conta da perda que ela sofreu? Droga, pensa que tem sido fácil conviver com você nos últimos oito meses, do jeito que você anda desanimado? Puxa, eu sei que você tenta esconder, meu bem, mas sei que sente falta do seu pai. E tenho uma notícia para lhe dar: também sinto saudade do papai Rustom.

— Susan — começou Sorab —, desculpe.

— Estão prontos para fazer o pedido? — era a voz do novo garçom, e, por um instante, Sorab o detestou. Idiota desgraçado, toda hora a nos interromper.

— Vá em frente — disse a Susan. — O que você quer?

Assim que o garçom se afastou, Sorab voltou-se para a mulher:

— Meu bem, escute o que estou dizendo. Sei que as coisas andam brabas. Eu... eu sinceramente não sei o que fazer para tornar as coisas mais fáceis para ninguém. É uma época muito difícil. Sabe, eu gostaria que a mamãe decidisse de uma vez por todas o que quer fazer. É essa maldita incerteza que está me matando.

— Por falar nisso — interrompeu Susan —, se ela resolver se instalar nos Estados Unidos, teremos que chamar a Rosalee para fazer a faxina toda semana, em vez do intervalo habitual de duas semanas, sim? Essa é a única coisa em que eu pretendo insistir, Sorab. Não me interessa se...

— Pensei que já havíamos decidido fazer isso — interrompeu ele, ouvindo a frieza em sua própria voz. — Por que está voltando a esse assunto, Susan?

— Porque sei que você acha que ando detalhista demais com a casa. Sei que você não entende minha necessidade de um banheiro limpo e uma casa arrumada.

— Susan, por favor, pare de me tratar como se eu fosse um matuto do Terceiro Mundo. Você acha o quê, que eu não gosto do banheiro limpo? Acontece que há outras coisas, como a tranqüilidade em casa, por exemplo, que têm a mesma importância para mim. Você não sabe como se porta com a mamãe às vezes... como se fosse uma princesa branca, dando ordens aos serviçais.

— Escute só o seu jeito de falar. Escute só a porra do seu jeito de falar — disse Susan em voz alta, mas ele resistiu ao impulso de lhe pedir para diminuir o volume, ciente de que isso só a deixaria mais furiosa. — Estávamos falando da casa e, de repente, vem você meter a raça e a política internacional no assunto. Meu bem, eu me casei com você sabendo que você era, como foi que disse?, um matuto do Terceiro Mundo, está legal? E não sei o que é que a cor da sua pele tem a ver com eu não querer cabelos na droga da minha banheira quando tomo banho.

A essa altura, Susan se engasgava com as palavras, usando o guardanapo para enxugar as lágrimas quentes que se acumulavam sob seus olhos.

— Droga. Essa é a última coisa que eu queria esta noite, brigar com você. Eu só estava tentando lhe dizer... — e Sorab encarou-a com ar apatetado, infeliz, sem saber ao certo como salvar a noite. — Talvez não tenha sido boa idéia chamar a mamãe para morar conosco

— resmungou, por fim. — Talvez ela precise voltar para casa, quando terminar o visto de seis meses.

— Para ficar sozinha naquele apartamento enorme, sem ninguém? E para você ficar louco de preocupação, toda vez que ela tiver um resfriado, ou coisa parecida? Ou será que planeja voltar correndo para lá toda vez que alguma coisa der errado? Lembra-se de como você quase perdeu o juízo durante aqueles tumultos em Bombaim? E isso foi quando seu pai ainda era vivo.

A voz de Susan abrandou-se:

— Sorab, eu adoro a sua mãe, você sabe disso. Pelo menos, *deveria* saber, depois de todos estes anos. Nós... nós daremos um jeito, está bem? Se ela resolver morar nos Estados Unidos, nós faremos as coisas funcionarem, eu juro. Parte do problema é que, com as festas e tudo o mais, estamos todos muito tensos. Vamos deixar passar essas próximas semanas.

Sorab deu um suspiro pesado.

— Essa é mais uma coisa. A Grace me chamou ao escritório dela hoje e se fez de chocada por eu tirar férias na semana seguinte ao Natal. Pediu para eu reconsiderar meus planos.

Os olhos de Susan faiscaram.

— Ela pediu o quê?

Sorab sentiu uma onda de gratidão pela mulher, pela forma instintiva com que ela pulava para defendê-lo. Essa é a vantagem de ser casado, pensou. Há sempre alguém no nosso time quando a gente enfrenta uma batalha com o mundo.

— Pois é, ela quer que eu pense na possibilidade de não tirar a semana de férias. Parece que planejou uma viagem para esquiar na semana depois do Natal.

— Eu lhe digo o que você deve reconsiderar. Você deve reconsiderar se quer continuar trabalhando para aquela babaca da sua chefe. Essa mulher está infernizando a sua vida, Sorab. Talvez seja hora de procurar outro emprego.

A gratidão anterior transformou-se em irritação:

— Bons empregos não dão em árvores, meu bem. Só as opções de compra de ações que eu tenho nesse emprego...

— Danem-se as opções de compra de ações! — rebateu Susan, falando tão alto que o casal idoso da mesa vizinha, à direita, virou-se para eles. O senhor deu uma olhadela em Sorab com uma mescla de solidariedade e estupefação, em partes iguais. — Caramba, Sorab, que é que você está virando? Pombas, eu me lembro de um tempo em que você lidaria com dez dessa tal de Grace Butler de olhos fechados! Quer dizer, você nunca precisou nem ao menos procurar emprego, meu bem. É só espalhar por aí que está interessado em outra coisa, e eles virão procurá-lo. Que diabo lhe importa uma titica de meia dúzia de opções de compra de ações?

— Elas não são uma titica — resmungou Sorab, automaticamente. — E já não sou tão moço quanto antes, Susan. E agora temos que pensar no Cookie.

— Eu *estou* pensando no Cookie. E o que o Cookie merece é um pai que esteja satisfeito no emprego, que ande com a cabeça erguida. É disso que o Cookie precisa, não de uma porcaria de fundo de reserva para a faculdade. E quanto a não ser tão jovem, você tem o quê: cento e quatro anos? Cinqüenta e quatro? Você tem trinta e oito anos, pelo amor de Deus! Seu pai foi fazer escaladas na Argentina quando estava na casa dos cinqüenta.

— Meu pai era um rei. Não faço parte da turma dele, receio.

— Conversa mole. Você é um homem igualzinho ao seu pai. Eu sei disso, e vou lhe dizer mais uma coisa: o seu pai também sabia. E se orgulhava muito de você. Sabe o que ele me disse uma vez? Que você era o homem mais honrado que ele conhecia.

Sorab fixou os olhos no mural da parede atrás de Susan, sem se atrever a falar. Malditas lágrimas. Sentiu o olhar da mulher pousado nele, enquanto lutava para se recompor.

— Obrigado — disse, por fim. — Eu... obrigado por me contar.

Susan balançou a cabeça.

— Ele se orgulhava de você, você sabe disso — repetiu, e esperou que o lábio inferior de Sorab parasse de tremer. — Escute, meu bem. Sei que você está sob grande pressão. Mas não deixe a Grace nem qualquer outra pessoa fazê-lo duvidar de si mesmo. — E sorriu, acrescentando: — Lembre-se de que eu tinha cento e um pretendentes e escolhi você. Será que isso não lhe diz o quanto você é fantástico?

Agora os dois estavam em terreno conhecido.

— E, é claro, eles foram seduzidos pela sua extrema modéstia e humildade — disse Sorab, sorrindo.

— E pela minha beleza excepcional. Não vamos esquecer a beleza.

Sorab a encarou, olho no olho:

— Querida, eu nunca me esqueço da beleza — e baixou sugestivamente os olhos para os seios da mulher.

Susan caiu na gargalhada.

— Pare com isso, seu chato. Está me deixando sem graça.

Sorab fez sinal para que o garçom trouxesse mais duas *margaritas*. Virando-se para a mulher, disse-lhe:

— Queria deixar você sem graça pra valer. Na cama, logo mais.

— Deus nos livre dos parses e seu senso de humor horroroso — resmungou Susan.

— Benzinho, há coisas com que eu nunca brinco — disse Sorab, com um sorriso largo.

— Essa é outra coisa. Se a mamãe resolver ficar conosco, decididamente quero que nos mudemos para uma casa maior. Vamos procurar uma que tenha uma suíte para sogras, sim? Sabe, é difícil fazer amor sabendo que ela está no quarto ao lado.

— Meu bem, minha mãe já se esqueceu do que é sexo, quanto mais dos sons que ele faz. Se um dia ela nos ouvir, é provável que pense que estamos usando o aparelho de musculação, ou coisa assim.

— Não se deixe iludir. Seu pai era um homem passional, de sangue quente. E eu vi fotografias da sua mãe quando moça. Era um avião. Tenho certeza de que os dois tiveram uma ótima vida sexual.

Sorab encolheu os ombros.

— Pare. Não quero entrar nesse assunto. Certas coisas são terríveis demais para se contemplar.

— Bobão — riu Susan. — Por que todo o mundo tem tanta dificuldade de imaginar os pais na cama?

— Bem, você consegue? Consegue visualizar sua mãe e seu pai, sabe como é, no ato?

— Só depois de duas *margaritas* — disse Susan, tomando mais um gole.

Sorab jogou a cabeça para trás e deu uma risada, e, por um instante, pareceu dez anos mais moço. É isso que adoro na Susan, pensou — a pungência, a inteligência, o humor. Estendeu a mão e apertou a dela:

— Amo você, sabia?

Ela retribuiu o afago.

— Sei, sim. Mas às vezes me pergunto se você sabe o quanto eu te amo.

Os dois estavam sorrindo quando o garçom veio tirar os pratos. Xô, pensou Sorab. Caia fora. Desapareça. Em vez disso, o garçom perguntou:

— Sobremesa?

— Uma porção de sorvete de coco queimado — respondeu Sorab. — Duas bolas.

Essa era outra coisa boa a respeito de ser casado. Certas coisas, certas tradições, a gente simplesmente sabia.

— Suse, vou conversar com a mamãe, está bem? Sobre ela decidir quais são seus planos. Aliás, falei com o Percy hoje e ele disse que também vai conversar com ela, na festa do Homi. Então, não se preocupe com isso. Sei que você já está totalmente ocupada com o Natal.

— No último Natal, o papai Rustom ainda estava vivo — disse ela, baixinho. — Este ano, parece tudo errado.

Sorab reclinou-se na cadeira.

— Eu sei. Também não sei o que fazer com... Fico pensando se devo dar um presente do papai para a mamãe este ano, ou se isso só fará piorar as coisas. Ele comprava um presente para ela todo Natal, sabia? Deus sabe como começou essa tradição, já que somos parses e tudo mais. Mas você sabe como era o papai: qualquer desculpa servia para ele fazer uma festa ou dar um presente.

— Deixe eu pensar nisso. Se eu vir alguma coisa de que ela possa gostar, eu compro para ela, está bem?

— Obrigado. Ainda nem comprei meu presente para ela. Sei que temos aquele xale que nós dois vamos dar. Mas quero dar uma coisinha separada. Você sabe como a mamãe é sentimental. Pode ser que eu escolha um porta-retrato e coloque uma fotografia de nós quatro.

— Essa é uma parte do problema. Se ela tiver que voltar para a Índia em fevereiro, não quero comprar coisas pesadas. Se ela ficar, não tem importância.

— Eu sei. O Percy deixará tudo isso claro quando conversar com ela.

Os dois tomaram o sorvete num silêncio amigável.

— Bem, por mais que eu quisesse ficar aqui a noite toda, acho que está na hora de voltarmos para aquele nosso garotinho — disse Susan, por fim. — Tomara que ele não tenha dado trabalho à mamãe na hora de deitar.

— Estou tão empanturrado que, se passassem uma graxa no chão, eu poderia sair daqui deslizando — comentou Sorab, levantando-se para ajudar Susan a vestir o casaco azul-marinho.

— No ano que vem, você vai voltar a vigiar seu colesterol — disse ela, saindo para a fria noite de dezembro. Aquele dia de calor atípico para a estação, vivido no começo da semana, já parecia uma lembrança distante.

— No ano que vem — repetiu Sorab, abrindo a porta do carro da mulher. — É difícil imaginar que já se passou um ano inteiro.

Pensou na morte do pai, em como gastara seis horas num avião, depois de receber a notícia do infarto de Rustom, e na corrida desvairada do aeroporto até o Hospital Breach Candy. Rustom ainda estava vivo quando ele chegou, como se houvesse usado cada gota de sua extraordinária força de vontade para se manter vivo e ver o único filho pela última vez. "Cuide da Tehmina", sussurrara o velho. "Não precisa me dizer isso, papai. Você sabe que cuidarei dela. Agora, descanse sossegado." Tinha sido a última conversa entre os dois.

— Meu bem — chamou Susan, abrindo a janela do carro e olhando para o marido, parado do lado de fora. — O ano que vem será melhor, eu juro. Só... só confie em mim, sim? Tudo vai dar certo.

Ele esperou a mulher tirar o carro da vaga antes de se dirigir a seu próprio automóvel. Minha boa e querida Susan, pensou. O bom e velho otimismo norte-americano. Era por isso que ele viera para esse país, para se refestelar no bem-estar caloroso de seu espírito confiante, de seu otimismo, de seu descaso despreocupado com o passado e a história. E, durante muito tempo, esse espírito o havia contagiado, de modo que ele se sentira florescente, intocável, transcendental. Mas a morte do pai o fizera perceber que o destino era mais forte que a fé, que nem mesmo os Estados Unidos poderiam protegê-lo das peças pregadas pela vida e de seus desvios. E agora, pela primeira vez, ante a presença espalhafatosa de Grace Butler, até o sonho americano começava a perder seu brilho, a parecer meio embaçado. O país inteiro começava a parecer um *reality show*, uma produção de Hollywood. Já não bastava, ao que parecia, os cidadãos serem Fulano de Tal ou Sorab Sethna. Agora, todos tinham que ser Tina Brown, ou Tom Cruise, ou Steve Jobs. Tudo era tecnologia de ponta. Todo o mundo precisava recauchutar completamente a própria imagem. Tudo funcionava vinte e quatro horas por dia; todos estavam ligados à rede e usavam conexões sem fio; todo o mundo era um ídolo, um "*American Idol*". Já não bastava viver a própria vida; agora, o sujeito tinha que ser um "*Survivor*".

Sorab parou no grande estacionamento, observando os flocos de neve dançarem no halo dourado dos postes de luz. O vento frio que lhe fustigava o rosto parecia um castigo, mas era libertário. Talvez viesse um Natal branco, afinal, pensou com seus botões. No começo da semana, ele tivera dúvidas. E talvez o ano seguinte fosse *mesmo* melhor, como Susan havia prometido. Ninguém mais lhe fizera essa promessa — nem os políticos, nem os redatores de jornais, nem as bandas de roqueiros niilistas, nem as estrelas bonitas e decadentes de Hollywood. Nem mesmo sua mãe, impregnada daquele caldo de pessimismo, fatalismo e superstição que compunha o caráter indiano, jamais seria capaz de lhe fazer uma promessa tão ousada. Somente Susan podia lhe fazer — e fizera — esse juramento.

E, assim, Sorab entrou no carro e tomou o caminho de casa e da promessa.

CAPÍTULO CINCO

Esse menino escorrega feito garrafa de azeite aberta, pensou Tehmina. E estou velha demais para correr atrás dele desse jeito.

— Cavas — disse ela, ofegante. — Pare com esse *nataak*, esse dramalhão, por favor. Já passou muito da sua hora de dormir. Sua mãe e seu pai farão picadinho de mim quando chegarem em casa e descobrirem que você não está dormindo.

Saltitando, Cavas escapuliu do alcance de Tehmina.

— Meu nome não é Cavas — cantarolou. — É Cookie. E não use palavras em gujarati quando falar comigo. Sou um menino americano e só entendo inglês.

— *Arre wah*, ah, bom! Seu papai é indiano, portanto você também é meio indiano. Nunca se esqueça disso, *deekra*, meu querido.

O sorriso no rosto de Cavas transformou-se num cenho franzido.

— Não, não sou — disse ele, batendo os pés. — Os indianos são velhos e falam esquisito. A mamãe diz que sou um menino americano típico.

Tarde demais, Tehmina percebeu que esse tipo de conversa estava incitando o neto. Precisava acalmá-lo, antes que ele tivesse um acesso de raiva em grande estilo.

— Escute, Cavas... quero dizer, Cookie — disse ela, em seu tom mais apaziguador. — Se você se deitar nos próximos dois minutos, sabe o que vou fazer? Deixo você comer um chocolatinho da Cadbury's. Que tal, quer?

Cookie a fitou, pensativo.

— Você também lê uma história pra mim?

— É claro. Que tal o livro de Akbar e Birbal que eu lhe dei no ano passado?

— Não. Aquele livro é chato. Quero que você leia o *Noite longa*.

Ele só tem sete anos, Tehmina disse a si mesma. Lembre-se do que o Sorab disse um dia desses: ele só está passando por uma fase em que tem que fingir que detesta tudo que foge à norma. "Ele só está tentando se enturmar com os amigos, mamãe", dissera Sorab. "Os garotos dessa idade são muito ligados em se enturmar. Então, não tome isso como uma coisa pessoal, *achcha*? Está bem?"

Mesmo assim, Tehmina tinha que admitir que o desdém de Cavas por tudo o que era indiano lhe dava a sensação de ser rejeitada. Ora, no ano anterior, quando o avô ainda era vivo, Cavas parecia ter ficado fascinado com as histórias de Rustom sobre o rei Akbar e seu conselheiro matreiro, Birbal. Ele até ouvira com atenção quando Rustom lhe dissera quem era Omar Khayyam. Mas, afinal, este ano está tudo diferente, lembrou a si mesma. Por que o pobrezinho do Cavas haveria de ficar imune às mudanças que entraram na vida de todos nós desde a morte de Rustom?

Tehmina se recompôs.

— Um, dois, três — contou. — Se você não estiver deitado quando eu contar até sete, nada de chocolate.

— Tá bem, tá bem — gritou Cavas, disparando pelo quarto e pulando para baixo das cobertas. — E agora, cadê meu chocolate?

Enquanto enfiava a mão no bolso do vestido para pegar a pequena guloseima, Tehmina sentiu uma onda de culpa. Susan ficaria horrorizada, ela sabia, se descobrisse que Tehmina estava subornando seu filho com um doce para ele se deitar. Especialmente depois de ter escovado os dentes.

Foi até o banheiro e pegou um copo d'água.

— Agora, faça um gargarejo direito, depois que terminar seu doce — disse. Torceu para que Cavas tivesse o bom senso de não mencionar o chocolate aos pais. Teve vontade de lhe pedir que esse fosse um segredinho dos dois, mas o orgulho a impediu.

— Você vai ler pra mim? — perguntou Cavas, embaixo do cobertor. Mas já estava bocejando ao pedir, e Tehmina percebeu que ele não agüentaria até o fim da história.

Detestou-se por perguntar, mas, a despeito de si mesma, disse:

— Você não gosta mais do livro de histórias de Akbar e Birbal? No ano passado, você adorava esse livro.

— Só gosto quando o *nana* Rustom lê pra mim — disse Cavas, e o coração da avó balançou ao ouvir essas palavras.

— Ele era um bom leitor, não é, *deekra*? — perguntou, afagando o cabelo do menino. — O seu *nana* o amava muito mesmo. Escolheu aquele livro especialmente para você.

— Vovó, como é que o *nana* não pode mais ler pra mim?

Tehmina contemplou o neto, sem saber ao certo o que dizer. Sorab havia corrido para Bombaim imediatamente depois do infarto de Rustom, deixando Cavas e Susan em casa. O que lhe teria dito Susan para explicar a partida abrupta do pai? O que teria Sorab explicado ao menino depois de voltar?

— O *nana* está no céu — disse, por fim. — Agora ele lê para os anjos, em vez de ler para você. Mas, todas as noites, quando você faz suas orações e se deita, ele olha para baixo e lhe dá um beijo de boa-noite.

Cavas acenou com a cabeça.

— Eu sei. O papai diz que o *nana* cuida daqui de casa quando a gente tá dormindo. Uma vez, numa tempestade, eu estava com medo e tudo, mas o papai disse que o trovão era só o *nana* rindo de uma piada que Deus contou.

Tehmina sorriu.

— A risada do seu vovô parecia uma trovoada. Anu, um vizinho nosso em Bombaim, sempre dizia que o Rustom era capaz de levantar os mortos com aquela gargalhada.

O menino franziu o rosto.

— Por que você sempre fala de Bombaim? A gente aqui faz tanta força pra você se sentir em casa, vovó, mas você só fica falando de Bombaim e tudo.

Tehmina olhou para o neto, horrorizada. Por um instante, foi como se ele fosse um médium, servindo de veículo para o espírito da mãe. A voz de Cavas teve o mesmo tom rígido e taciturno de Susan, toda vez que ela se frustrava com a sogra. E a mesma indignação moralista, o mesmo tom de quem estava ofendido.

O menino só estava imitando as palavras da mãe, Tehmina sabia. Mas, de repente, todas as coisas que não podia dizer à nora, toda a intensa vergonha e o mal-estar que a presença sofredora de Susan despertava nela, voltaram-se contra o garoto.

— Porque Bombaim é a minha casa, entende? — disse, sem tentar retirar o ardor da voz. — Assim como aqui é a sua casa. Passei a minha vida inteira lá. E, embora os outros possam ver apenas uma cidade suja, imunda, onde os ônibus enguiçam e a eletricidade não funciona, o verdadeiro habitante de Bombaim enxerga além disso tudo, vê o coração grande e generoso da cidade. E é isso que a maioria das pessoas não consegue perceber.

O lábio inferior de Cavas ficou trêmulo.

— Então, volta pra porcaria da sua cidade! — gritou ele. — Não tô nem aí. E também — acrescentou, com deliberação — não vou sentir saudade nenhuma de você. Só vou visitar a vovó Olsen, e pronto.

Ao ver o rosto ofendido e lacrimoso de Cavas, ao ver seu peitinho arfante, Tehmina sentiu o próprio peito encher-se de amor e remorso. O menino está preso na minha indecisão, percebeu. As crianças precisam de estabilidade, e o pobre menino não sabe onde estarei daqui a dois meses. Por que os adultos pensam que as crianças são indiferentes aos dramas familiares encenados em sua presença?

— Cavas... quer dizer, Cookie. Só porque gosto de Bombaim, isso não quer dizer que eu não ame você. Na verdade, amo você tanto que...

Interrompeu-se, sem saber ao certo como prosseguir, se devia ou não deixar o garotinho deitado a seu lado ver as bordas dilaceradas e em carne viva de seu próprio coração. Fazia tanto tempo que ela criara Sorab, que tinha se esquecido de como agir diante de uma criança pequena. E Cookie era muito mais volátil, muito mais franco e emotivo do que Sorab jamais fora. O filho dela tinha sido um perfeito menino indiano bonzinho, ao passo que seu neto era muito... qual era a palavra?... muito *americano*. Sim, essa era a melhor palavra para descrever Cavas. Tehmina nunca se sentia tão dolorosamente, tão excruciantemente indiana quanto ao se encontrar perto dele. Rustom, por outro lado, havia aceitado o neto em seus próprios termos. Com que facilidade Rustom se adaptara à vida nos Estados Unidos! Cortava a grama com Cavas a correr atrás dele, cultivava a horta ao lado de Susan, saía com Tehmina para comprar mantimentos e enchia o carrinho, sem a menor cerimônia, com produtos tirados das prateleiras abarrotadas, como se tivesse feito isso a vida inteira. Ora, Rustom havia até dirigido nos Estados Unidos — o que era motivo de grande orgulho para seu filho. E dirigia do lado direito da rua, apesar de haver dirigido do lado "errado" (como dizia Susan) durante todos os anos vividos na Índia. E, para grande assombro de Tehmina, Rustom nunca dera sequer uma guinada para a pista errada.

Sentiu os olhos do neto pousados nela e, com um sobressalto, percebeu que o menino continuava esperando que ela concluísse sua frase.

— Eu o amo tanto, que você faz parte do meu fígado — disse, e percebeu de imediato, pela expressão de repulsa no rosto de Cavas, que a tradução desse sentimento do gujarati para o inglês tinha sido um erro.

— Eca! — exclamou o menino. — Que nojo, vovó!

Ela se curvou e o afagou com o queixo.

— Eu o amo tanto, que sou capaz de lhe dar um milhão, um bilhão de beijos, e ainda ter mais alguns para dar.

— Isso não é nada — disse Cavas, prontamente. — O papai me dá um trilhão, um zilhão de beijos toda noite.

Com um arzinho maroto no rosto, disse ainda:

— Sabe o que você pode fazer pra me mostrar o seu amor?

— O quê? — perguntou Tehmina, ciente de estar caindo numa armadilha. Sentia-se irremediavelmente perdida em seu amor por esse menininho de lábios vermelhos e longos cílios escuros.

— Você pode ficar deitada comigo até eu dormir — e sorriu o seu sorriso mais inocente. Pondo a mão em concha no ouvido da avó, acrescentou: — E, se você fizer isso, eu até deixo você me chamar de Cavas.

Como Tehmina conhecia aquele ar sedutor! Parecia fazer apenas uma semana que Sorab lhe dera o mesmo sorriso — na ocasião em que ela sentira cheiro de fumaça de cigarro no filho quando ele voltava da escola e, na mesma hora, soubera que ele vinha fumando; ou na vez em que ele lhe implorara para deixá-lo ir a um piquenique durante a noite com os amigos da faculdade, e, ante as sondagens da mãe, acabara admitindo que haveria moças presentes; ou no dia em que Rustom passara de carro pela Fonte Flora e por pouco não perdera o controle da direção, ao ver seu único filho participando de um protesto estudantil contra a Universidade de Bombaim. Rustom tinha voltado para casa e ficado andando de um lado para outro na varanda, até avistar a figura esguia do filho entrando no prédio de apartamentos, às sete horas da noite. "Como foi seu dia, filhote?", perguntara ele, com ar displicente, embora Tehmina tivesse ouvido o toque perigoso de tensão em sua voz. "Como foi a faculdade?"

"Ah, tudo ótimo", dissera Sorab, com um bocejo. "Só o de praxe. Mas hoje estou cansado."

"Eu nunca soube que contabilidade e marketing pudessem ser tão exaustivos", retrucara Rustom, e, dessa vez, seria impossível confundir seu tom.

Sorab erguera os olhos, atento: "Eu... bem, você sabe com que empenho..."

"O que eu sei é que não posso passar pela Fonte sem ver meu único filho agindo como um *mawali*, um muçulmano não-árabe, vulgar pelas ruas de Bombaim", dissera Rustom em voz baixa, ignorando o olhar pacificador que Tehmina lhe lançava. "O que eu também sei é que meu filho mente para os pais."

Em vez de se alvoroçar ou se postar na defensiva, Sorab dera um sorriso tímido para o pai: "Foi exatamente por isso que eu não disse nada, papai. Sabia que você não aprovaria."

Apesar da raiva, Rustom parecera ficar desarmado com a franqueza do filho.

"Então, você admite que estava na rua, em vez de estar na faculdade?", perguntara, e Tehmina conseguira ouvir a raiva esvair-se de sua voz.

"É claro. Mas pergunte por que eu estava lá, papai", dissera Sorab, continuando, sem dar aos pais a chance de responder: "Estávamos protestando contra a decisão da Universidade de Bombaim de reformular o currículo universitário. Eles querem que o país inteiro seja uma nação hindu fundamentalista, e estão reescrevendo os livros de história para glorificar a maioria hindu. Estão dizendo que, se o Paquistão pode ser um país islâmico, por que a Índia não pode ser um Hindustão? Já imaginou, papai? Essa gente não confia no secularismo, e anda nos aplicando uma lavagem cerebral, com seu palavrório obscuro e falso. É como se os muçulmanos, os parses e os católicos simplesmente não existissem."

"Sei... sem nós, parses, para construí-la, a Bombaim deles ainda seria um punhado de ilhas flutuando no oceano", grunhira Rustom. Tehmina tinha ficado maravilhada ao ver com que facilidade o filho conseguira diluir a raiva do pai. Como que sentindo o alívio dela, Rustom repreendera o filho: "Mas isso não é desculpa para interromper a sua educação com todo esse absurdo. É melhor deixar toda a agitação e os protestos para os baderneiros profissionais."

Sorab havia encarado o pai: "Mas, papai, lutar por aquilo em que se acredita também faz parte da minha educação. Foi você quem me ensinou isso."

Ao relembrar esse incidente, Tehmina sentiu uma pontada de pesar. Que teria acontecido com aquele rapazinho serenamente decidido? Que teria acontecido com seu jeito lúcido de ver o mundo? Ela havia pensado que a ida para os Estados Unidos ampliaria os horizontes de Sorab, faria com que ele se erguesse sobre os ombros dos pais e enxergasse mais longe do que eles tinham enxergado. Em vez disso, ocorrera o inverso. De um modo estranho, Sorab parecia ter encolhido, e seu mundo se estreitara. Ele parecia mais feliz no plano pessoal, sim, mas... mas talvez o problema todo fosse esse. Morando nesse condomínio, onde a aparência de muitas casas era a mesma e até os carros e os balanços das crianças nos quintais pareciam idênticos, Sorab havia trocado a paixão intensa da juventude por uma satisfação monótona. Tehmina não conseguia entender. Como é que um menino que havia crescido nas ruas apinhadas e tumultuadas de Bombaim, que se acotovelara com as multidões barulhentas na hora de pegar o trem para a faculdade, que comera *pani puri*, os pãezinhos fritos recheados de lentilha e molhos, e bebera caldo de cana em barracas de rua, que assistira a todo o carnaval da experiência humana — os milionários, os leprosos, as joalherias, as colônias de favelados —, como é que um menino assim podia encaixar-se num mundo tímido, limpo, anti-séptico, livre de germes, bactérias, paixão e miséria humana? Um mundo em que até os canudos eram envoltos em plástico e em que as pessoas das academias borrifavam desinfetante nos assentos dos aparelhos de musculação toda vez que se levantavam, como se o suor humano fosse mais perigoso do que as substâncias químicas de seus aerossóis. (Ela sabia porque tinha visitado a academia do condomínio.) E como é que ele esperava que sua mãe de sessenta e seis anos vivesse nesse mundo?

O pior de tudo é que não havia como estabelecer uma comunicação com Sorab. Ele tinha desaparecido, feito um caramujo numa concha. No jantar do dia da desavença com Tara, por exemplo, Tehmina havia tentado contar ao filho que a vizinha deixara os dois meninos sozinhos em casa e que ela e Susan os haviam acolhido. Se a nora não estivesse presente, ela teria confidenciado a Sorab que sua mulher tinha deixado claro que não queria mais nenhuma interação com a família vizinha, e que ela, Tehmina, ficava arrasada ao pensar nos pobres garotos daquela casa. Ela teria até trazido à baila a idéia de juntar uns livros e brinquedos que Cookie já não usasse e oferecê-los a Josh e Jerome. Mas ocorre que Sorab tinha escutado por alguns minutos, balançado a cabeça, revirado os olhos e dito: “Há certas pessoas que nunca deveriam ter filhos. Ficarei muito feliz no dia em que essa mulher se mudar da casa do Antonio.”

De repente, Tehmina pensou em Percy, o melhor amigo de Sorab, que ela e Rustom praticamente haviam criado, depois de ele perder a mãe quando era pequeno. Sorab e todos os outros integrantes de seu círculo implicavam com Percy por causa de seus múltiplos casamentos, e a própria Tehmina ficava chocada e triste com a freqüência com que o rapaz trocava de mulher. Mas uma coisa era preciso dizer sobre Percy, pensou ela. Os Estados Unidos, aquele país, não o haviam modificado como fizeram com os outros. Tehmina ouvira a indignação na voz dele ao descrever um caso de imigração em que um refugiado político tinha deparado com a desumanidade do governo. Ouvira-o discutir apaixonadamente as injustiças enfrentadas por seus clientes, em decorrência das leis aprovadas depois do horror do 11 de Setembro. De alguma forma, o mundo de Percy parecia maior e mais real que o de Sorab, estreitamente definido por casa, família e escritório.

Tehmina ofendeu seu próprio senso de lealdade materna com esta última idéia. Isso não é justo, discutiu consigo mesma. É o trabalho de Percy que o obriga a lidar com o mundo externo. Já o meu Sorab, que trabalha para uma grande agência de publicidade e consultoria, tem seu trabalho limitado, por definição, pelos interesses dos clientes. Por que haveria de se preocupar com a imigração e coisas similares? E não é que ele não seja generoso. Tehmina sabia que Sorab tinha doado um cheque de quinhentos dólares na época do desastre causado pelo *tsunami*. E, quando ela estava em Bombaim, o filho vivia lhe pedindo para informá-lo sobre casos de pessoas dignas que precisassem de ajuda. Quatro anos antes, ele e Susan, com os outros parses locais, haviam arranjado para que a filha pequena de Dina Madan fosse para a Clínica Cleveland, onde se submetera à cirurgia cardíaca que lhe salvara a vida. Dina havia até levado a pequena Malika ao enterro de Rustom e fizera a menina cumprimentar Sorab. "Este é o homem que salvou a sua vida, *deekra*", dissera à menina. "Ele é um grande homem, tal como foi seu pai."

— Vovó, você vai ou não vai deitar comigo?

A voz queixosa de Cookie trouxe-a de volta ao presente. Tehmina olhou para aquele rostinho meigo, muito parecido com o de Sorab, apesar da tez alva e do cabelo castanho-claro. Se eu não houvesse conhecido Rustom, você não teria nascido, deslumbrou-se, e, apesar da banalidade da idéia, sentiu que ela lhe aquecia o coração.

— Você pode me chamar de Cavas, se quiser — repetiu Cookie. — Mas só hoje.

Tehmina obrigou-se a fazer um ar suficientemente impressionado com essa oferta magnânima.

— Está bem, Cavas — disse, enfiando-se embaixo das cobertas com o neto. — Vou deitar com você uns minutinhos. Mas nada de conversa, está ouvindo? Boa noite.

Ficaram um segundo calados. Depois, Cookie perguntou:

— Você conhecia a mamãe quando ela era pequena?

— Não, Cookie, é claro que não. Ela morava aqui nos Estados Unidos, enquanto nós... nós morávamos na Índia.

O menino pareceu absorto em seus pensamentos por um minuto. Depois, deu de ombros.

— Foi o que eu achei.

— E o que o levou a pensar nisso?

Ele tornou a dar de ombros, e Tehmina teve de se contentar com essa resposta.

— Você tem alguma lembrança de Bombaim? — perguntou ao neto. Sabia estar correndo o risco de fazê-lo despertar de vez, mas não conseguiu impedir-se. Fazer Cavas reconhecer seu amor pela Índia era como uma espinha que Tehmina futucava com a unha. Que bobagem sua!, repreendeu-se. O menino só tinha três anos quando esteve na Índia. É claro que não se lembra.

— Eu me lembro do vovô — disse Cavas. — Ele me levou no escritório dele, um dia. Tinha um retrato grande de mim, da mamãe e do papai na parede.

Tehmina piscou para conter as lágrimas. Agora essa fotografia estava em cima de sua televisão, no apartamento de Bombaim. Mas ela resolveu não dizer isso a Cookie.

— O vovô era *engraçado* — comentou Cookie. Tehmina compreendeu de imediato o que o menino era bondoso demais para dizer: *e você não é*. Será que ela havia imaginado o toque de acusação que ouvira na voz do neto?

Ela deu um suspiro.

— Todo o mundo adorava o vovô. Eu também. Ainda adoro.

Cavas deve ter ouvido alguma coisa na voz dela, porque se inclinou e lhe deu um beijo no rosto.

— Amo você, vovó — disse, com a vozinha melódica que usava ao afagar um filhotinho de cachorro ou falar com crianças menores. — E você é muito mais legal que aquela babá velha e burra. Boa noite.

E se enroscou feito uma bola, bem encostado em Tehmina.

— Boa noite, gatinho — murmurou a avó, beijando-o no alto da cabeça. Mas era o coração *dela* que ronronava.

CAPÍTULO SEIS

NEVE.

Nevara a noite inteira, com uma eficiência silenciosa e implacável. Densas bolas de algodão flutuavam e pousavam nos esqueletos das árvores, conferindo-lhes uma beleza deslumbrante. Era uma beleza tão aguda, tão espantosa, que os motoristas que voltavam das idas de última hora aos shoppings, derrapando e resvalando para fora da pista, não sabiam ao certo se deviam culpar as ruas molhadas e escorregadias ou a suntuosidade perturbadora dessas árvores cobertas de neve. Ou talvez fosse a visão das incontáveis e estonteantes pedrinhas de brancura que estouravam feito fogos de artifício em seus pára-brisas, e que lhes arregalavam os olhos de deslumbramento e cansaço.

Sorab ficou acordado na cama, contente por estar em casa. Tinha a cabeça meio zonza, por causa das duas *margaritas* que consumira mais cedo, no jantar. O ronco leve de Susan, que normalmente o irritava, nessa noite encheu-o de uma paz suave e serena, tanto assim que lhe pareceu que a respiração da mulher era uma espécie de oração, uma recompensa. Estou em casa com minha família, pensou consigo mesmo, e, como sempre, essas palavras o encheram de assombro.

À luz dourada do poste de rua, que entrava num feixe pelo quarto, o cabelo de Susan brilhava feito cetim sobre o travesseiro. Sorab olhou para o rosto magro e conhecido da mulher — o nariz longo e reto, os lábios finos, as maçãs altas, as sobrancelhas arqueadas. Mesmo depois de tantos anos, a beleza simples de Susan, típica do Meio-Oeste, ainda o afetava. Ele desviou os olhos para contemplar os flocos de neve, espessos e brancos feito caspa, caindo fora da janela. Estremeceu e, no segundo seguinte, seu pensamento voltou-se para as formas indistintas e amorfas dos sem-teto que se alinhavam nas calçadas de Bombaim, dormindo no chão duro, em qualquer tipo de clima. Puxando o edredom de plumas até ele lhe cobrir as orelhas — em seu primeiro inverno em Ohio, havia aprendido que cobrir as orelhas era a chave para se manter aquecido nesse país duro e frio —, pensou nos lençóis de algodão desbotados e puídos com que os sem-teto de Bombaim cobriam seus corpos magros e trêmulos. Que vida ele tivera! Primeiro, nascer na classe média da Índia. Só isso já era como ganhar a bosta da loteria. E, depois, ir para os Estados Unidos. Para a América, o lugar que havia dominado seus sonhos pelo menos desde os doze anos de idade. É claro que, naquela época, o que significavam os Estados Unidos para ele? Provavelmente, nada além de jeans Levi's, goma de mascar Wrigley's, Coca-Cola, revistas em quadrinhos da Turma do Archie e *rock'n'roll*. Acima de tudo, *rock'n'roll*. A música é que o havia seduzido, plantado nele a semente, e que o levara a sair de sua vida perfeitamente feliz, satisfeita e normal em Bombaim, em busca de um novo desafio, um novo horizonte, um novo lar. Outros talvez vissem a América como a terra do leite e do mel. Ele a via como a pátria do *rock'n'roll*. O menino cujo pai adorava música clássica estava pronto para dar um chega-pra-lá em Beethoven e contar as novidades a Tchaikovski.

Sorab ainda se lembrava da expressão ardente de inveja no rosto de seus colegas de faculdade, quando ele lhes anunciou que tinha sido aceito por uma universidade norte-americana. "Pô, cara", dissera seu amigo Hanif. "Estados Unidos. Caramba! Isso é melhor do que... o quê? Do que dormir com a Cindy Crawford."

E, de fato, tinha sido mesmo. Melhor do que dormir com Cindy Crawford, melhor do que transar com Juliette Binoche, melhor do que ir a um show do U2, melhor do que uma xícara de chocolate quente diante de uma lareira crepitante. Ele sempre se havia julgado ambicioso, um sonhador, mas sua vida se revelara ainda mais audaciosa e grandiosa do que seus sonhos.

E, como se ser aceito nos Estados Unidos já não fosse uma dádiva suficiente, tinha recebido todas as outras dádivas. Um filho perfeito e puro como a lua. Uma mulher que às vezes era meio espinhosa, sim, que sorria com menos freqüência do que ele gostaria, sim, mas que o amava e era ardorosa e leal nesse amor. Uma carreira que, até o aparecimento de Grace Butler, havia disparado como um foguete. Uma casa linda e confortável e, o que era mais importante, grande o bastante para que ele pudesse oferecer-se para dividi-la com a mãe.

Sua mãe. Uma agulhada fina de preocupação começou a penetrar na trama de contentamento que Sorab vinha tecendo para si mesmo. Mamãe realmente precisa tomar uma decisão, pensou, lembrando-se da conversa com Susan no restaurante. Esse negócio de não saber é difícil demais para Susan. Dois meses passarão voando, e há muita coisa que precisamos fazer se ela resolver ficar — dar entrada na papelada da imigração, procurar uma casa maior, decidir o que fazer com a casa de Bombaim. Além disso, santo Deus, seria bom saber se teremos mais um membro da família aqui, quando chegar a primavera. Susan e eu precisamos de tempo para nos adaptarmos mentalmente, diabos. E o Cookie também, provavelmente. Preciso prepará-lo para a separação, se ela voltar para lá, mas como posso fazer isso se não sei o que ela está pensando? Mamãe é tão cheia de segredos! Será que sempre foi assim, ou será que a morte do papai a modificou? Como é que não sei responder a isso? Terei que perguntar à Susan o que ela acha. Isso, se eu suportar fazer qualquer pergunta a Susan a respeito de mamãe. Que há com ela ultimamente, afinal? O que é esse ar professoral, de lábios espremidos, que o rosto dela assume? Será que ela sempre teve essa expressão e eu é que nunca a enxerguei? Como é possível eu não saber a resposta? Terei que perguntar à mamãe.

Conteve-se de repente. Seu sacana idiota. Riu consigo mesmo. Querendo desvendar o sexo frágil. Se você conseguisse, ganharia o prêmio MacArthur para gênios. Você está cercado por mulheres esquivas e manipuladoras, não é mesmo? Quando não são sua mulher e sua mãe, é sua chefe encantadora no trabalho. Espere aí, digamos a sua chefa fantástica-fabulosa-deliciosamente-divinamente-encantadora. Por que se conformar com um adjetivo só para descrevê-la, quando é possível usar dez?

— Caramba, Sorab, o que você está fazendo? — perguntou Susan, sonolenta.

— O quê?

— Por que está se virando de um lado para outro na cama? Puxa, você não me deixa dormir, benzinho.

— Desculpe. Pensei que você estivesse dormindo.

— Tudo bem. Volte a dormir.

Ele ficou calado e imóvel por alguns minutos. Depois:

— Meu bem? Ainda está acordada?

— Agora estou — disse Susan, entre um suspiro e um sibilo.

— Está nevando. Quer dizer, está lindo, lindo mesmo. Quer ir até a janela comigo para dar uma olhada?

Susan soltou um gemido.

— Ah, pelo amor de Deus, Sorab, você não pode estar falando sério! Acabei de conseguir me esquentar.

Sorab sentou-se no escuro, sem dizer nada. Mas estava ouvindo, atento. Não sabia ao certo o que esperava escutar, mas tinha certeza de que saberia, se o ouvisse.

Estava combatendo a decepção que ia formando um bolo em sua garganta quando Susan falou:

— Está bem, vamos. Só um minuto, viu? Santa mãe, eu devo estar maluca.

Quando Susan afastou as cobertas, foi como se afastasse a tristeza que começava a descer sobre ele. Os passos de Sorab foram leves quando seus pés tocaram o piso frio de madeira.

Os dois ficaram parados à janela, observando o lânguido cair da neve. Sorab passou um braço sobre os ombros da mulher.

— É como nos velhos tempos — disse. — Lembra, na faculdade, como costumávamos acordar cedo e ir até o rio, só para ver o sol nascer?

Susan bocejou.

— Sim, querido. Mas isso foi há uns cem anos, quando éramos jovens e bonitos... e não tínhamos emprego.

Ele sorriu.

— Bons tempos, hein? A palavra "desemprego" me soa como uma coisa genial hoje em dia.

Susan apertou a mão do marido.

— Olhe para aquela árvore no quintal do Ruby. Parece um cartão-postal. Aposto qualquer coisa como a mamãe vai querer tirar uma fotografia dela de manhã — disse. Encostou-se em Sorab e murmurou: — Você tinha razão, meu bem. Está mesmo uma nevada linda.

— Valeu a pena acordar?

— Pergunte-me de manhã.

Ele a beijou na cabeça.

— Bom, já que você está bem acordada e tudo o mais, será que posso ao menos fazer com que tenha valido a pena levantar, meu amor?

— E como você propõe fazer isso?

— Permita-me uma demonstração.

A NEVE É MUITO DIFERENTE DA CHUVA, pensou Tehmina. A chuva em Bombaim era como um intruso desajeitado, com pés de chumbo, que esbarrava nos móveis e caía por cima deles, derrubava a louça de porcelana e fazia sentir sua presença pesada e suarenta nas ruas golpeadas e batidas. Mas a neve daqui! Tehmina deslumbrou-se com seu ar furtivo, seu subterfúgio, seu toque leve. Ora, a pessoa podia dormir a noite inteira e nem saber que tinha nevado, até de manhã.

Chuva e neve. A maneira perfeita de descrever a diferença entre Bombaim e os Estados Unidos, pensou Tehmina. Uma era ruidosa, caótica, tumultuada e errática. A outra era calma, anti-séptica, refinada e polida. Como é irônico!, pensou. Em Bombaim, onde tudo é perigoso, as pessoas levam a vida *bindaas*, despreocupadas, sem medo, quase sem pensar. Aqui, onde não há razão para se temer coisa alguma, essa gente tem medo da própria vida. Como podem sobreviver desse jeito, vigiando e pesando tudo? Do terrorismo aos micróbios ou à gripe, tudo assustava essas pessoas. Um país inteiro entrando em pânico por causa da escassez de vacinas contra a gripe. E vedando seus vidros de analgésico tão hermeticamente, tão à prova de adulterações, que nenhum adulto com artrite era capaz de abri-los. Até seus canudos vêm embrulhados em plástico. Já em Bombaim, santo Deus, a gente respirava o ar mais fétido que havia, e comia em barracas de beira de estrada em que os pratos eram lavados numa água marrom feito lama. E olhem só para mim: uma mulher robusta, saudável e animada de sessenta e seis anos. O velho dr. Mehta sempre dizia: "Se um dia houver uma peste ou uma catástrofe global, Tehmi, juro que aqueles norte-americanos vão cair mortos feito moscas. Eles não têm imunidade contra coisa alguma. E nós, indianos, com nossa constituição férrea, dominaremos o mundo."

Era a mesma coisa com os cintos de segurança. Deus do céu, como Sorab e Susan a haviam olhado quando ela se recusara a usar o cinto de segurança em sua primeira visita ao país! Como... como se ficassem pessoalmente decepcionados com ela, tal como ficaríamos com um parente que insistisse em se suicidar bem diante dos nossos olhos.

Tehmina remexeu-se na cama, querendo afastar a lembrança que começava a emergir. No ano anterior, em suas férias na Califórnia, ela e Susan tinham ido às compras com Cookie, enquanto os dois homens permaneceram no hotel. As mãos de Susan estavam carregadas de sacolas de presentes, e Tehmina segurava a mão de Cookie, esperando o sinal de trânsito fechar. Estavam parados em meio a uma multidão de turistas afáveis e bronzeados, que tomavam sorvetes de casquinha enquanto aguardavam na calçada para atravessar a rua. E ainda nos vinham falar de terra da liberdade!, pensara Tehmina, surpresa. Não havia um só carro à vista, mas todos esperavam feito carneirinhos que o sinal lhes dissesse ANDE ou PARE. Em Bombaim, mil pessoas já teriam atravessado a rua seis vezes, àquela altura. Talvez tivesse sido essa idéia que a impelira adiante, mas o fato é que, no instante seguinte, uma Tehmina impaciente havia puxado a mão do neto e começado a atravessar. Atrás dela, ouvira Susan exclamar, arquejante: "Mamãe!" Mas era tarde demais para parar. Ao chegar ao outro lado, ela percebera que tinha feito algo errado. Algo incivilizado. Algo... bem, algo próprio de Bombaim. Uma coisa indiana. Uma coisa grosseira.

Apesar do sol quente da Califórnia, Susan exibia um rosto pálido ao atravessar a rua e encarar a sogra. Tehmina havia notado que seu lábio inferior tremia. "*Beta*, desculpe", começara a dizer, mas Susan não lhe dera ouvidos.

"Não acredito que você tenha feito isso, mamãe. Não acredito que tenha exposto seu único neto a esse tipo de perigo!"

Perigo? Mas não houvera um só carro à vista!

"Susan, querida, a rua estava vazia, e..."

"Não é essa a questão", viera a resposta, e Tehmina tinha notado, perplexa, que havia lágrimas nos olhos da nora. "A questão é que você está ensinando hábitos pouco saudáveis ao meu filho. Que vai acontecer se ele tentar disparar pela rua quando estiver na escola? Afinal, nós não passamos vinte e quatro horas por dia com ele. E se de repente aparecesse um carro, vindo de algum lugar? Ora, você sabe como essa gente daqui dirige."

Tehmina sentira uma mescla confusa de emoções — indignação, vergonha, culpa, incredulidade. Havia pessoas a observá-las, fazendo muxoxos de reprovação. Mas reprovação de quem? De Susan, por fazer uma cena em público por uma banalidade? Ou de Tehmina, por ser uma caipira idiota e burra que não sabia atravessar uma rua?

"Desculpe", repetira ela. "Eu... eu... que é que eu vou fazer, meu bem? Sabe, estamos tão acostumados a atravessar as ruas desse jeito em Bombaim, que eu nem parei para pensar. Você sabe que a última coisa que eu faria seria machucar o Cookie."

À menção de seu nome, o menino tinha começado a chorar. "Pára, mamãe! Pára de gritar com a vovó!"

Susan franzira os lábios. "Ora, droga. Vamos sair deste sol e voltar para o hotel, pode ser?"

Ao baixar os olhos para o filho, o rosto dela se abrandara.

"Não estou gritando com a vovó, amorzinho. A mamãe só ficou nervosa porque a vovó deu um susto nela, está bem? Vamos combinar assim: a gente vai nadar na piscina quando chegar lá, certo?"

Susan havia procurado manter uma conversa leve no táxi, durante todo o trajeto de volta, e Tehmina tinha correspondido, feliz por ter algo com que se distrair. É que, não fosse por isso, o sentimento sombrio e pesado de vergonha e tristeza que a acabrunhava haveria de ser reconhecido. Fazia muitos anos desde a última vez que alguém lhe dirigira a palavra ou a repreendera do jeito que Susan tinha feito. E em público, ainda por cima. Não havia limites nesse país, não havia fronteiras entre o público e o privado.

À noite, deitada na cama com Rustom, Tehmina tinha descrito o incidente e sua mortificação ao marido. Para sua surpresa, ficara com a voz embargada e os olhos lacrimejantes ao repetir as palavras condenatórias de Susan. Mas já deveria saber que não podia esperar que ele tomasse seu partido. Em muitas ocasiões, havia notado, o marido defendia vigorosamente a nora, chegando até a ficar do lado dela contra o próprio filho. Era seu jeito de pôr a harmonia e o bem-estar da família do filho acima de tudo, ela sabia.

"Velha doida", dissera ele, em tom brusco. "É claro que a Susan se aborreceu. Você acha que isto aqui é o quê: a sua Mumbai desgastada e decrépita? Esse pessoal está acostumado com disciplina e bons modos. E aí vem você, a própria Madame Ghaati de Bombaim, desrespeita todo o código de trânsito e, ainda por cima, corrompe o nosso Cookie. E espera que a Susan fique parada e aceite uma coisa dessas? Dê-se por satisfeita por ela não a ter empurrado para o meio de uma pista de mão dupla, cheia de trânsito."

"Mas é essa a questão! Não havia trânsito", começara Tehmina, acalorada, e então vira o brilho nos olhos do marido e desatara a rir. "Por que você toma o partido de qualquer pessoa do mundo, menos o da sua mulher?"

Rustom a envolvera nos braços: "Porque você é a pessoa mais forte que eu conheço. As outras precisam ser defendidas. Mas você, você é uma rocha de força. Não precisa da minha proteção."

Errado, Rustom, pensou Tehmina nesse momento. Errado, meu amor. Veja como ando atrapalhada sem você. Veja como não consigo tomar a menor decisão sem você.

Levantou-se da cama e foi descalça até a mesinha sob a janela. Abriu a gaveta e tateou no escuro, até seus dedos encontrarem o metal frio do pequeno porta-retratos.

Com a mão no interruptor de luz acima da cama, Tehmina hesitou. A última coisa que desejava era que a luz vazasse de seu quarto e perturbasse os meninos, que estavam tentando dormir seu sono merecido. Resolveu acender o abajurzinho a seu lado. Sentada na cama, enrolada no edredom de plumas, de modo a ficar apenas com as mãos frias do lado de fora, abriu o porta-retratos duplo. Havia comprado esse porta-retratos na Akbarally's, pouco antes de fazer essa viagem aos Estados Unidos, sabendo que teria de carregar seu Rustom bem perto, se quisesse sobreviver à longa jornada para longe da terra em que seu amado marido morrera, em direção à terra em que seu filho querido vivia, trabalhava, respirava. Tinha hesitado quanto às duas fotografias a levar — uma das fotos do casamento? A de Rustom segurando Sorab pela primeira vez, meia hora depois do nascimento do filho? A do passaporte de Rustom, na qual ele parecia atipicamente sério e carrancudo? Por fim, decidira-se por uma foto do jovem Rustom na casa dos vinte anos e uma fotografia dele meses antes de morrer. Quanto tempo, quantas vidas tinham se passado entre essas duas fotos! No abrir e fechar de olhos entre os dois cliques, eles tinham tido um filho, a quem haviam criado num regime de amor, orgulho e preocupação parentais, haviam experimentado essa mesma trindade de sentimentos — amor, orgulho, preocupação — quando ele partira para os Estados Unidos, tinham ficado tristes, mas não surpresos, quando ele anunciara que ia se casar com uma norte-americana, haviam aceitado e aprendido a gostar de Susan, depois de passar algum tempo com ela, e tinham delirado de alegria com o nascimento do neto. Nessa mesma lasca de tempo, haviam comparecido ao enterro dos pais, perdido alguns de seus amigos mais íntimos para uma miscelânea de doenças e sobrevivido ao susto do câncer de próstata de Rustom. (Até hoje, Tehmina ainda acreditava que Rustom estava, sim, com câncer de próstata na época do exame, mas que suas orações extremamente sinceras, do fundo do coração, haviam alterado os resultados da biópsia.)

Grande parte da vida dela fora vivida com o homem que agora a fitava de sua prisão de vidro. Segurando o porta-retratos perto do rosto, Tehmina roçou a boca nos lábios carnudos e sensuais do marido. Era difícil acreditar que um homem tão passional, acalorado e imponente como Rustom pudesse ficar confinado a um porta-retratos pequeno e barato. Difícil acreditar que todo aquele gosto pela vida, toda aquela grandeza, toda aquela magnificência pudessem ser derrubados por um infarto, que os ossos e a carne desse homem estivessem agora em decomposição no poço da Torre do Silêncio, sem se diferenciarem da carne e dos ossos de homens mais medíocres e temerosos. De que haviam adiantado, pensou Tehmina, todo o trabalho árduo, o sucesso, a paixão dele, sua sede de vida, aquela energia vibrante que lhe corria nas veias, a atividade incessante de sua cabeça inteligente, de que adiantava isso, se tudo podia ser arrancado aos sessenta e sete anos, da mesma forma abrupta de alguém que parasse os ponteiros de um relógio? Para não falar nas dores de parto que a mãe dele devia ter sofrido ao trazê-lo ao mundo, e nos sacrifícios que seus pais tinham feito para colocá-lo em boas escolas, nas horas de vigília a seu lado quando ele ardia em febre na infância, ah, sim, em todo o amor que eles — e depois ela, Tehmina — lhe haviam dado, e no esforço que ela empenhara, depois do casamento, em fazê-lo feliz: em lhe preparar *rava*, a semolina com açafrão no café da manhã, todos os sábados, em aprender a fazer o *dhansak* com o sabor exato do da mãe dele, em fazer amor com ele mesmo quando não sentia vontade... Será que nada disso tinha força suficiente para mantê-lo vivo depois dos sessenta e sete anos? Muitas coisas entravam na criação de um homem — a quantidade de arroz, açúcar e lentilhas que tinha de ser cultivada para ele consumir, o número de galinhas, cabras e carneiros que tinham de ser abatidos para que ele pudesse ter carne em seu *curry*. E era até mais do que isso, na verdade. A coisa remontava aos primórdios do mundo, à divisão dos continentes, à ascensão de uma espécie capaz de andar ereta e ter a oposição do polegar, e prosseguia até a descoberta do fogo, o fechamento do punho, o arremesso da primeira pedra. Quantos incontáveis milhares teriam morrido, tentando descobrir quais bagas eram venenosas, quais não? Quem teria sido o primeiro homem ou mulher a descobrir que o arroz precisava ser cozido por vinte minutos, ou que o milho ficava mais saboroso quando assado? Quantos impérios tinham se erguido e caído, quantos milhões haviam morrido à procura de especiarias? E todo esse trabalho, todo esse conhecimento, todo esse sangue, suor e lágrimas, todas essas conquistas, todas essas vitórias, todas as glórias e misérias da história humana, para quê? Para que um homem, um homem alto como uma montanha, vasto como um oceano, generoso como um continente, pudesse morrer aos sessenta e sete anos?

Tehmina, disse Rustom. Querida, desculpe que lhe diga, mas você está ficando meio tantã, meu bem. Um homem generoso como um continente? Por favor, querida, estou ruborizado com a sua verbosidade.

Tehmina correu os olhos pelo quarto. Ouvira a voz de Rustom tão clara como se ele estivesse deitado a seu lado na cama. Porém ali não havia ninguém além dela. Estou ficando maluca, pensou com seus botões. Não admira que os meninos andem preocupados comigo.

Nesse momento, porém, viu Rustom, sentado ereto, com as pernas cruzadas, num canto do quarto. Ao perceber que ela o tinha avistado, ele se pôs de pé num movimento célere, sem o revelador resmungo da meia-idade que acompanhava cada movimento feito por Tehmina. Embora nevasse lá fora, ela notou que Rustom estava vestido como se os dois se preparassem para ir ao cinema numa noite cálida de Bombaim — calças escuras e camisa azul-clara de mangas curtas, que revelava seus braços fortes e musculosos, morenos e reluzentes feito couro. Apesar da iluminação tênue do quarto, ela viu a cicatriz fina e conhecida que descia pelo braço esquerdo do marido, e seus dedos comicharam de vontade de acariciá-la, como tinham feito milhões de vezes no passado. Mas ela sentiu-se tomar pelo medo quando o marido morto atravessou o pequeno quarto de hóspedes e parou à sua frente.

— Rustom — murmurou. — Como? O quê? Que está fazendo aqui? Querido, você está...

— *Baap re*, ah, meu Deus, mulher! Você devia ver seu rosto neste momento. Parece que viu um fantasma — e Rustom riu da própria piada.

A despeito de si mesma, Tehmina sorriu com relutância da afeição implicante que ouviu na voz do marido. Isso era bem coisa do Rustom: ressurgir dos mortos, entrar no quarto dela, do outro lado do mundo, e zombar da mulher por se espantar. Era isso que Tehmina havia amado e era disso que sentia falta — da facilidade descontraída com que ele ocupava espaço onde estivesse, da suposição benevolente de que o mundo lhe daria o que era seu por direito e o acolheria com afabilidade e generosidade. E parte disso se transferira para Tehmina, tanto que, quando Rustom era vivo, tinha sido fácil para ela iludir-se e achar que a vida estava ao alcance de sua mão, que o mundo era uma casa pronta para que as pessoas se mudassem para lá e a ocupassem. Como tinha sido descomplicado e pouco trabalhoso viver quando Rustom estava por perto! Era como andar num Mercedes-Benz, pensou Tehmina, com vidros escuros para manter afastada a miséria lá fora, e com amortecedores capazes de suavizar e silenciar todos os solavancos da vida. E agora, sem Rustom ao volante, de repente ela se sentia andando no velho Ambassador que pertencera a seu pai, com suas portas chacoalhantes e aqueles trancos que faziam a gente sentir cada buraco na base da espinha. Sua queda desse estado de graça fora tão rápida e espantosa quanto o infarto de Rustom.

Mas, por outro lado, ali estava ele, em seu quarto em Rosemont Heights, empurrando-a de leve ao se acomodar sob as cobertas a seu lado. Por um instante, Tehmina afligiu-se com a idéia de dividir a cama com um morto. Mas então sentiu o calor do corpo de Rustom roçando no seu, o aroma daquela conhecida combinação da colônia pós-barba Old Spice e o suor que lhe embrulhava o estômago, os pêlos das pernas do marido fazendo cócegas nas suas pernas, e seu corpo todo pareceu afundar-se mais na cama, à medida que ela se sentia livre de um fardo, de uma tristeza que não se lembrava de ter carregado. Como andava enrijecida desde o dia em que vira o marido pela última vez na Torre do Silêncio!, percebeu Tehmina. Nesse momento, deu-se conta do que a tristeza tinha feito com seu corpo, de como levara seu coração a se sentir como uma sacola de náilon que carregasse mil pedrinhas cortantes, de como uma náusea permanente se insinuara em seu estômago, de como a depressão havia pesado em sua língua e suas pálpebras, e causado uma espécie de formigamento em sua pele.

Mas tudo isso desapareceu quando ela tocou a clavícula de Rustom e sentiu sob a ponta dos dedos a alça de sua sadrá branca. Quantas dessas sadrás de musselina ela havia costurado para o marido ao longo dos anos! Logo que os dois se casaram, ela havia insistido em passar a ferro as camisetas finas para ele, até Rustom fincar pé e lhe dizer que se casara com ela por amor e para ter sua companhia, e que, se quisesse alguém para lavar e passar sua roupa, teria casado com seu *dhobi*, que trabalhava exatamente para cuidar do vestuário alheio. Também isso fazia parte do esplendor de Rustom — embora estivesse sempre bem vestido, ele era o menos vaidoso dos homens. E seu senso de justiça, sua indignação moral diante do status inferior das mulheres, transformava-o num objeto de sátiras bem-humoradas por parte de seus amigos, e fazia de Tehmina um objeto da inveja murmurada das mulheres deles. Quantas vezes uma delas a chamara à parte numa festa e expressara admiração ao ver Rustom ajudá-la na cozinha! "Qual é o segredo, Tehmina, *yaar*?", murmuravam todas. "Como foi que você o treinou tão bem?"

"Não tive nada a ver com isso", respondia ela, tentando manter a voz isenta de orgulho. "Ele chegou a mim desse jeito. Meu Rustom é a pessoa mais justa que eu conheço. Acredita na igualdade de direitos para as mulheres."

Agora, porém, alisar a alça daquela roupa de baixo evocou outra lembrança, esta indesejada. A do marido, antes bem-vestido, deitado numa laje no piso da Torre do Silêncio, despojado de suas roupas costumeiras e usando, em vez delas, uma simples sadrá e calças de pijama brancas. Até na morte Rustom parecia vigoroso, com os músculos das pernas morenas forçando o algodão fino do pijama. No entanto, quando os carregadores profissionais, com sua aparência lúgubre, chegaram para levantar o corpo dele e levá-lo à sua viagem final até o local onde os abutres descreviam voltas sobre o poço, Tehmina tivera de admitir que nem mesmo Rustom era capaz de vencer a morte, que a morte conseguira transformar seu rosto moreno e bronzeado numa espécie de giz cinzento, que havia aberto e contorcido sua boca num "o" grotesco, e que o relâmpago obscuro da morte era maior do que a energia elétrica que antes vibrara no corpo dele. Quão pequeno e patético lhe parecera o marido, de repente, quão sujo e desgrenhado, ao ser erguido pelos carregadores, contra seus protestos soluçantes! Depois disso, Tehmina passara meses tentando cegar-se para aquele insulto final, tentara esquecer como ficara rígida de raiva ao perceber que tudo o que viam aqueles carregadores impassíveis era um cadáver, um corpo sem vida, não muito diferente (exceto, talvez, por ser um pouco mais alto e mais pesado) de todos os outros que eles haviam transportado; ao percebê-los completamente imunes à singularidade de Rustom — a como sua risada parecia abarcar uma oitava inteira, a como ele balançava a perna ou tamborilava os dedos, impaciente, quando era obrigado a esperar numa fila, a como tinha uma piada ou uma citação de Omar Khayyam para todas as ocasiões, a como fazia uma imitação esplêndida de Charles Chaplin. Mas, tal como a própria morte, tal como os abutres que planavam sobre o temível poço, os carregadores eram indiferentes a tudo isso. E tinha sido essa indiferença, a percepção dessa indiferença, o reconhecimento de que o mundo continuaria a girar sem a presença de Rustom, que deixara Tehmina rígida de raiva e de dor. Até a rigidez se transformar numa carapaça em torno de seu corpo, até se tornar natural como a pele.

— Tehmina — sussurrou-lhe Rustom. — Tehmi, abra os olhos. Escute-me. Tenho uma mensagem para você.

Ela os abriu e viu os olhos castanhos do marido, tão familiares que chegava a doer, fitando atentamente os seus.

— Tehmina, querida. O que eu quero lhe dizer é isto: seja valente. Coragem, *janu*, minha amada. Foi por essa pessoa que eu me apaixonei, por minha mulher destemida e sem papas na língua. Quem é a mulher tímida e assustadiça que está no lugar dela? Não a reconheço. Então, por favor, *janu*. Seja feliz. A vida continua, sabe?

— Você pode ficar? — murmurou Tehmina. — Assim eu serei feliz.

Mas viu a expressão sofrida e distante que cobriu o rosto do marido e, no mesmo instante, arrependeu-se de suas palavras.

— Pelo menos você virá me fazer outra visita? — tentou. — Venha me ver de novo...

Dessa vez, Rustom sorriu, um sorriso tão gentil, amoroso e intemporal, que Tehmina teve a sensação de que toda a história, toda a imensidão do universo, residia naquele sorriso.

— Tehmina, não seja boba. Que quer dizer com eu vir visitá-la? Como posso fazer isso, se estou sempre do seu lado?

Então, felicidade era isso, pensou Tehmina. Ela havia esquecido a sensação, mas a reconheceu de imediato, como o rosto de um colega de escola que se passou trinta anos sem ver.

— Você ficará comigo esta noite? — perguntou, ao mesmo tempo que aninhava o queixo no peito de Rustom.

— Já lhe disse. Eu estou aqui. Agora durma — pediu ele, e lhe afagou o cabelo.

E, assim, Tehmina adormeceu.

CAPÍTULO SETE

TEHMINA FOI DESPERTADA de um sono profundo pela campainha do telefone no quarto de Sorab e Susan, ao lado do seu. Seus olhos se arregalaram na completa escuridão, e seu coração se acelerou, involuntariamente — em geral, um telefonema no meio da noite significava más notícias, não? Ela buscou no mesmo instante, apressada, o corpo morno do marido, mas ele se fora, provavelmente assustado pelo som da campainha. O colchão estava frio, como se Rustom houvesse partido logo depois de ela ter adormecido. A apreensão venceu o desapontamento quando ela se virou e acendeu a luz do despertador. Quatro horas da manhã. Quem estaria ligando às quatro horas da manhã? Seu pensamento voou no mesmo instante para a avó de Susan, uma senhora frágil mas animada de oitenta anos, com uma voz que parecia uma picape descendo uma rua de cascalho. A velha Ruthanne sempre fora baixinha, mas a osteoporose quase a dobrara ao meio. No entanto, o que lhe faltava em estatura sobrava em personalidade. Por mais encurvada que ela estivesse, aqueles olhos cintilantes nunca perdiam nada, e a voz rascante não vacilava nem mesmo quando ela contava suas piadas, tão obscenas que os interlocutores se assustavam com a incompatibilidade, ao ouvi-las daquela senhorinha meiga, com um sotaque suave de Oklahoma. Essa voz fazia os outros ignorarem seu corpo disforme e perceberem o espírito que ele continha. Para falar a verdade, Ruthanne era o membro favorito de Tehmina na família de Susan, e o coração da indiana já começava a doer ante a idéia de que a velhinha pudesse estar morta. Agora não teria chance de lhe dar no Natal o suéter azul que tricotara para ela. Involuntariamente, Tehmina começou a rezar um *Ashem Vohu* pela alma de Ruthanne.

Dava para ouvir a voz abafada de Susan pelas paredes finas que separavam os dois quartos. Tehmina preparou-se para as lágrimas que viriam, assim que a nora desligasse. Susan adorava Ruthanne, ela sabia. Muitas vezes, admitia com pesar que a avó era o único membro "pitoresco" de sua família, e Tehmina nunca sabia ao certo se era educado concordar ou discordar. O certo era que o pai de Susan, Fred, um homem alto e corado, não se parecia nem um pouco com sua mãe extravagante, embora sempre tivesse sido gentil com Tehmina e com Rustom. Na verdade, Fred é que havia insistido em que Rustom aprendesse a jogar golfe, em sua primeira visita aos Estados Unidos. Divorciado e residente no Texas, era também um grande apreciador da comida de Tehmina — embora, no primeiro encontro que tiveram, ele se houvesse gabado de ser um fervoroso adepto da carne com batatas. "Puxa, isso com certeza é melhor do que o Burger King, Tammy", dissera-lhe Fred na primeira vez em que tinha comido uma de suas refeições, o que não lhe parecera um grande elogio. Mas Susan tinha aberto um sorriso radiante, deslumbrada com o fato de o pai, rígido e conservador como era, ter sequer concordado em experimentar algo diferente dos hambúrgueres e carnes cozidas dos quais vivia.

Tehmina relembrou nesse momento a primeira vez que vira Ruthanne. Tinha sido na festa de casamento de Susan e Sorab. Ruthanne havia reparado na expressão de orgulho com que Tehmina afagava o filho, toda vez que o rapaz passava por ela.

"Esse seu garoto me lembra o meu falecido marido", dissera a senhora, aproximando-se de Tehmina. "Um sujeito bom, decente e respeitável, o seu filho. Foi ótimo minha neta ter tido o bom senso de se casar com ele."

Tehmina voltara-se para Ruthanne com um olhar agradecido. Uma de suas apreensões a respeito do casamento de Sorab com uma norte-americana branca tinha sido saber se ele seria aceito pela família da noiva. Embora Tehmina fosse moça demais para se lembrar de muitas coisas da época em que os ingleses haviam governado a Índia, ouvira o bastante para acreditar que todos os brancos se consideravam superiores aos não-brancos. E a idéia de que alguém considerasse o seu belo e inteligente filho menos do que perfeito era o bastante para irritá-la.

"Obrigada", dissera ela a Ruthanne. "O meu Sorab é... posso lhe garantir que ele será um bom marido para a sua Susan."

Ruthanne dera uma risada estranhamente irreverente.

"Ah, meu bem, não estou preocupada com isso. Um rapaz com aquela índole... ah, ele já vem fazendo a minha Susan muito, muito feliz. Isso eu posso dizer, pelo sorriso de gato de Cheshire que ela agora traz estampado no rosto o tempo todo. Não, aquele seu filho sabe fazer uma garota feliz, isso é certo."

Tehmina havia enrubescido, mal conseguindo acreditar em seus ouvidos. Por sorte, Sorab viera resgatá-la. Segurando por trás o corpo curvado da velhinha, ele tinha abraçado Ruthanne, dizendo, sorridente:

"Escute bem, vovó. É melhor ter modos perto da minha mãe. Nada das suas piadas sacanas, ouviu? E, se eu voltar a pegá-la flertando com meu pai, bom, vamos ter que cortar sua cerveja."

Tehmina ficara maravilhada com a facilidade com que Sorab reproduzia as cadências da fala de Ruthanne, com seu jeito descontraído de implicar com a avó por afinidade. *Sorab já não pertence só a nós*, ela havia percebido, com uma pontada de dor. *Agora também faz parte dessa outra família.*

"Não é no pai que estou interessada", replicara Ruthanne. "É no filho."

E sua risada fora tão alta e maliciosa, que até Tehmina, meio escandalizada, fora obrigada a rir também.

Quando ouviu a batida na porta do quarto, Tehmina já tinha acabado de rezar doze *Ashem Vohus* pela alma recém-liberada de Ruthanne.

— Sim, querida — respondeu. — Entre. Estou acordada.

Uma Susan de ar severo estava parada na porta, mas o que Tehmina notou de imediato, e com certa surpresa, foi que a nora não estava chorando.

— Sinto muito, *beta* — começou a dizer, mas Susan a interrompeu com um olhar intrigado.

— É para você, mamãe. É a tia Persis, ligando de Bombaim. Acho que ela esqueceu que horas são aqui.

Tehmina pôde perceber que a nora fazia força para tirar a irritação da voz.

— Persis? — exclamou, levantando-se da cama. — Telefonando a esta hora? Ela perdeu o juízo? — indagou. E, logo em seguida, abalada por outro pensamento, disse: — Ela está bem?

— Está ótima — respondeu Susan, tensa. — Mas parece que há um problema com o seu apartamento. Mas... bem, ela está esperando para lhe contar. Pode atender no nosso quarto. Isso lhe poupará uma descida ao térreo.

Tehmina discerniu a sonolência na voz da nora. Saiu apressada atrás dela, murmurando desculpas. Aquela Persis era uma idiota. Por que lhe ocorrera a idéia de confiar a ela a chave do apartamento? E o que havia de tão urgente que não pudesse esperar até amanhecer? Ao entrar no quarto, Tehmina notou de imediato que o telefonema também havia acordado Sorab. Para bloquear a luz do teto, ele tinha coberto a cabeça com um travesseiro, mas, mesmo assim, rolava de um lado para outro, resmungando sobre gente que telefonava sem a menor consideração. Tehmina decidiu desligar o telefone o mais rápido possível.

— Persis? — atendeu, procurando manter a voz baixa. — *Su che?* O que foi? São quatro horas da manhã aqui, *bhoi.*

— Desculpe, desculpe — soluçou a voz do outro lado da linha. — Eu... o que fazer, Tehmina, fiquei tão chocada que nem pensei na diferença de horário nem nada.

Tehmina sentiu um leve pânico.

— O que houve? — repetiu. — Está... estão todos bem?

— Todos vão bem, vão bem — disse Persis. — Menos aquele sem-vergonha do meu sobrinho. Juro que vou esfolá-lo vivo quando ele acordar. *Badmaash*, safado, traindo minha confiança desse jeito.

Persis ligara para ela nos Estados Unidos, às quatro horas da manhã, para se queixar do sobrinho? Será que a vizinha tinha enlouquecido? Seria isso uma demência precoce, coisa que afetava tantos homens e mulheres parses?

— Persis — disse ao telefone, com cautela.

— Não, não, Tehmi, não fique zangada comigo, por favor. Deixe-me explicar. Sabe, meu sobrinho Sharukh veio de Pune nos visitar. Mas, que fazer, Tehmi?, minha irmã e os filhos estavam nos visitando na mesma semana. E o Sharukh tinha tantos problemas com a bebida, está lembrada, Tehmi? Enfim, ele me jurou que estava totalmente sóbrio, jurou que não tinha bebido uma gota sequer nos últimos três meses. E o meu microapartamento estava tão abarrotado, com toda essa gente. Então, a *bevakoof*, a idiota aqui disse que ele podia ficar no seu apartamento. Sei que foi um erro, eu devia ter pedido sua permissão, Tehmi. Mas fiquei pensando, são só duas noites e, afinal, o seu apartamento estava vazio, e ficava só dois andares abaixo do nosso. E assim a família toda poderia ficar junta, entende?

Pelo canto do olho, Tehmina viu Sorab rolando na cama, tentando achar uma posição confortável. Resmungava alguma coisa sobre ressaca e uma terrível dor de cabeça.

— Persis — murmurou ela ao telefone. — Se você está ligando por causa disso, não vejo problema...

— Não, não — interrompeu Persis, parecendo ainda mais aflita —, você não está entendendo. Aquele ingrato do meu sobrinho, ele... ah, meu Deus, Tehmi, estou tão envergonhada!... ele roubou a sua televisão e o seu aparelho de som. Deve ter sido no meio da madrugada. Pôs tudo no carro e vendeu. Acontece que ele continua a encher a cara. Hoje à tarde, desci para deixar a empregada entrar, como de praxe, e você pode imaginar meu choque. Notei na mesma hora que havia alguma coisa errada. E, como um ladrão de beira de estrada, lá estava o Sharukh, desmaiado na cama. Vou lhe contar, Tehmi, eu o sacudi com tanta força, que ele teria acordado, nem que estivesse mais morto do que o mar Morto. E me confessou tudo, antes de pegar no sono outra vez. Mas deixou a pobre da Hansu tão apavorada, que ela se recusou a ficar sozinha em casa com ele. Por isso, hoje tive que deixá-la ir embora sem fazer a limpeza do seu apartamento. Embora, é claro, com essas empregadas, a gente nunca saiba... vai ver que estava só fazendo cena, para não ter que trabalhar. Como se o meu Sharukh fosse fazer alguma coisa com ela. Roncava feito um trem de carga, era assim que ele estava.

Tehmina sentiu a cabeça rodar. Se ao menos Persis parasse de falar por um instante! Mas era bem feito, para ela aprender a não confiar o apartamento a uma pessoa tão avoada como a Persis.

— E o que mais está faltando? — perguntou Tehmina, tentando fazer a atenção da outra concentrar-se no furto.

Persis deu um gemido tão alto que Tehmina ficou com medo de que Sorab a ouvisse.

— Ai, meu Deus, Tehmi, esse é que é o problema! Eu não sei. Ainda nem examinei o apartamento todo. E aquele *besharam*, o sem-vergonha do meu sobrinho continua dormindo, de modo que nem posso perguntar. Perdoe-me, Tehmi. Estou muito envergonhada. Minha irmã disse que devíamos chamar a polícia, mas o Sharukh é o único filho do meu falecido irmão. Como é que vou chamar a polícia para prendê-lo, Tehmi?

Apesar da irritação, Tehmina sentiu o coração abrandar-se.

— É claro que você não pode chamar a polícia para prender quem é sangue do seu sangue — disse, e ouviu o suspiro de alívio de Persis. — O som e a televisão eram velhos, de qualquer maneira. E não há nada para perdoar. Agradeço por você dar uma olhada no apartamento por mim e se certificar de que ele é varrido e limpo todos os dias.

Tehmina pensou por um instante e disse:

— Escute, Persis, você ainda tem o e-mail do Sorab, não tem? Ótimo. Vamos fazer o seguinte. Depois que você descobrir tudo que o Sharukh rou... digo, tudo que está faltando, é só me escrever. Assim você não desperdiça seu dinheiro em outro telefonema. E, agora, descanse um pouco. Tire isso tudo da cabeça. Só... por favor, só se certifique de pegar a chave de volta com o Sharukh.

Ao desligar, Tehmina se perguntou: e se o rapaz tiver feito uma cópia da chave do apartamento? Será que ela devia escrever para Persis e mandá-la trocar a fechadura? Absorta em seus pensamentos, virou-se para o filho, distraída.

— Sorab, parece que o sobrinho da Persis roubou umas coisas do meu apartamento. Você acha que preciso trocar a fechadura da porta da frente?

Sorab deu um grito. Arrancando com um safanão violento o travesseiro que lhe cobria a cabeça e puxando as cobertas, sentou-se na cama, com uma expressão furiosa no rosto sonolento.

— Estou me lixando se você deve ou não trocar a fechadura! — sibilou, com a voz trêmula de indignação e raiva. — Estou farto de ter que meter meu nariz toda vez que alguém espirra em Bombaim.

— Sinto muito, *beta* — disse Tehmina, assustada, mas Sorab continuou, como se não a tivesse ouvido:

— São quatro horas da manhã, pombas! Tenho que me levantar em menos de duas horas. Todo dia eu vou para o trabalho feito uma porra de um zumbi. Essa mulher é maluca, para ligar para cá no meio da noite? Vou lhe dizer uma coisa, mamãe, não sei quanto é que eu posso...

— Sorab — disse Susan, e Tehmina ouviu a rispidez em sua voz. — Cale a boca. Não diga nada de que vá se arrepender de manhã.

O quarto ficou em silêncio. Sorab piscou os olhos depressa, várias vezes, e contemplou suas mãos, como se tentasse reconhecer o homem em quem se havia transformado. Susan encarava o marido como se o visse pela primeira vez. E Tehmina, Tehmina ficou olhando para o chão, à espera de que ele se abrisse e a tragasse inteira. Sorab nunca se dirigira a ela desse jeito. Mais do que suas palavras, foi seu tom, foi o ressentimento em sua voz que a fez perceber o tanto de frustração que o filho vinha acumulando. As lágrimas que lhe assomaram aos olhos não foram de autocomiseração, mas de remorso, auto-recriminação e solidariedade. Seu coração sangrou pelo filho. É que ela havia escutado com tanta clareza quanto se ele o tivesse dito — Sorab estava cansado de levar aquela vida pela metade, de viver no suspense que a indecisão dela vinha impondo a todos. Para ele, o furto em Bombaim fora um simples sintoma, um lembrete de que as ocorrências de uma cidade, num apartamento a treze mil quilômetros de distância, ainda eram capazes de lançar uma sombra sobre a vida deles neste país. E, a bem da verdade, porventura o primeiro impulso dela, ao ouvir as notícias de Persis, não tinha sido o de voltar correndo para seu apartamento, lavar os lençóis em que Sharukh se havia deitado, bêbado, fazer um levantamento de sua roupa e se certificar de que o rapaz era estúpido demais para reconhecer o valor do Hussein pendurado na sala? Talvez Sorab tivesse lido seus pensamentos traiçoeiros — tivesse sabido que, à menor menção do apartamento em Bombaim, sua mãe se dispusera a abandoná-lo, assim como a sua família, e a voltar correndo para proteger uma casa que ele, para a eterna incompreensão de Tehmina, deixara completamente para trás.

Sorab emitiu um som engasgado, que a despertou de seu devaneio.

— Desculpe — murmurou Tehmina. — Ando tão...

— Não — ressoou a voz de Susan. — Você não tem nada de que se desculpar, mamãe. É esse aqui — e deu uma forte cutucada nas costas de Sorab — que precisa pedir desculpas.

Tehmina sentiu-se grata pelo que Susan estava tentando fazer, mas torceu para que a nora não constrangesse seu marido ainda mais. Conhecia o filho bem o bastante para saber que ele já estava sendo devorado pelo remorso. E, com efeito, Sorab a fitou com olhos lacrimejantes:

— Nem sei o que estou dizendo, mamãe — resmungou, com a mesma expressão que costumava exibir aos sete anos. — É que ando tão cansado, que a falta de sono está me deixando biruta. Mas sinto muito mesmo por ter...

— Por favor — interrompeu Tehmina, dando alguns passos em direção ao filho e lhe afagando o cabelo. — Por favor, querido. Sei o quanto você trabalha. Precisa das suas horas de sono. Não há nada de que se desculpar. Eu não devia ter deixado o apartamento aos cuidados daquela doida da Persis, devia ter pensado mais.

— Bem — começou Susan, e Tehmina percebeu que ela se preparava para uma discussão, no intuito de garantir à sogra que ela não fizera nada de errado. No entanto, por mais que apreciasse o fato de a nora acudir em sua defesa, Tehmina sabia que não precisava ser defendida do próprio filho.

— Todos nós precisamos voltar para a cama — interrompeu, saindo em direção a seu quarto. Da porta, olhou para trás. — Amo vocês dois. Boa noite — disse, com um sorriso, na esperança de que o filho percebesse que não havia nada a perdoar.

Foi até o banheiro. Bem que podia usá-lo, já que todos ainda estavam acordados. Esse inverno gelado a fazia urinar com tanta freqüência, que a coisa tinha virado piada na família. Sorab tinha passado a chamá-la de B.B., bexiga de bebê.

De volta a seu quarto, Tehmina deitou-se. Podia ouvir os meninos murmurando no cômodo ao lado, e desejou poder insistir para que Susan parasse de repreender Sorab e deixasse o pobre garoto voltar a dormir. Mas, na solidão do quarto, sua resolução de perdoar as palavras ríspidas do filho, de ignorar a mágoa que ele lhe causara, diminuiu um pouco. Em lugar dela, sentiu uma certa frieza, um sentimento gelado de decepção e tristeza. Sorab nunca tinha usado aquele tom ao falar com a mãe. Aquilo era uma medida da pressão a que ele estava submetido, dos muitos fardos que ela pusera nos ombros do filho. E, nesse momento, Tehmina sentiu-se invadir por uma onda de emoções — culpa por agravar os problemas de Sorab, tristeza pelas palavras impacientes dele, que agora picavam feito mosquitos, choque por ter tido sua casa violada por um ladrão bêbado, revolta por Sharukh haver emporcalhado os lençóis limpos de sua cama.

Sua cama. A cama que ela dividira com Rustom durante a maior parte do casamento. Fechando os olhos, Tehmina lembrou-se do belo verniz escuro sobre a teca, dos entalhes intricados da cabeceira. Eles tinham muito pouco dinheiro nos primeiros anos de casados, quando Rustom fizera essa compra extravagante. Como Tehmina havia gritado com o marido na ocasião! E ele ficara lá, parado, dando-lhe um sorriso sem-vergonha, esperando uma pausa na descompostura que a mulher lhe passava para tomá-la nos braços.

"Está certo, está tudo bem, meu amor", tinha murmurado. "Os negócios estão começando a melhorar, com a graça de Deus. E quero que a cama em que nascerão todos os meus filhos seja imponente como o trono de um rei."

"Mas, Rustom", protestara ela, preocupada com o dinheiro que os dois já tinham pedido emprestado aos pais dele.

"Mas coisa nenhuma, ora!", replicara ele com firmeza, pondo-lhe um dedo na boca. "E agora venha, mulher. Não quer experimentar essa cama maravilhosa em que gastei o meu dinheiro tão suado?"

Tehmina sorriu dessa recordação, mas seu sorriso teve um travo amargo. Rustom sempre havia declarado que queria pelo menos cinco filhos. Ele próprio era filho único, e havia jurado que nunca se resignaria a um filho só, que isso era uma injustiça dos pais, que as crianças precisavam de irmãos. Tehmina também se sentiria contente por atendê-lo. Mas o destino havia decretado outra coisa. Como eram aqueles versos de Omar Khayyam? Ela pensou por um instante e as palavras lhe surgiram na cabeça. Mas, em vez de ouvi-las em sua própria voz, Tehmina escutou-as na voz de Rustom:

Amor! Pudéssemos tu e eu com o Fado conspirar,
E toda a mísera Estrutura das Coisas captar,
Porventura em pedaços não a desfaríamos, para
Recompô-la como anseia o Coração?

Tehmina continuava sem saber o que dera errado, por que ela e Rustom não tinham conseguido ter mais filhos depois do nascimento de Sorab. Até esse nascimento fora um milagre, chegando quando os dois já tinham três anos de casados. Todos os médicos consultados por eles diziam não haver problemas com nenhum dos dois. Por algum tempo, Bikhumai, a mãe de Rustom, fizera Tehmina engolir uma série de tônicos e pós de sabor pavoroso. Bikhumai via a impossibilidade de os dois conceberem mais filhos como um insulto pessoal, um sinal do desagrado de Deus com ela. Durante um ano, a mulher abrira mão de comer chocolate, numa oferenda para aplacar Ahura Mazda. Depois, havia abandonado os sorvetes, que todos sabiam que ela adorava. Mas, ante seu anúncio de que renunciaria ao pão, até que Deus se dignasse abençoar seu filho com outra criança, Rustom interferira com firmeza: "Toda essa *faras*, essa exigência absurda, tem que parar imediatamente, mamãe", rugira ele um dia, num jantar domingueiro na casa dos pais. "*Bas*, chega; se tivermos que ter mais filhos, nós os teremos. Até lá, trate apenas de apreciar seu neto. Qual é o problema? Será que o meu Sorab não lhe basta, a ponto de você continuar fazendo todo esse *nataak-nakhra*, esse dramalhão?"

Apesar do tom severo de Rustom, apesar de ele haver esmurrado a mesa do jantar, alguma coisa em seu tom dissera a Tehmina que aquilo era uma simulação de raiva, que seu marido apenas encenava um papel num ritual consagrado pelo tempo.

E, como tinha uma clara compreensão de seu papel nesse ritual, Bikhumai fingira tremer ante a fúria do filho e tinha jurado que recomeçaria a comer todos os seus pratos prediletos, desde que ele não se zangasse mais com ela. Depois, continuando a desempenhar seu papel, a sogra se mostrara indignada e repreendera Rustom por acusá-la de não amar suficientemente seu único neto, jurando ainda que, se um só fio de cabelo de seu amado Sorab fosse partido, ela se transtornaria de tristeza. Após quinze minutos desses protestos e declarações de amor imorredouro por Sorab, Bikhumai fora finalmente reduzida ao silêncio, exausta. Com uma espiada em sua direção, Rustom tinha piscado o olho para Tehmina. O resto do jantar havia prosseguido alegremente, e ela nunca mais tivera que suportar os remédios caseiros da sogra.

Tehmina virou-se na cama, que de repente lhe pareceu estreita e fria, comparada à generosa cama de teca em que ela e o marido tinham dormido em todos os dias de sua vida conjugal. Veio-lhe à lembrança a sensação do braço forte de Rustom a envolvê-la, embalando-a todas as noites, de suas costas aninhadas contra o peito rijo do marido, da perna morena e cabeluda de Rustom enroscada nas pernas dela. Exatamente como mais cedo nesta noite, quando o marido a visitou no quarto. Por mais que ela estivesse cansada ou inquieta, encostar-se no corpo do marido nunca deixava de reconfortá-la, trazendo-lhe a sensação de chegar em casa, como um trem que entra numa estação. E era disso que ela mais sentia falta, percebeu nesse momento — daquela sensação de estar protegida. Enquanto vivera, Rustom se havia postado como uma muralha entre ela e o mundo, protegendo-a de suas exigências, farpas e mágoas. Mesmo depois de neutralizar a influência da mãe no problema da geração de filhos, Rustom ainda isolara Tehmina de todos os mexericos e conjecturas. Com extrema sutileza, ele deixava escapar insinuações que faziam parecer que a falta de outro filho provinha de sua incapacidade de engravidar a mulher. Era só uma ou outra insinuação sussurrada de que o médico queria submetê-lo a outros exames, mas ele se havia recusado. E, quando isso não bastava para convencer o interlocutor, Rustom acrescentava que tudo aquilo era muito difícil para a pobre Tehmina, mas que ela aprendera a esconder sua decepção, bendita mulher. Nenhum outro parse que Tehmina conhecesse teria feito isso. Nenhum. Ela sabia de vários homens que, apesar da baixa contagem de espermatozóides, culpavam automaticamente o ventre estéril de suas esposas e, com o maior descaramento, colhiam com avidez toda a solidariedade e comiseração que lhes eram inevitavelmente manifestadas.

Rustom a havia protegido desse modo desde o dia em que a conhecera, numa festa na casa de Nilu Sukharwala. Tehmina tinha crescido em Calcutá, filha única de um médico, mas, por meio de um programa escolar, começara a se corresponder com Nilu, que morava em Bombaim, quando as duas estavam na quinta série. E, nessa ocasião, como presente pelo aniversário de vinte e cinco anos, ela havia implorado ao pai, Hoshang, que a deixasse ir a Bombaim encontrar-se com Nilu. Sua correspondente já a tinha visitado em Calcutá no ano anterior e enchido a cabeça de Tehmina com histórias sobre Bandra, onde moravam os astros e estrelas de cinema, e sobre a praia de Juhu, que servia de cenário para a gravação de filmes de Bollywood, e também sobre Colaba, onde se podia comprar praticamente qualquer coisa. O que havia selado o acordo tinha sido uma carta da mãe de Nilu, que prometera a Hoshang cuidar de sua filha como se ela fosse uma pessoa da família. E Hoshang acabara dando seu consentimento, embora ainda parecesse nervoso na estação ferroviária, até finalmente se aproximar de um casal gujarati idoso, que viajaria na mesma cabine que Tehmina, e fazer os dois prometerem que cuidariam da filha dele. Tehmina tinha ficado sem graça, mas, logo após a partida do trem, o prazer inesperado da liberdade, de estar longe de casa pela primeira vez, havia suplantado todos os outros sentimentos.

Rememorando, ela se lembrou de ter tido a impressão de que Nilu havia convidado Bombaim inteira para sua festa. Ocorre que os pais de Nilu eram muito menos rígidos do que a carta da sra. Sukharwala havia indicado. Tinham ido a um jantar, deixando as duas jovens em casa com o irmão mais velho de Nilu, que todos chamavam de Smits, e com Geeta, a criada que as ajudara a preparar a comida.

O barulho, o calor, a música, a risadaria e a conversa altas, a alegria do grupo, o modo descontraído e informal de os rapazes conversarem com as moças, tudo aquilo fora inebriante para Tehmina. Estou em Bombaim, ela repetia para si mesma. Toda essa gente é de Bombaim. Tudo o que ela já ouvira dizer dos habitantes de Bombaim parecia ser verdade — aquelas pessoas eram mais maduras, mais sofisticadas e mais corteses que seu grupo de Calcutá. Sua cidade natal lhe parecera subitamente enfadonha e calma, comparada à agudeza pungente e arrebatadora com que aquelas pessoas falavam e agiam. Embora soubesse ser um exagero, ela ficara espiando para a porta da frente, esperando ver entrar a qualquer momento uma estrela de cinema.

E por isso tinha sido a primeira a notar Rustom entrando na sala, um pouco depois das oito. Tehmina avistara um homem magro e alto, de camisa azul de mangas curtas, correndo os olhos pela sala à procura dos anfitriões. Vira-o passar a mão pela cabeleira farta e escura, num gesto que ela havia reconhecido como de insegurança nervosa. Vira-o dar um sorriso de desculpas à mulher em quem tinha esbarrado ao entrar na sala apinhada. Era visível que, à semelhança dela, o rapaz não havia esperado encontrar tanta gente na festa, e estava meio deslocado. E então ele virara a cabeça, tentando localizar Nilu ou Smits. Devia ter sentido o olhar de Tehmina, porque a fitara, levantando um pouco as sobrancelhas num cumprimento, e depois desviara rapidamente os olhos. Mas, no segundo seguinte, tornara a fitá-la, dessa vez sustentando o olhar, e ela se sentira impelida a ir até onde o rapaz estava.

Em sua cama solitária em Ohio, Tehmina rememorou o diálogo daquela noite:

"Olá", disse ela, aborrecida por ouvir a falta de ar na própria voz. "Meu nome é Tehmina. Você está procurando o Smits, ou a Nilu?"

"Um-hum. Tehmina. Então, é você a famosa amiga de Calcutá?"

Ela enrubesceu. "Nem tão famosa assim." Mas sua voz foi sumindo, e ela se apanhou concentrada na pequena espinha no canto esquerdo dos lábios do rapaz. Era a espinha mais bonitinha que já vira.

O homem pigarreou: "Hum-hum. Então, Tehmina, conte-me. Como achou Bombaim?"

De perto, ele não parecia tão pouco à vontade quanto minutos antes.

"Achei-a pegando o trem em Calcutá e descendo na estação Victoria."

O rapaz sobressaltou-se: "Não, não, o que eu quis dizer foi...", mas percebeu o brilho nos olhos da moça e abriu um largo sorriso. "Entendo. Bom, nessa eu caí."

E, de repente, ela teve a impressão de que a vida só seria doce e digna de ser vivida se lhe fosse possível fazer aquele homem sorrir outra vez.

"Desculpe. Eu só estava sendo boba."

Dessa vez, o sorriso foi mais lento, mais calculado, e houve um brilho nos olhos dele. "Bem, olá, boba. É um prazer conhecê-la. Meu nome é Rustom Sethna."

"E o meu... ora, eu já lhe disse. Você sabe quem eu sou." Controle-se, disse Tehmina a si mesma. Você está agindo feito uma idiota.

Rakesh, um dos amigos de Smits, aproximou-se dela, cambaleando:

"*Ae*, Tehmi, tem certeza de que ainda não posso lhe arranjar uma bebida? Nem mesmo uma Coca?"

O rapaz a tinha atormentado a noite inteira e ela o havia tolerado, mas, nesse momento, Tehmina detestou aquela presença intrometida e ébria. Sentiu vontade de fechar os olhos e fazer Rakesh desaparecer ao reabri-los. Na verdade, sentiu vontade de fazer todas as pessoas da sala sumirem quando reabrisse os olhos. Todas, menos o homem bonito e risonho de pé a seu lado.

Tehmina lançou a Rustom um olhar que era uma mescla de desculpa e aflição. Como se houvesse lido seus pensamentos, ele a pegou pelo braço e a conduziu para longe.

"Ei, obrigado pela oferta, *yaar*, mas já estou com o pedido de bebida da minha prima", disse Rustom a Rakesh.

"Sua prima? Ah, está certo. Desculpe, chefe", respondeu Rakesh, com um ar tão desolado e confuso, que Tehmina teve que morder o lábio para não soltar uma gargalhada.

"Bem, agora que somos parentes, posso muito bem saber do que você gosta em matéria de bebida", sorriu Rustom, enquanto os dois se afastavam um pouco.

"Eu bebo o que você estiver bebendo", disse Tehmina, num impulso.

"Certo, ótimo. Escute, preciso encontrar o Smits um instante para cumprimentá-lo. E depois volto direto com o seu copo. Onde você vai ficar?"

"Vou esperar aqui mesmo. Como *O menino em pé no convés em chamas*."

Tehmina se deu conta de estar sendo irresponsável, por flertar tão descaradamente com um estranho. Mas não se importou. Voltaria para Calcutá dali a quinze dias e nunca mais tornaria a ver aquele belo rapaz. E sentiu o coração apertar-se ao pensar nisso.

"Você conhece esse poema? Mamãe costumava lê-lo para mim pelo menos uma vez por semana, quando eu era pequeno. Eu adorava essa história."

"Eu também. Apesar de chorar toda vez que a lia."

Nos olhos de Rustom brilhou alguma coisa que Tehmina não conseguiu decifrar muito bem.

"Quer dizer que você é adepta desse tipo de lealdade e fidelidade?"

"Sim, completamente."

"Meus amigos achavam que o menino era um idiota", disse Rustom, olhando-a com tamanha intensidade que Tehmina se sentiu translúcida.

Ela deu de ombros, em parte para esconder o embaraço.

"Eu acredito em manter minha palavra."

Ele voltou a sorrir, como se os dois houvessem resolvido alguma coisa.

"Ótimo. Então, fique aqui, sim? Eu volto num instante."

Os joelhos de Tehmina estavam tão bambos que ela não teria conseguido se mexer, mesmo que quisesse. Ela viu Rustom encontrar Smits e os dois se abraçarem, e viu Smits dar um tapinha nas costas do amigo. Também viu Smits sair para procurar Nilu e notou o olhar de extremo prazer com que a amiga cumprimentou Rustom. Instintivamente, o rapaz virou-se para procurá-la e piscar um olho. Tehmina enrubesceu e desviou os olhos. E então, minutos depois, lá estava ele, segurando dois copos de cerveja e caminhando em sua direção.

"A comida está com um cheiro divino", comentou Rustom.

"Espero que sim. Nilu e eu passamos o dia inteiro na cozinha."

"E que pratos você fez? Quero provar todos."

"Apenas cozinhamos juntas. Mas eu fiz o *pullao* e o *daar*."

Rustom deu um gemido.

"Ah, meu Deus, é minha combinação favorita! Mas vou lhe dizer uma coisa. Minha mãe faz essa mistura de arroz com legumes, lentilhas e carne muito bem! Aposto que o seu *pullao* com *daar* não é tão bom quanto o da mamãe."

"Aposta o quê?"

"Aposto...", e passou um minuto pensando. "Está bem. A aposta é que, se a sua comida for tão boa quanto a da minha mãe, eu a levo para tomar um chá no Sea Lounge. E, se não for tão boa, você me convida para ir ao Sea Lounge."

"Que é o Sea Lounge?"

"O Sea Lounge? Ah, sim, esqueci que você não é de Bombaim. É um restaurante no Taj. Eles têm os melhores sanduíches de frango grelhado que existem."

Até Tehmina sabia que o Taj era o melhor hotel cinco estrelas de Bombaim.

A idéia de rever aquele homem a fez esquecer qualquer dúvida sobre gastar muito do dinheiro que o pai lhe dera. Ela simplesmente abriria mão de algumas compras.

"Tudo bem. Está apostado. Desde que a sra. Sukharwala me deixe sair."

Rustom deu uma risada.

"A mãe do Smits? Não se preocupe. Ela é uma mulher muito moderna."

A descontração do riso dele a incomodou.

"O meu pai... em Calcutá, não costumo sair com... quer dizer, meu pai não me deixa sair com... estranhos."

Mais uma vez, houve um brilho nos olhos de Rustom.

"Eu compreendo, Tehmina. Sinceramente. Não pretendi insinuar nada", disse ele, com um sorriso. "Mas somos primos, lembra-se? De modo que você não vai sair com um estranho. E minhas intenções são honradas, eu juro."

"Está bem. Então, venha provar a comida."

ANOS DEPOIS, ELES TENTARIAM lembrar quem tinha vencido a aposta. Rustom dizia que fora ela, ao passo que Tehmina se lembrava de ele ter dito que seu *pullao-daar* era bom, até excepcional, mas não tão esplêndido quanto o de sua mãe. Como quer que fosse, eles tinham se encontrado no Sea Lounge dois dias depois e pedido um sanduíche de frango grelhado, um rolinho de frango e duas xícaras de chá.

"Este restaurante é incrível", comentara Tehmina, ao se sentar perto da grande janela panorâmica de onde se avistava o Portal da Índia.

"É meu lugar favorito para relaxar", dissera Rustom. "Adoro vir aqui depois de um dia de trabalho, só para tomar uma cerveja ou coisa assim."

Tehmina tinha percebido quão pouco conhecia o homem à sua frente. Havia tentado arrancar umas informações de Smits, mas ele só estava interessado em falar dos tempos de secundário e das peças que ele e Rustom haviam pregado nos professores. E Nilu só sabia de Rustom que ele era um dos solteiros mais cobiçados da cidade e se parecia muito com o ator Shashi Kapoor, será que Tehmina não achava?

"Em que você trabalha?", perguntara ela.

"Acabei de abrir minha empresa. Eu trabalhava para uma construtora. Agora tenho uma pequena fábrica. Produzo dobradiças e maçanetas para portas, e mais umas peças de metal."

"Entendo."

Aquilo parecia assustadoramente enfadonho. Tehmina havia tentado sem sucesso imaginar o rapaz à sua frente, tão intenso, interessando-se muito por acessórios de metal. Ele dava a impressão de que deveria trabalhar com argila ou madeira, pensara ela, algo que fosse novo e quente e viesse da terra, e tivesse um cheiro bom.

"Puxa, Tehmi, você tem um rosto incrível: parece cristal. Tenho a sensação de poder ler seus pensamentos e enxergar todas as emoções por baixo da sua pele."

Estranhamente, ela havia acreditado.

"Em que eu estava pensando, agora há pouco?"

"Em como o meu trabalho é extremamente enfadonho."

Ela se alvoroçara.

"Não, não é bem isso."

"Ora, vamos, Tehmi", rira ele, "diga a verdade", e ficara sério. "Mas escute, eu realmente adoro o que faço. E produzir peças para portas... acho que esse é o trabalho mais importante que um homem pode ter."

Tehmina havia começado a rir, mas Rustom erguera a mão para detê-la.

"Não estou brincando. Pense bem. O que seria qualquer civilização sem as portas? Pense no que uma porta fechada é capaz de esconder: lágrimas, relacionamentos íntimos, escândalos, assassinatos, mistérios, segredos de família, segredos de Estado. Os países gastam milhões na tentativa de adentrar as portas fechadas uns dos outros, não é? Os amantes também. Inversamente, pense no que simboliza uma porta aberta: um convite à casa de alguém, ao coração de alguém, a entrar numa cozinha, numa sala de jantar, num cofre bancário, até..." e sua voz havia baixado um pouco nesse ponto "...num quarto. E o que torna possível que todas essas portas se abram e fechem?", indagara, fazendo uma pausa e olhando-a com expectativa.

Tehmina se sentira zonza, fascinada pelas palavras de Rustom.

"O quê?", havia perguntado, estupidamente.

"Dobradiças!" fora a resposta triunfal. "É a humilde dobradiça que permite que se decida fechar o mundo lá fora ou deixá-lo entrar. Está vendo por que é tão importante o que eu faço?"

Rustom tinha prosseguido nesse ritmo por mais dez minutos, com o rosto afogueado de empolgação, as palavras saltando da boca. Tehmina mal havia compreendido a maior parte do que ele dizia, mas não se incomodara. O que mais gostava era de olhar para aquele rosto meigo, contemplando-o como se fosse o rosto de um artista de cinema numa revista, que ela passaria horas admirando na cama.

Rustom se interrompera, batendo com o punho direito na palma da mão esquerda.

"Olhe só para mim. Que grande idiota! Tenho uma moça bonita à minha frente e a estou deixando com sono, falando da besteira do meu trabalho."

Ela não soubera se devia responder ao elogio ou lhe garantir que estava interessada. Mas Rustom lhe poupara essa decisão, fazendo sinal para que o garçom trouxesse a conta.

"Vamos. Deixe-me mostrar-lhe o Portal da Índia. É uma bela estrutura." Olhando-a de frente, ele havia acrescentado: "Há uma lenda que diz que, se você parar embaixo do arco e fizer um pedido, ele se realizará." Depois, baixando a voz para um sussurro, tinha completado: "Já sei o que vou pedir. E você?"

No dia da volta para Calcutá, Rustom a tinha levado à estação. Chegara até a entrar no trem, para ter certeza de que ela e sua mala estavam bem acomodadas. Para grande surpresa de Tehmina, o rapaz havia examinado o vagão até encontrar um casal do seu agrado e pedir que cuidassem da moça, exatamente como fizera o pai dela. Tehmina prometera escrever a primeira carta e a havia começado minutos depois de o trem deixar a estação. Rustom prometera responder e visitá-la muito em breve em Calcutá.

Dois meses depois da volta, Rustom batera à sua porta, num finalzinho de tarde. Tehmina sabia que ele chegaria, mas tinha ficado muito amedrontada e envergonhada para dizer alguma coisa aos pais. Curioso, Hoshang deixara entrar o rapaz nervoso, que dizia haver acabado de chegar de Bombaim com um assunto muito urgente a tratar. Depois de a mãe de Tehmina se alvoroçar toda com o visitante e lhe preparar uma xícara de chá, Rustom declarara a finalidade da visita. Viera pedir a mão de Tehmina em casamento.

Hoshang Vakil rejeitara prontamente a proposta. Jamais concordaria em casar sua única filha sem conhecer os futuros parentes. "Você deveria ter trazido sua mãe e seu pai para fazer a proposta, *deekra*", dissera ele a Rustom, numa repreensão severa. "Afinal, o casamento se faz entre as famílias, não apenas entre os noivos, não é?"

Fora preciso mais um mês para que as duas famílias pudessem se encontrar. Quatro meses depois dessa reunião, o casamento se havia realizado em Calcutá. Houvera uma segunda recepção em Bombaim.

Por causa dessas duas celebrações, Rustom e Tehmina sempre comemoraram o aniversário de casamento duas vezes.

Depois do casamento, os dois se mudaram para um pequeno apartamento no segundo andar de um prédio em Nana Chowk. Sua primeira grande compra extravagante tinha sido a cama entregue por Rustom, certa tarde. Nessa cama é que Sorab fora concebido.

No vigésimo primeiro aniversário do filho, eles o levaram ao Sea Lounge. Fazia muito tempo que haviam trocado o pequeno apartamento de Nana Chowk por um outro, dessa vez grande e espaçoso, de três quartos em Colaba, separado do Taj por uma pequena caminhada.

No chá completo no Sea Lounge, os dois haviam discutido sobre quem vencera a aposta que os tinha levado a seu segundo encontro. Não se importaram com o fato de Sorab parecer totalmente desinteressado.

"Ei, eu só quero saber quem pagou o chá", dissera por fim o aniversariante, entediado.

Quanto a isso, a memória dos dois concordava.

"Foi ela", sorrira Rustom, com grande satisfação. "De qualquer modo, não importa quem venceu, *yaar*. Sua mãe estava tão *lattoo-fattoo*, tão apaixonada por mim, que teria comprado o Qutub Minar para mim, se eu pedisse."

TEHMINA CAIU NUM SONO AGITADO. Em seu sonho, Persis estava sentada à sua frente no Sea Lounge, bebericando uma xícara de chá. Ao olhar pelos janelões panorâmicos do restaurante, Tehmina viu as águas azul-esverdeadas do mar da Arábia. O sol cálido da tarde dançava sobre a água, junto com centenas de barcos ancorados. Era uma paisagem que Tehmina já tinha visto uma dezena de vezes. Mas agora havia um novo objeto na água, e sua incongruência a fez empertigar o corpo com um tranco tão forte, que ela derramou um pouco de chá no braço. É que, navegando entre os barcos, balançando na água, havia uma cama. Uma grande cama entalhada de teca. Tehmina virou-se para Persis, mas constatou, horrorizada, que não conseguia falar. Tornou a virar a cabeça para os janelões de vidro e viu que Persis contemplava o mesmo ponto que ela, à distância. Mas sua companheira não pareceu notar nada de estranho. Em vez disso, falava de chaves de casa, contas telefônicas e outros assuntos incoerentes. E então Tehmina reparou noutra coisa estranha — Persis estava falando com a voz de Rustom. Ou melhor, a voz aguda de Persis tinha uns toques da textura de barítono de Rustom. Como castanhas-de-caju salgadas e assadas. Tehmina quis falar, quis apontar a Persis as coisas bizarras que aconteciam a seu redor, mas tinha perdido a capacidade da fala. A cegueira devia ser assim, pensou, e se censurou prontamente pela inexatidão da analogia.

Rustom, chamou Tehmina, olhando em volta, desesperada. Onde você está? Que é que a minha cama — a nossa cama — está fazendo na água, boiando? Como que em resposta, uma onda particularmente violenta ergueu-se e o belo objeto escuro desapareceu do horizonte. E, apesar de só ter tido alguns minutos para se habituar à incongruência de ver seu leito conjugal flutuando no mar da Arábia, Tehmina sentiu algo parecido com uma nostalgia daquela visão, sentiu no coração um vazio do tamanho do buraco criado na água pela cama que afundava. Nunca estivera tão só em sua vida.

O som de seus próprios choramingos a acordou. Persis e o Sea Lounge foram desaparecendo, à medida que seus olhos reconheceram e se adaptaram à fria escuridão de Ohio. Mas o sentimento de desolação, de luto, de estar profundamente só, persistiu, assim como a lembrança assustadora de sua perda da fala, de não poder comunicar a vastidão de seus sentimentos a nenhuma pessoa viva. Tehmina percebeu a umidade no rosto e se deu conta de que tinha sido o calor das lágrimas que ela sentira antes no braço, e não o chá derramado com que se assustara no sonho.

E então aprofundou-se mais em si mesma, percorreu as veredas escuras do coração e pegou o seixo mais cortante. Sorab. Gritando com ela. Dizendo palavrões. Com a veia estufada na testa. A voz ressentida e aterradora em sua frustração. Seu filho. Elevando a voz para ela. Não era de si que Tehmina sentia pena. Não mesmo. Não, ela estava com pena dele, porque conhecia seu menino, sabia que ele iria sofrer de remorso, culpa e vergonha, que se mortificaria pelas palavras insensatas, não conseguiria se perdoar. Sabia que as palavras do filho grudariam como uma pílula amarga na garganta. Já para ela, perdoar suas crianças era tão fácil quanto engolir manteiga. Sem esforço. Deslizante. No entanto... Perdoar, sim. Mas esquecer... ah, isso era outra história. A lembrança da voz assustada de Persis ao telefone. Depois, a voz histérica de Sorab, arrancado do sono. Seguida pelo tom chocado e indignado de Susan. E, então, os murmúrios baixos de repreensão que a haviam seguido do quarto deles para o seu. Tehmina rezou para que Sorab não lhe pedisse desculpas de manhã. É que ela não conseguiria dizer o que queria, pois o que gostaria de dizer era: *Beta*, a vesícula dolorida pede desculpas ao resto do corpo por uma noite maldormida? O coração se desculpa por uma disfunção? Você é meu coração e minha vesícula, e é também o resto do meu corpo. Você e eu somos um só. Então, como pode uma parte de mim desculpar-se com o restante de mim?

Casa, pensou ela com seus botões, e a palavra solitária queimou como fogo. Preciso ir para casa.

Mas onde ficava essa casa, disso Tehmina já não tinha certeza.

CAPÍTULO OITO

— Ei, ei, Cookie! Ei, me espera!

Estavam prestes a entrar no carro de Sorab, quando Josh veio voando pela entrada da garagem na direção deles. Embora fizesse frio do lado de fora, o menino estava sem casaco, e uma gota esverdeada de muco pendia de seu nariz, notou Tehmina. Apesar de sua afeição pelo menino, ela puxou instintivamente o neto para junto de si, para que ele não entrasse em contato com o garoto risonho parado à sua frente. Só Deus sabia os micróbios que Josh carregava. E as crianças trocavam germes e vírus entre si com a informalidade e a generosidade de um hindu distribuindo doces na Divali, a Festa das Luzes. Não fazia sentido Cavas se aproximar demais do vizinho.

Mas Josh pareceu indiferente ao modo como Tehmina se posicionou entre os dois.

— Oi, Cookie — riu, cutucando Cavas no braço com o indicador. — Como vai? A mamãe diz que você é um *brownie*, não um *cookie*. Que nem o seu pai.

Atrás dela, Tehmina ouviu Susan arfar. Antes que qualquer adulto pudesse reagir, porém, Cavas falou. Flexionando os músculos e fazendo sua pose favorita de *He-Man*, declarou:

— Eu já disse que sou o Monstro Cookie. Se você não tomar cuidado, eu te engulo.

Os dois meninos acharam isso incrivelmente engraçado.

— Eu te engulo — repetiu Josh, se escangalhando de rir. — Não se eu te engolir primeiro.

Sorab inclinou-se para fora do carro.

— Ok, seus meninos birutas, temos que ir — e acrescentou, virando-se para Cavas: — Muito bem, soldado. Dentro do carro.

— Ei, onde vocês vão? Posso ir também?

Cavas virou-se no mesmo instante para Sorab, com aquele olhar de súplica que todos tinham passado a temer e abominar.

— É, papai. O Joshy pode ir com a gente?

Susan pigarreou:

— Acho que não vai dar, meninos. É uma saída em família, sabem? Vamos ao shopping fazer umas compras de Natal. E tenho certeza de que a sua mãe fez outros planos.

Josh pareceu desolado.

— A mamãe falou que eu não me comportei esse ano e por isso eu só vou ganhar um pedaço de carvão no Natal.

Em seguida, seu rosto iluminou-se:

— Mas a mamãe nem tá em casa. Só tem o Ernie tomando conta da gente. E ele não se incomoda se eu sair com vocês.

— Quem... quem é Ernie?

Em resposta, Josh partiu correndo pela entrada da garagem. Na porta da frente, virou-se:

— Péra aí. Eu já volto.

Dentro de casa, foi possível ouvi-lo gritar:

— Ernie, Ernie! Posso ir no shopping com o Cookie?

Susan voltou-se para os outros dois adultos e disse:

— Como foi que nos metemos nessa enrascada? Andem, vamos entrar no carro e ir embora.

Mas, no instante seguinte, um homem alto e corpulento, de camiseta branca e jeans, veio andando em direção a eles, com Josh puxando-o pelo braço. Tehmina notou que seus dois braços eram cobertos de enormes tatuagens. O cabelo, rajado de branco e preto, estava preso num rabo-de-cavalo, e os olhos cinzentos eram sonolentos e insolentes.

— Hein? — disse o homem, como se retomasse uma conversa pela metade.

Houve um curto silêncio. Em seguida, Sorab desceu do carro.

— Receio que tenha havido um mal-entendido — disse, no tom cerimonioso e formal que assumia toda vez que se via diante de uma situação embaraçosa. — Apenas mencionamos ao Josh aqui que estávamos indo ao shopping e... hum... parece que... bem, o Josh queria...

— Quero ir com eles, quero ir com eles! — gritou o menino, dando pulos.

Ernie deu-lhe uma cutucada nas costas, com força suficiente para que Josh ficasse meio trôpego.

— Bom, você não vai. Portanto, pare com essa choradeira agora mesmo. E trate de entrar em casa. Espere só até a sua mãe saber que você estava quase entrando num carro com... estranhos — disse o homem, e, de algum modo, seu jeito de curvar os lábios ao dizer "estranhos" soou como uma acusação.

— E *onde é* que está a mãe deles? — perguntou Susan. Pelo gelo em sua voz, Tehmina percebeu que ela também havia captado o insulto.

Ernie a encarou sem se alterar:

— Isso, dona, não é da porcaria da sua conta.

— Escute aqui, rapaz. Veja como fala com a minha mulher — disse Sorab.

As mãos de Ernie continuavam no bolso das calças, mas, de algum modo, ele deu um jeito de flexionar os bíceps de forma sutilmente intimidante.

— E vocês aí, parem de meter o bedelho na nossa vida. E nem pensem em tentar atrair os garotos de novo para entrar nesse seu carro Saab cheio de onda.

Tehmina viu o rosto do filho ficar rubro. Mas, antes que ele pudesse dizer uma palavra, Susan segurou-o pelo braço.

— Vamos, meu bem — resmungou. — Não vale a pena discutir com essa gente. Ande, vamos entrar no carro e ir embora.

Ernie sorriu, revelando um dente de ouro na frente.

— Isso mesmo. Entrem no seu carrinho bonito e se mandem.

Baixando os olhos para Josh, que virava de um adulto para outro, com os olhos cheios de lágrimas, acrescentou:

— E você. Se sabe o que é bom pra você, entre na merda da casa agora. Já.

A família percorreu parte do trajeto num silêncio chocado, incrédulo.

— Não gosto daquele homem — disse Cookie, por fim. — Ele é mau. Parece o Scar, do *Rei leão*.

— Isso mesmo, querido — retrucou Susan. — Ele *é* mau. Prometa que você nunca mais vai falar com ele, sim?

— Prometo — disse Cookie. Calou-se por um segundo e acrescentou: — Mas eu gosto, gosto mesmo do Joshy.

Susan deu um suspiro.

— Eu sei, benzinho. Todos gostamos. Mas não podemos fazer amizade com ele, está bem, filhote? Você pode ser gentil com ele no ônibus da escola, mas nada de combinar brincadeiras nem nada, entendeu, fofinho?

E Tehmina ouviu o que Susan não dissera: É, nós gostamos do Joshy. Mas não podemos salvar o mundo. Virou-se para dar uma olhada melhor no perfil do filho, torcendo em silêncio para que ele dissesse alguma coisa, alguma coisa boa, generosa e honrada. Mas Sorab calou-se. Ele está mudado, pensou Tehmina, e seus olhos se encheram inexplicavelmente de lágrimas. Esse país o modificou. Houve uma época em que o meu Sorab nunca teria ficado parado, vendo uma criancinha ser maltratada por aquele brutamontes. Mas agora ele está... mais embotado. Já não é aquele jovem sensível de Bombaim que via uma injustiça em cada esquina.

Tehmina lembrou-se de um incidente de muitos anos antes. Tinha sido a única vez em que ouvira Sorab desafiar abertamente o pai. Durante os tumultos entre hindus e muçulmanos que haviam incendiado

Bombaim em 1992, Sorab ficara quase louco de preocupação. Telefonava dos Estados Unidos todos os dias, para se certificar de que os pais estavam bem. Em vários momentos, ameaçara baixar em Bombaim e carregá-los com ele. Ao perceber como o filho andava preocupado, Rustom fizera Tehmina jurar que não lhe contaria que eles estavam com uma família muçulmana morando em seu apartamento. A própria Tehmina ficara aborrecida, na noite em que Rustom havia chegado em casa e lhe contado que acabara de topar com Ismail Husseni, o arquiteto que morava no térreo do prédio vizinho, que andava aterrorizado com a idéia de que um bando de hindus invadisse sua casa.

"Eu disse que ele e a sra. Husseni deviam se mudar aqui para casa até isso tudo esfriar", informara Rustom, com ar displicente. "Eles chegarão dentro de algumas horas. Faz uma semana que os pobres infelizes não saem do apartamento. Eu lhes disse para ficarem o tempo que for necessário. Eles podem dormir no quarto de hóspedes, não é, meu bem? Ah, e outra coisa, Tehmi. O Ismail quer que guardemos as jóias dele. Então esvazie o cofre, pode ser? Para eles terem espaço para suas coisas."

"Rustom, você enlouqueceu?", dissera Tehmina, horrorizada. "Com os criados e o *dhobi* e as outras pessoas que passam por aqui, você acha que podemos guardar segredo de que temos uma família muçulmana hospedada em casa?"

"Quem disse que tem que ser segredo?", retrucara Rustom, empinando de leve o queixo, num sinal certeiro de que já havia tomado sua decisão.

"*Janu*, meu querido, eu sei que as suas intenções são boas. Mas os Husseni com certeza devem ter outros parentes, não? Inúmeros muçulmanos já saíram de Bombaim. Você está nos pondo em perigo, *janu*. E... nem os conhecemos tão bem assim."

Rustom se zangara:

"E como você acha que eles podem sair da cidade, com esses bandos de hindus rondando as ruas, procurando muçulmanos para matar? E, que diabo, por que eles deveriam deixar Bombaim, afinal? Aqui é a casa deles."

Como sempre, Tehmina havia cedido. E suas dúvidas e recriminações silenciaram, ao ver a gratidão nos olhos dos Husseni quando eles tocaram a campainha, horas depois. Ismail Husseni sempre fora um homem grande e sociável. Naquele momento, parecia diminuído, como que devorado pelo medo. Tehmina ficara horrorizada ao ver a mudança no homem, e isso a havia endurecido contra os resmungos dos criados hindus e dos vizinhos parses, que se queixavam de que os Sethna estavam metendo o nariz em assuntos que não lhes diziam respeito.

Dois dias depois, quando os Sethna iam saindo do prédio para ir ao Templo do Fogo que havia nas imediações, Krishna, o sem-teto que vivia do outro lado da rua, aproximara-se furtivamente, dizendo:

"*Salaam*, Rustom *seth*. Tenho uma coisa importante para lhe contar."

Sem motivo aparente, os músculos do estômago de Tehmina entraram em súbita contração. Mas a voz de Rustom fora calma:

"O que é?", perguntara ele, com indiferença.

"As pessoas andam falando, *seth*. Dizendo coisas ruins a seu respeito. Corre o boato de que o senhor está com uma família de comedores de carne morando na sua casa. Os irmãos hindus andam zangados, *seth*. Dizem que vão incendiar qualquer apartamento que dê guarida a esses cães muçulmanos."

Krishna os olhara de esguelha e, à luz do anoitecer, houvera uma estranha expressão de êxtase em seu rosto.

Um urro tinha brotado das profundezas de Rustom:

"Escute aqui, seu patife traiçoeiro", rugira ele. "Vá dizer aos seus amigos valentões que venham direto falar comigo, se tiverem peito. Eu quebro aquele pescoço magrelo deles com as próprias mãos, pode crer. *Saala*, *chootia*, qualquer idiota ou sacana vira herói, protegido pela escuridão da noite. Mas, se eles tiverem colhões, diga para tentarem falar comigo à luz do dia. Aí nós vamos ver quem são os verdadeiros guerreiros. E mais uma coisa: na minha casa eu recebo o hóspede que eu quiser, está entendendo?"

Um sorriso bajulador se abrira no rosto de Krishna:

"Calma, Rustom *seth*, calma. Abaixe a voz, por favor. Por que está se alterando sem necessidade? Eu só estava dizendo que..."

"Sei exatamente o que você estava dizendo, seu safado. Você come a comida da minha família, lava essa sua bunda suja, toda manhã, com a água que minha mulher aquece para você, e é assim que nos retribui? Vá dizer aos seus amigos extremistas do Sena que, se eles machucarem uma única pessoa da minha casa que esteja sob a minha proteção, terão que enfrentar a minha ira. Eu e a droga do delegado brincávamos juntos quando usávamos fraldas, entendeu, *chootia*? Meus contatos se estendem até Nova Delhi. Vocês, eunucos, tratem de arranjar outra família para intimidar."

"Por favor, Rustom *seth*, acalme-se", dissera Krishna, cuja aflição dessa vez parecia real. "Dona Tehmi, por favor, leve o seu marido daqui. Ficará tudo bem, senhora, eu juro. Confie no seu Krishna. Eu vou cuidar de tudo."

Quando os dois se afastavam, Tehmina apertara a mão do marido, torcendo para que Rustom pudesse sentir o quanto se orgulhava dele. Para sua grande surpresa, havia notado que os ombros dele sacudiam e que Rustom estava fazendo um enorme esforço para prender o riso.

"Viu a cara do Krishna quando inventei aquela lorota sobre conhecer o delegado? Pombas, o sujeito é pelo menos dez anos mais moço que eu! Tomara que ninguém verifique."

Muito tempo depois, quando os tumultos já haviam terminado e os Husseni tinham voltado para seu apartamento, Tehmina contara essa história a Sorab. Pretendia gabar-se da coragem do marido, mas, para seu desencanto, Sorab havia ficado furioso.

"Ele perdeu a cabeça, mamãe? Por que todo esse *herogiri*, esse machismo de cinema? Por que ele tem que ser sempre a única pessoa a arriscar o pescoço?"

Até pelo telefone, Tehmina pudera ouvir a indignação na voz do filho.

"Deixe eu falar com o papai, agora mesmo."

Tinha sido a primeira vez que ela ouvira pai e filho discutirem. Incapaz de suportar a decepção na voz de Rustom, incapaz de enfrentar os olhares perplexos que ele lhe lançava, Tehmina tinha saído da sala e ido se ocupar na cozinha. Mais tarde, ouvira Rustom desligar o telefone e ir para o quarto do casal. Sabia que devia consolá-lo, mas alguma coisa a fizera hesitar. Quinze minutos depois, Rustom havia entrado na cozinha e se encostado na bancada.

"Bem, acho que você ouviu a reação do nosso filho", dissera, e Tehmina havia percebido seu esforço para usar um tom leve. "Parece que ele acha que seu velho está maluco."

Tehmina dera um passo em direção ao marido.

"Ele está com medo, Rustom, só isso. Morando tão longe, fica preocupado conosco, *janu*."

Rustom abanara a cabeça.

"É, eu imagino que sim. Mesmo assim, ele mudou. O Sorab mudou."

Agora, quase a contragosto, Tehmina relembrou as palavras de Rustom. Flagrou o filho olhando-a de relance pelo retrovisor e, num segundo de culpa, achou que ele tinha adivinhado seus pensamentos impiedosos.

A voz de Susan interrompeu seu devaneio.

— Bem — disse a nora. — Este é para ser um passeio da família. Não vamos deixar que gente mesquinha estrague a nossa noite, sim?

Tehmina ouviu o tom estrídulo da risadinha que acompanhou essa frase, mas também ouviu algo mais na voz de Susan — um apelo, uma persuasão hesitante, um vago anseio — e foi receptiva a isso.

— Gente tola existe em toda parte. No mundo inteiro — comentou. — Puxa, que histórias eu poderia contar a vocês sobre uns vizinhos nossos em Bombaim! Já lhes falei de Dina Master, a velhinha que morava no andar acima do nosso, quando eu era pequena em Calcutá? Não? Bem, ela era um horror. Malvada como o quê. Costumava chamar a garotada da vizinhança a seu apartamento para nos assustar com suas histórias mentirosas. Dina tinha uma bolsa enorme de juta que ficava na sala, e nos dizia que ela estava cheia de ratos e cobras e sei lá mais o quê, e dizia que, se não nos comportássemos ou se desobedecêssemos a nossos pais, ela nos poria naquela sacola preta junto com os roedores.

— Santo Deus! — exclamou Susan. — Isso é uma violência! Ora, aqui neste país, vocês poderiam telefonar num piscar de olhos para o Serviço de Proteção à Criança, para eles irem atrás dessa mulher.

— O pior era que nossos pais sabiam disso. Na verdade, é até provável que a encorajassem. Era uma espécie de treinamento disciplinar, sabe, para eles terem certeza de que não apareceríamos com boletins cheios de notas baixas, essas coisas. E o engraçado é que passei anos acreditando naquela velhinha má. Eu tinha um medo enorme daquela sacola de juta, posso lhes garantir.

— Ora, mamãe — riu Sorab, e, mesmo no banco de trás, ela intuiu que o filho estava revirando os olhos. — Você sempre foi muito crédula. Foi bom ter se casado com um homem experiente e perspicaz como papai; provavelmente, foi só isso que a salvou. Do jeito que os seus pais a mimaram, acho que...

— Mimaram? Você acha que deixar um filho ser aterrorizado por uma velha maluca é mimar? — interrompeu Susan, indignada. — Não é essa a minha definição de *mimado*.

Sorab olhou de relance para a mãe pelo retrovisor e ela captou seu olhar. Sabia exatamente o que o filho pretendia lhe dizer: que certas coisas eram simplesmente impossíveis de traduzir. Para Susan, o modo de aquela senhora tratar as crianças pequenas da vizinhança caracterizava um abuso, era algo suficientemente grave para ser denunciado à polícia. Mas a verdade era mais complicada, mais sutil. Sim, ela sentira medo de Dina Master, mas, mesmo quando criança, no fundo sabia que seus pais prefeririam a morte a expô-la a algum perigo. Havia essa confiança cega, essa certeza da dedicação e do amor que eles lhe davam. Tehmina reagira à vizinha como reagiria a uma bruxa num livro de terror — assustada, mas não traumatizada. Ficou pensando se o pobre Josh sentia o mesmo tipo de segurança que ela havia experimentado quando menina, se teria vivenciado aquele sentimento de proteção e aconchego que vinha da certeza de ser incondicionalmente amado. Por algum motivo, duvidava disso.

— Vou lhes dizer uma coisa que nunca contei a vocês — disse Tehmina. — Vocês sabiam que, até eu me casar, mamãe costumava me dar comida na boca? Eu era muito chata para comer, sabem, e por isso ela precisava me persuadir. Inclusive a ponto de me dar comida na boca.

Sorab deu um grunhido.

— Hum! Que tal *isso* em matéria de mimo?

Susan abanou a cabeça, dizendo:

— É esquisito. Vocês, parses, são mesmo muito esquisitos.

E mãe e filho trocaram um sorriso pelo retrovisor.

Susan virou-se para trás no banco:

— Por que você não criou seu filho desse jeito? Por que ensinou o Sorab a cozinhar, a fazer a limpeza e todas as outras coisas que nenhum dos amigos indianos dele sonharia fazer?

— Isso foi obra do pai dele — veio a resposta imediata. — Acho que não tenho nenhum mérito no assunto. Foi assim que o meu Rustom foi criado, sabe, e ele insistia em que o filho fosse capaz de cuidar de si. É possível que as únicas brigas que tivemos tenham sido por causa disso.

— Bem, nesse caso, eu gostaria que você tivesse vencido essas brigas — riu Sorab. — Tornaria a minha vida muito mais fácil.

Susan beliscou afetuosamente o braço do marido.

— Não, nem me venha com essa!

Calaram-se por um momento, enquanto o carro deslizava macio pela auto-estrada. E Tehmina falou, voltada para a escuridão:

— Eu o vi ontem à noite. Quer dizer... sonhei com ele ontem.

Mesmo no escuro, mesmo com o som ligado, ela sentiu a súbita tensão no ar. Notou de imediato que Sorab não lhe pediu para prosseguir, não pediu que descrevesse o sonho. É como se o Rustom tivesse sido banido da nossa vida, pensou. Toda vez que menciono o nome dele, pareço ter desrespeitado uma regra social, como se fumasse um cigarro num restaurante em que o fumo é proibido. Será que tudo nesse país tem prazo de validade? Até a tristeza e o luto? Foi o que a matriarca pensou.

Tehmina achava que Cookie havia adormecido, mas, nessa hora, ele se mexeu ao seu lado e anunciou:

— Quero comprar um presente de Natal pro vovô. Pra botar no pé da árvore.

Sorab pigarreou.

— O vovô está no céu, filhote — disse, como se explicasse isso ao filho pela primeira vez. — Ele não pode ganhar presentes.

— Bom, pode ser que ele desça pela chaminé com o Papai Noel. Posso escrever pro Papai Noel e dizer pra ele trazer o vovô.

Houve uma breve pausa e Susan falou:

— É uma ótima idéia. Mas vamos comprar uma coisinha pequena para ele, para que caiba na chaminé, está bem?

Virou-se meio para trás, para Tehmina, e prosseguiu:

— Que acha, mamãe? Será que o papai Rustom gostaria de uns bombons?

Tehmina piscou, para conter as lágrimas que lhe assomaram aos olhos ao ouvir o nome de Rustom na boca de Susan.

— Seria... seria esplêndido. O Rustom sempre gostou de doces. Todos nós gostamos.

— E eu quero comprar uma coisa pro Joshy — continuou Cookie, agora empolgado.

Tehmina sentiu o coração rebentar de orgulho. Cookie lhe lembrava muito Sorab quando menino — generoso, sensível, rápido para identificar o sofrimento nos outros. Pôs o braço em volta dele e lhe deu um beijo silencioso na cabeça.

— Não vamos comprar presentes para o Joshy, filho — disse Sorab, em tom monocórdio. — Não damos presentes aos vizinhos.

— Mas ele disse que só ia ganhar um pedaço de carvão no Natal — choramingou o menino. — Você ouviu.

— Isso é só força de expressão, meu bem. A mãe dele só estava brincando. Ninguém ganha de verdade um pedaço de carvão no Natal.

— Ganha, sim — retrucou Cavas, triunfante. — O garotinho do *Conto de dois Natais*. Ele foi malvado com o cachorro da família e ganhou um pedaço de carvão na meia.

Sorab entrou no estacionamento lotado do shopping e começou a procurar uma vaga.

— Isso é apenas uma história — disse. — Seja como for, não vamos comprar presente para o Joshy. — E parou numa vaga longe da entrada da Sears.

— Mas ele é meu amigo — choramingou Cavas, enquanto todos andavam em direção ao shopping. — E eu tenho quinze dólares guardados.

Tehmina percebeu que Sorab estava se exasperando. Pegou a mão do neto e o reteve.

— Vocês dois vão na frente. O Cookie e eu iremos atrás. Vão, vão indo.

Susan lançou-lhe um olhar agradecido, pegando a mão de Sorab. Quando o casal se afastou, Tehmina inclinou-se para o menino. Sabia que estava prestes a fazer uma coisa errada, mas não conseguiu se impedir. Antes de Cookie se manifestar, ela mesma já havia decidido comprar um presentinho para cada menino da casa ao lado. Apesar das garantias de Sorab, não estava nada convencida de que Tara não fosse capaz de dar aos filhos um pedaço de carvão como presente de Natal. Qualquer mulher capaz de deixar os filhos com aquele homem monstruoso era capaz de tudo. Era uma ironia da natureza que uma mulher como aquela pudesse dar à luz duas crianças lindas e inocentes. De jeito nenhum Tehmina sairia do shopping nessa noite sem comprar alguma coisa para elas. Susan e Sorab poderiam fazer suas compras sozinhos, por algum tempo. Ela levaria Cavas e se encontraria com o filho e a nora dali a uma hora, mais ou menos. Além disso, de qualquer forma, precisava encontrar um presente para o pai de Susan.

Avó e neto saíram do frio, entraram no conforto aquecido do prédio e, imediatamente, ouviram a musiquinha estrídula do carrossel, que competia com a música natalina que ressoava por todo o shopping.

— Escutem — disse Tehmina a Susan e Sorab. — Que tal se eu levar o Cookie para fazer umas compras comigo? Assim, vocês não se atrasarão por minha causa. Hoje estou andando devagar.

Susan animou-se com a proposta:

— Tem certeza, mamãe? Está bem, que tal nos encontrarmos aqui na praça de alimentação em mais ou menos uma hora? Isso lhe dá tempo suficiente?

Estendeu a mão para Sorab, mas ele hesitou.

— Ligue para nosso celular caso vocês se percam, ou coisa assim — disse ele, e Tehmina riu.

— Não se preocupe. Ficaremos bem. Sei andar neste shopping. Divirtam-se, vocês dois.

Viu o filho e a nora se afastarem. Em seguida, virou-se de frente para o neto.

— Cookie — disse, inclinando-se para o menino e baixando a voz —, você é bom para guardar segredos?

CAPÍTULO NOVE

PELO AMOR DE DEUS, cara, você está virando uma porra de uma mulherzinha, repreendeu-se Sorab. Controle a porcaria das suas emoções!

Desde a morte do pai, Sorab havia notado essa tendência desconcertante — era capaz de chorar pelo menor motivo. Agora, cercado por milhares de estranhos, empenhados cada qual em perseguir sua felicidade particular sob a forma de aparelhos de DVD e *iPods*, teve ainda mais consciência de suas emoções desenfreadas e sua crescente incapacidade de controlá-las.

Motivo da mais recente comoção afetiva: a visão do filho e da mãe sentados na praça de alimentação, dividindo uma porção de batatas fritas enquanto esperavam por ele e Susan. Alguma coisa no ângulo em que eles inclinavam a cabeça um para o outro — uma grisalha, com o peso dos anos, a outra castanha e sedosa, com o brilho das oportunidades intermináveis —, alguma coisa nessa visão lhe trouxera a já conhecida ardência das lágrimas nos olhos. Susan estava a seu lado, tão carregada quanto ele de presentes de última hora, e Sorab se perguntou se a mulher teria notado alguma coisa diferente nele, essa fraqueza inquietante que crescia em seu íntimo, como uma massa úmida de pão que avultava assustadoramente, dia após dia. Havia um nome para homens assim em Bombaim. Frouxos. É, ele estava virando uma droga de um frouxo.

— Tudo bem com você, amor? — perguntou Susan, e, como sempre, Sorab ficou irritado e grato com essa espantosa capacidade de ela ler seus pensamentos, de detectar a mudança mais ínfima dentro dele.

— Sim, tudo — respondeu bruscamente, mas em seguida, como se fosse uma mulher idiota e não conseguisse controlar a própria língua, ouviu-se dizer: — Olhe só para eles dois, sentados ali. Como se fossem as duas únicas pessoas do mundo. Não são lindos?

Lindos? Nenhum norte-americano viril se deixaria apanhar dizendo "lindos". Era assim que falavam os homens parses — é, e, ainda por cima, os parses da geração de seu pai. Que merda estava acontecendo com ele?

— São — respondeu Susan, e, por mais que tentasse, ele não conseguiu ouvir nada de irônico ou zombeteiro na voz da mulher. Ela suspirou fundo. — Ter a mamãe por aqui tem feito muito bem ao Cookie e... e a você — acrescentou, baixinho.

Sorab retesou-se.

— A mim? Que quer dizer?

Ela encolheu os ombros.

— Não sei. Não sei explicar. É que... acho que você precisa da sua família por perto. E... você parece... sei lá, não estar com tanta pressa quanto antes, talvez. Mais manso.

Pronto, pensou ele. Mais *manso*. A palavra temida. Até sua própria mulher não demoraria a chamá-lo de frouxo. Não era de admirar que a Grace houvesse praticamente dito que ia ignorar o nome dele na promoção seguinte. Provavelmente, ele estava deixando as emoções vazarem por todos os poros, feito uma mulher idosa que não controla a própria bexiga, e eram todos educados demais para lhe dizer isso.

De repente, Susan começou a rir.

— O que há de tão engraçado? — começou a perguntar Sorab, mas ela abanou a cabeça, ainda dando gargalhadas.

— Você. Você é que é muito engraçado. Pelo amor de Deus, meu bem, você devia ver a sua cara. Escute, vou lhe contar uma novidade. Quando as mulheres dizem que um homem está mais manso, isso pretende ser um elogio. Se bem que ainda estou por encontrar um homem que pense assim.

— Bom — murmurou ele, com a voz rouca —, desde que você não esteja chamando meu você-sabe-o-quê de manso...

Susan tornou a rir.

— Não, não estou, seu idiota. Estou me referindo a isso aqui — e bateu com o indicador no peito dele —, embora, provavelmente, também devesse me referir a isso aqui — e lhe deu um tapinha na cabeça. — Mas vocês, homens, é só ouvirem uma palavra como *manso* ou *mole*, e não conseguem pensar noutra coisa.

Sorab passou para a mão direita as sacolas que estava carregando e entrelaçou a mão livre com a dela.

— Quando cheguei a este país, eu costumava ter uns sonhos. Sonhava que a campainha do meu apartamento tocava, e eu ia atender, e lá estavam meus pais na porta. E eu pensava comigo mesmo: "Seu bestalhão, está vendo como é fácil vê-los? É só você atender a porta." Mas aí eu acordava e percebia que tinha sido apenas um sonho, que eles estavam, na verdade, a milhares de quilômetros daqui, e tinha uma sensação terrível, opressiva. Toda a leveza do sonho, a despreocupação da possibilidade, desaparecia no instante em que eu acordava. Sabe o que eu quero dizer? Eu tinha pavor daqueles sonhos, e, nossa, havia um milhão de variações deles. Como quando alguém chamava o meu nome embaixo da janela, e eu ia atender e era meu pai, pedindo para entrar.

Sorab interrompeu-se, abruptamente.

— Por que estou lhe dizendo tudo isso agora?

— Porque é importante para você. Continue.

Embora estivessem a poucos passos de onde se achavam Tehmina e Cavas, sentados de costas para eles, os dois pararam de andar. Susan fez sinal para uma mesa vazia na beirada da praça de alimentação e se sentou. Por um segundo, Sorab hesitou, não querendo deixar a mãe sozinha por muito mais tempo, mas também gostando dessa rara oportunidade de conversar com a mulher a sós. Sentou-se.

— Bom, enfim. Passei anos e anos me sentindo dividido. E, por mais que tentasse, não conseguia diminuir a droga da distância. Não que fosse tudo ruim, não é isso que estou dizendo. Aliás, sabe, acho que aquela ambição que eu tinha no começo, aquele impulso de me sair bem, talvez isso fizesse parte daquela mesma ambição. Quer dizer, eu tinha pagado um preço tão alto para vir para cá... deixara para trás uma casa confortável, uma cidade conhecida, amigos e pais que me adoravam... que eu tinha de fazer isso tudo valer a pena, tinha que justificar esse sacrifício. De modo que eu era um rapaz apressado, acho.

— Cara, se era! — concordou Susan. Ela sorriu, e a expressão de seus olhos disse a Sorab que estava relembrando a corte decidida e implacável que ele lhe fizera. Embora Susan freqüentasse algumas de suas aulas, ele só a havia notado, realmente, na noite de uma festa na casa de outro estudante da pós-graduação. Os dois estavam meio altos nessa noite e, quando a conversa enveredou para a política, travaram um debate tão acalorado e passional (Susan era republicana naquela época, coisa que Sorab não conseguia compatibilizar com a mulher inteligente e sensível à sua frente) que acabaram por esvaziar a sala, já que os outros foram embora, por tédio ou exaustão. E, assim, tinham restado apenas os dois, de pé, e eles continuaram a discutir até duas horas da manhã pelas ruas geladas de Ohio, quando Sorab levou Susan em casa e subiu os dois lances de escada até seu apartamento. Depois disso, tiveram uma trégua longa o bastante para fazer amor apaixonadamente, o que, de algum modo, pareceu uma extensão da discussão violenta. Ao acordarem na manhã seguinte, Sorab estava apaixonado por aquela moça absurdamente inteligente e bonita, mas Susan se declarou perplexa com seu próprio comportamento e, embora o sexo tivesse sido ótimo, não, muito obrigada, de jeito nenhum ela sairia com um liberal fanático. E Sorab levara quatro longos meses para fazê-la mudar de idéia.

Susan apertou a mão do marido.

— Bons tempos aqueles, hein, amor? Mas sabe de uma coisa? Fico contente por você já não estar com aquela pressa horrorosa. Gosto da idéia de tê-lo por perto na minha velhice.

Sorab retribuiu o afago.

— Foi graças a você, na verdade. Se você não tivesse casado comigo e me dado o Cookie, não sei o que me aconteceria. Verdade.

Fez uma pequena pausa e prosseguiu:

— Sabe qual foi a primeira vez, em toda a minha vida, que me senti realmente em paz? Estou falando de serenidade, não de paixão nem de alegria. É claro, fiquei radiante quando você finalmente se casou comigo. E, quando o Cookie nasceu e eu o segurei pela primeira vez, aquilo foi como estar no paraíso. Mas, sabe, aquele bom e velho sossego? Foi durante a visita de papai e mamãe depois que o Cookie nasceu. Estar com meu filho recém-nascido e meus velhos pais na mesma casa, sob o mesmo teto... nem sei lhe descrever essa sensação. Foi como se eles representassem o passado, e você e o Cookie, o futuro, entende? Eu me senti inteiro, como se alguém me houvesse recosturado. E pensei: agora poderia acontecer qualquer coisa, um tornado, uma guerra, uma bomba estourando. Mas estaríamos todos juntos.

Sorab fez uma careta e concluiu:

— Desculpe. Você sabe que sempre fico piegas nessa época do ano.

Susan deu-lhe aquele olhar tímido e pesaroso que ainda era capaz de fazer o coração de Sorab dar cambalhotas.

— É isso que eu amo em você. Em todos vocês, os homens parses, com a sua veia sentimental. Eu só queria que um pouco do seu jeito de ser passasse para o Bobby. Ele já é um adulto e ainda acredita em toda essa besteirada machista dos homens norte-americanos.

Bobby era o irmão mais velho de Susan e o homem mais taciturno que já se viu. Durante todos os anos em que Sorab convivera com a família da mulher, era provável que o cunhado lhe tivesse dito umas vinte palavras. Sua *persona* silenciosa era uma piada corrente na família — o que Susan chamava de imitação vitalícia de Clint Eastwood por parte de Bobby.

— Bem, pelo menos herdei isso honestamente. Eu lembro que, quando garoto, costumava ficar muito chocado: lá estava meu pai, você sabe, aquele sujeito grande e musculoso, e a gente se sentava para assistir a uma porcaria de um melodrama de Bollywood na televisão, e ele soluçava abertamente. Até a mamãe, e você sabe como ela é emotiva, até ela ficava escandalizada com a descontração com que papai chorava num filme. Eu vivia sempre tão sem graça, que não me atrevia a convidar um amigo para me visitar quando assistíamos à televisão.

— É que ele era um homem de verdade — disse Susan com ardor, e Sorab percebeu com espanto que ela estava defendendo Rustom do que supunha ser uma crítica dele ao pai. — Ele era um homem de verdade, perfeitamente à vontade dentro da própria pele.

Sorab abriu a boca para protestar, para explicar que concordava com ela, que não estava falando inteiramente a sério ao descrever seu constrangimento com as lágrimas soltas do pai, quando se deu conta de que não tinha certeza disso. Parte dele ainda se envergonhava ao pensar naquele pai alto e poderoso desmanchando-se em lágrimas diante da dramaticidade barata de um filme indiano. Parte dele admirava o jeito forte e caladão de Bobby, porque isso combinava com suas crenças adolescentes sobre como um homem de verdade devia se portar. Parte dele desprezava sua branda criação indiana de classe média, em que as tias e tios estavam sempre a cobri-lo de abraços e beijos, ou a apertar suas bochechas e dizer que ele era um amor de menino.

Talvez essa tivesse sido uma das razões de ele fugir da Índia e trocá-la pelos Estados Unidos, para poder deixar para trás aquela pastosa suavidade da infância e se firmar como homem. E aquele novo país tinha sido bom para ele — endurecera-o, tornara-o competitivo, independente, ávido de progredir, obstinado em sua busca do sucesso. Havia liberado alguma coisa nele. Enquanto na Índia as pessoas sempre lhe diziam para não parecer ambicioso demais, voraz em demasia, ali, nos Estados Unidos, essa ambição e essa avidez eram reverenciadas, incentivadas e recompensadas. Logo na chegada ao curso de pós-graduação, ele tivera a sensação de que alguém o havia soltado de uma caixa de papelão tão grande que ele nunca sequer se apercebera de ter passado a vida inteira enroscado dentro dela, à espera do momento propício. Aqui, nesse país, ele podia ser tão competitivo, agressivo, insistente, ganancioso e expansivo quanto bem entendesse. Podia tentar alcançar as estrelas, sem que ninguém lhe dissesse para tomar cuidado, ou que, quanto maior a altura, maior a queda; não havia nenhum avô para lhe contar a história da falta de cuidado de Ícaro, que voara perto demais do sol e se queimara. Aqui era o país da ambição ilimitada e dos sonhos grandiosos, no qual o céu era o limite, um país de fábulas que acreditava em sonhos, que era, ele mesmo, uma espécie de sonho. E servia como uma luva em Sorab. Como uma merda de uma luva. Era como se o país tivesse sido projetado com ele em mente, ele e os milhões de outras almas irrequietas que eram desajustadas em suas terras natais, e que chegavam às margens da América transbordando de energia, explodindo de ambição represada, uma ambição tão inflamável que dava a impressão de ser violência. E para ele (ao contrário de muitos outros), para ele, tudo havia funcionado. Tudo vinha correndo bem, tudo de acordo com um plano — uma mulher bonita e sagaz, um filho deslumbrante e inteligente, uma bela casa num subúrbio residencial, dois carros importados na garagem, uma série de empregos em que ele sempre havia superado o desempenho de todos os demais. E, então, seu pai tivera que morrer, e aquele veio consistente de sentimentalismo que sempre fluíra nas veias de Rustom tinha vazado e penetrado no filho.

— Terra chamando Sorab — disse Susan, e ele teve um sobressalto, em culpa.

— Desculpe. Fiquei perdido em meus pensamentos.

— Não diga! — brincou ela, sorrindo. — E então, meu bem? Vamos nos juntar aos outros? Mal posso esperar para ver quanto dinheiro a mamãe gastou comprando mais presentes ainda para o seu precioso neto.

— Sim, é claro. Estou surpreso por Cookie ainda não nos ter visto — respondeu Sorab, porém se demorou mais um pouco. — Ei, Suse. Eu só queria dizer, sabe, obrigado por me amar tanto. Sinceramente. Sem você, eu não sei o que...

— Por nada — disse ela, baixinho. — E, a propósito, é muito fácil amar você.

Levantou-se da cadeira, e Sorab ouviu o riso em sua voz:

— Além disso, tenho que manter meu homem satisfeito, sabe como é? Caso contrário, você seria como o Percy e estaria na quarta mulher norte-americana.

Sorab deu um resmungo.

— Só espero que aquele pobre coitado fique casado desta vez. Que otimista é o Percy, Deus o abençoe! Não consigo me imaginar casando duas vezes, que dirá quatro.

— Você disse que ele irá à festa da Perin amanhã, não é? — perguntou Susan.

— Está brincando? Com uma boca-livre de comida parse feita em casa, você acha que alguma força terrestre seria capaz de mantê-lo afastado?

— É mesmo. Que idéia a minha!

Susan deu alguns passos à frente de Sorab.

— Ei, Cookie — chamou. — Ei, ei! Aqui, meu amor.

CAPÍTULO DEZ

HOMI E PERIN JASAWALA moravam no interior, embora aquilo fosse diferente de qualquer área rural com que Tehmina estivesse familiarizada. Ao contrário da Índia, onde a zona rural se compunha de umas tantas vacas emagrecidas em campinas marrons e secas, além de aglomerados de aldeias empobrecidas, a ida para a casa dos Jasawala conduziu-os por vários shoppings, uma filial do Wal-Mart, uma da cadeia da loja de utilidades domésticas Best Buy, e depois uma série da campinas pontilhadas por um e outro galpão vermelho com um silo. De quando em quando, eles deparavam com casas amplas e bem cuidadas, assentadas em meio a acres de terra, muitas delas com garagens ou barracões de trabalho tão grandes que Tehmina não pôde deixar de pensar que, na Índia, uma família de vinte pessoas poderia morar num deles. Ao se aproximarem da casa dos Jasawala, ela notou que as residências foram ficando maiores e que as casas revestidas de madeira e alumínio deram lugar a mansões de tijolos e pedra.

Mesmo assim, a mansão dos Jasawala superava todas as outras em opulência. Não fosse o fato de Sorab ter lhe dito que o casal acabara de se mudar para a casa que havia mandado construir, Tehmina acreditaria sem dificuldade que os dois tinham pagado para transpor um antigo solar da Inglaterra ou do País de Gales para uma fazenda em Ohio. Quando Sorab parou na entrada circular da garagem, ela notou uma enorme árvore de Natal, que cobria toda a altura das imensas janelas do primeiro e segundo andares.

— Puta merda! — deixou escapar Sorab. — A clínica do Homi deve estar faturando alto.

— Bem, pelo que diz a Perin, é ela que entra com a grana pesada — disse Susan.

— Eu acredito — disse Sorab. — Você já viu aquele *outdoor* enorme, quando a gente passa pela rua Richfield? Acho que a firma dela lida com provavelmente noventa por cento de todos os casos de imigração no nordeste de Ohio. O Percy contou que topou com o ex-patrão, um dia desses, e que o sujeito estava se lamuriando de que a Perin ia levar todos eles à falência.

— A coisa mais sábia que o Percy fez foi ir trabalhar com a Perin.

— É. Mas, para ser franco, no começo eu não tive certeza. Fiquei pensando, sei lá, é melhor não misturar negócios com amizade.

— Bem, trabalhando com a Perin, ele nunca passará fome, isso é fato. Aquela mulher é uma máquina.

A máquina humana estava à espera deles na porta de entrada. Perin tinha uma aparência esplendorosa, com um sári vermelho e jóias de ouro, exibindo-se ao mundo inteiro como se estivesse vestida para um casamento parse em Bombaim.

— *Aavo*, *aavo*, vão entrando! — cumprimentou ela, com um largo sorriso. — Sejam bem-vindos à nossa humilde morada.

Sorab deu um assobio.

— Uau, Perin! Não há nada de humilde nessa casa.

Perin desviou os olhos, como que sem jeito.

— Ora, não é nada, não é nada. Na verdade, o segundo andar é meio apertado.

— Escutem só ela falar — disse Homi, e o teto de catedral do vestíbulo fez sua voz ressoar ainda mais alto, quando ele se aproximou. — Imaginem o atrevimento dessa mulher: mais de oitocentos metros quadrados, e ela ainda reclama do tamanho da casa! E o engraçado é que nós dois crescemos em apartamentos minúsculos na rua Grant, onde mal havia espaço para os mosquitos, que dirá para seres humanos.

Tehmina se recordava da história, ouvida numa de suas visitas anteriores aos Estados Unidos. Homi e Perin tinham sido namorados desde a infância, crescendo em apartamentos contíguos num prédio da rua Grant. Tehmina não se lembrava do que Perin lhe dissera ter sido a razão da longa inimizade entre as duas famílias, mas se lembrava de ter ficado admirada com o fato de os dois, que se haviam apaixonado aos doze anos, terem mantido seu amor em segredo por pelo menos mais dez anos. Na verdade, tinham se casado em segredo numa cerimônia civil, cerca de um mês antes de Homi partir para os Estados Unidos, com a promessa de mandar buscar a esposa assim que se estabelecesse. Ninguém ficara sabendo, com exceção da melhor amiga de Perin, que também servira de testemunha no casamento clandestino. Passado mais de um ano, Perin deixara um bilhete para a família e pegara um avião, com o dinheiro que ela e Homi tinham economizado. Ela havia chegado a Ohio durante a pior tempestade de neve em uma década, e se mudara para o minúsculo apartamento de Homi, que só tinha um quarto. Como nunca tinha visto neve, aparecera no aeroporto usando saia e uma blusa de algodão de mangas compridas. Homi tivera que dar o próprio casaco a sua mulher enregelada, enquanto ia buscar o carro que pegara emprestado com um amigo.

E, depois disso tudo — depois de os dois batalharem enquanto Homi freqüentava a faculdade de medicina e Perin trabalhava como caixa no Kmart, depois de eles começarem uma reconciliação morna com as respectivas famílias, depois de comprarem o primeiro carro e, mais tarde, a primeira casa, depois de Homi conseguir o primeiro emprego como psiquiatra num hospital público, depois das decepções de tentarem e não conseguirem ter filhos, depois da primeira e comovente viagem de volta à Índia, para rever as famílias pela primeira vez em anos, depois da decisão de Perin de cursar a faculdade de direito, com o apoio imediato de Homi —, depois de eles haverem construído sua vida juntos, pedra por pedra, a partir de nada além da força de sua dedicação um ao outro, Homi tivera uma aventura amorosa. E ameaçara destruir tudo o que eles haviam construído.

Tehmina só ficara sabendo disso por ter ouvido Homi falar do assunto. Na televisão. Num daqueles programas locais matutinos de entrevistas que costumavam lhe dar dor de cabeça, pela simples eletricidade do sorriso falso e luminoso do apresentador. Mas lá estava Homi, com um ar sério e sincero, promovendo o livro de auto-ajuda que havia escrito. Usando palavras que nenhum indiano que se prezasse jamais usaria — palavras como *manipulador* e *co-dependente* e *controlador*. Diabos, na Índia nós temos uma palavra para todas essas coisas, pensara Tehmina. Chama-se *amor*. Mas o que realmente a havia chocado fora a maneira descontraída de Homi falar dos aspectos mais íntimos e privados de sua vida. Com que desenvoltura ele discutira com um perfeito estranho, diante de uma audiência de milhares de estranhos, sua vida afetiva, suas idéias e sentimentos mais íntimos. Apesar da evidente sinceridade de Homi, Tehmina se flagrara ficando tensa de vergonha e constrangimento. Pela enésima vez, tinha se assombrado com esse país que agora seu filho chamava de lar — com o modo como as fronteiras entre o público e o privado se fragilizavam por completo. Será que não havia nenhuma idéia ou sentimento tão sagrados, tão particulares, que eles se sentissem compelidos a preservá-los da intromissão do mundo?, admirara-se Tehmina. Nenhum comportamento de que a pessoa se sentisse constrangida demais para falar? E lá estava Homi, discorrendo sobre uma vida sexual que deixara de ser prazerosa, e sobre como ele e Perin tinham precisado reconstruí-la, depois de ela descobrir o romance extraconjugal. Tudo isso era tido como positivo e como uma afirmação de vida — na verdade, Homi vinha conduzindo seminários de fim de semana para ajudar outros casais cujo casamento enfrentava dificuldades —, mas Tehmina ficara mortificada. Não conseguira deixar de pensar na reação envergonhada de Perin às revelações indiscretas do marido.

Mas agora, ao ver os Jasawala abraçados, ela percebeu que havia interpretado mal a situação. Era óbvio que Homi tinha promovido seu livro e embarcado nessa nova carreira de conselheiro conjugal com todas as bênçãos de Perin. E por que isso havia de ser tão surpreendente?, perguntou a si mesma. Claramente, Perin não era imune à silenciosa insistência dos Estados Unidos em revelações pessoais. Na Índia, esperava-se que apenas os astros e estrelas de cinema se fizessem de perfeitos tolos, divulgando os segredos de suas vidas pessoais (quase sempre superficiais e enfadonhas). Aqui, isso era esperado de todo o mundo. Não bastavam os astros cinematográficos e os cantores de rock para saciar o apetite incessante de mexericos e detalhes obscenos. E assim, até pessoas comuns, como Homi e Perin, tinham que fazer sua parte para alimentar o monstro.

Eles haviam embarcado em outro costume singularmente norte-americano — a exibição da casa nova. Chamando-a de turnê de vinte e cinco centavos, Homi os estava conduzindo de um aposento a outro da nova residência. Aparentemente, todos os outros convidados que se achavam na sala e na cozinha — que Tehmina julgou ser maior que a da maioria dos restaurantes — já tinham feito a turnê, porque não manifestaram nenhuma intenção de acompanhá-los.

— Essa escrivaninha nós compramos no Quênia — disse Homi. — Perin apaixonou-se por ela e mandou despachá-la para casa.

Ele já lhes contara a história do mármore italiano da cozinha, do tapete oriental da sala de jantar e da gravura japonesa pendurada acima da lareira. Tehmina sentiu-se como uma integrante de um coro grego: as únicas contribuições que se esperavam dela eram um "ooooh" e um "*arre wah*" ocasionais.

— Está lindo, *yaar*. Vocês fizeram um belo trabalho — disse Sorab, e, ao ouvir a sinceridade na voz do filho, sem nenhum indício de inveja ou ironia, Tehmina sentiu o coração inundar-se de amor. Deu também um novo valor à casa dispendiosa, porém mais modesta, de Sorab. De algum modo, sua escala era mais administrável e mais humana, comparada a essa mansão que ainda recendia a um vago cheiro de tinta fresca. Tehmina pensou com prazer em como Cookie chutava longe os sapatos sujos, tão logo entrava pela porta, e em como, vez por outra, ela encontrava suas roupas empilhadas num montinho no banheiro. Já essa casa era limpa demais, anti-séptica demais para o seu gosto. Ora, os Jasawala tinham até carpetes brancos na sala de estar. E ela percebeu o que faltava — não havia um Cookie para entornar uma bebida no chão da cozinha, um Cookie para espalhar seus deveres escolares por toda a mesa da sala de jantar. Não havia um Cookie para humanizar essa casa, ocupá-la, torná-la real, com seu desleixo, sua trapalhice infantil, sua bagunça. Essa casa precisava de uma criança para transformá-la num lar.

Como que pegando a deixa, Cookie se remexeu a seu lado:

— Vovó, tá chato aqui — anunciou. — Posso ir lá pra baixo brincar com o Shirin e todo o mundo?

Homi soltou sua risada estrondosa.

— *Yah*, eu acho que isso tudo é muito chato — disse. De repente, espremeu os olhos e se pôs de joelhos, para ficar cara a cara com o menino. — E aí, Cookie? Conte-me, alguma nova aventura na escola?

— Tô de férias.

— Ah, sim, é claro. Tem razão — disse Homi, com ar desapontado. Em seguida, como se não conseguisse conter-se, perguntou: — E agora você tem feito seu dever de casa? Ou continua a ser contra os seus princípios religiosos?

— Homi! — resmungaram Sorab e Susan em uníssono.

Os olhos de Homi brilhavam.

— Opa, desculpem. Mas não posso resistir. É que é uma história genial.

Mais para o começo do ano, Cookie tinha descoberto acidentalmente a antiga coleção de Calvin e Hobbes que pertencia a Sorab, devorara as histórias em quadrinhos e decidira que Calvin era seu *alter ego*. Sorab e Susan tiveram que suportar semanas em que todas as perguntas que faziam ao filho recebiam respostas sabichonas, saídas diretamente dos livros. Cookie chegara até a andar pela casa fazendo pesquisas diárias para avaliar o desempenho de Sorab como pai, exatamente como fazia o Calvin da ficção. E os pais haviam achado engraçado, até o dia em que Cookie se recusara a fazer uma prova na escola, rabiscando na página: "Não posso fazer essa prova porque ela é contra os meus princípios religiosos." Depois disso, tinham precisado confiscar os quadrinhos incendiários.

Um sorriso maroto estampou-se no rosto de Cookie, mas, antes que ele pudesse responder a Homi, no seu melhor estilo calvinístico,

Susan segurou-o às pressas pelos ombros e o conduziu à porta do quarto.

— Está bem, meu amor, por que você não desce para brincar com as outras crianças? Vamos descer daqui a um minuto.

Depois de Cookie sair, Susan virou-se para Homi:

— Calvin e Hobbes são um assunto tabu lá em casa. Você tem que jurar que não vai mencioná-lo na frente do Cookie.

Homi cruzou as mãos, simulando um pedido de desculpas.

— Perdão, perdão. É que não consigo resistir. É muito engraçado. Ele é... é um garoto muito criativo! — disse. Mas tinha o rosto iluminado, ansioso. — E então, há alguma outra história? Como é que ele tem enlouquecido a professora ultimamente?

Sorab caiu na gargalhada.

— *Saala*, que traquinagem, fico feliz por não morarmos muito perto de você. Você seria uma péssima influência para meu filho.

— Ele sempre foi assim — disse Perin. — Era igualzinho ao seu Cavas quando menino. Transbordando de malícia e gozação.

— Certo, vou lhe contar a última tirada dele — disse Sorab. — Mas não vá lembrá-lo disso, está bem? Jura?

— Juro.

— Pois bem, esse ano ele teve uma professora mais velha, a sra. Marriott. Ela age como se tivesse oitenta anos, embora esteja, provavelmente, apenas na casa dos cinqüenta. Bem, o Cookie estava na aula dela, mordiscando o lápis, certo? E a sra. Marriott lhe disse para tirar o lápis da boca, porque ele continha chumbo e podia causar uma intoxicação. Bem, por acaso o Cookie andara lendo um livro sobre a história do lápis. Assim, levantou-se e, diante da turma inteira, disse que ela estava mal informada, que os lápis não continham chumbo e eram feitos de grafite. Já imaginou? A pobre mulher recebendo uma lição de um garotinho arrogante de sete anos? E, quando o Cookie adota esse tom professoral, vou lhe contar, é insuportável.

Homi e Perin deram gargalhadas.

— Ah, meu Deus, que bonitinho! — disse Perin, chorando de rir. — Ah, eu seria capaz de pagar para ver a cara da professora!

— Bem, foi o que nós fizemos — disse Susan. — Quer dizer, vimos a cara dela. A mulher veio se queixar conosco na reunião seguinte de pais e professores. E uma coisa eu lhe digo, não foi uma expressão que eu gostaria de rever. Ela parecia disposta a esfolá-lo vivo.

— E, se fizéssemos uma coisa dessas na Índia, eles nos esfolariam vivos — disse Homi, prontamente. — Lá, você sabe, o negócio é que os professores são como deuses. O sujeito pode ter aula com os patetas mais incompetentes do mundo, mas, mesmo assim, é obrigado a respeitá-los, pelo simples fato de serem professores.

Tehmina ouviu o ressentimento na voz dele e ficou assombrada. Todos os amigos de Sorab pareciam muito ressentidos ao falar da Índia. O sistema de ensino, a corrupção, os correios, o trânsito lento, a burocracia — eles pareciam criticar tudo. Teria sido por isso mesmo que haviam partido: por se sentirem tão irritados com tudo? E será que Sorab, seu menino bem-humorado e de temperamento meigo, havia sentido a mesma coisa? Ou será que via as coisas dignas de ser prezadas — os laços familiares sólidos, o modo como os vizinhos cuidavam uns dos outros, a vivacidade movimentada e calorosa das ruas, tão contrastante com a solidão tristonha e sombria da vida nesse país?

A campainha voltou a tocar, e eles ouviram a porta abrir e a voz conhecida de Percy dizer:

— Alô-oo! Ô de casa!

— Estamos aqui em cima com o Sorab e a Susan — gritou Perin. — Descemos num segundo. Por favor, fique à vontade.

No instante seguinte, porém, todos ouviram o som dos passos dele, subindo a escada aos pulos. Como sempre, o coração de Tehmina ficou mais leve quando ela viu o rosto animado de Percy.

— Olá, todo o mundo — disse ele ao grupo. Depois, avistando Tehmina, dirigiu-se a ela, beijou-a no rosto. — Oi, mamãe — e perguntou, sorrindo: — Como vai? Espero que esse seu filho horroroso esteja cuidando bem de você. Se não estiver, é só se mudar lá para casa, viu? Casa e comida grátis, tudo pelo preço do seu fabuloso *dhansak*.

— Eu já lhe disse um milhão de vezes para dar uma passada lá para jantar, quando você quiser, *deekra* — respondeu Tehmina. Já ao fazer o convite, porém, ficou pensando se Susan se ofenderia com sua presunção. — Você não precisa de convite — concluiu, sem jeito.

— *Arre*, mamãe, cuidado com a gentinha que você convida para ir lá em casa — disse Sorab, com um tapinha nas costas de seu melhor amigo. — Com esse pilantra, se você prometer comida, ele se muda para lá em caráter permanente.

— Sem a menor chance — retrucou Percy, imediatamente. — Em algum momento terei que ir para casa. A não ser que você saiba imitar os talentos da minha encantadora Julie na cama — e deu uma olhadela escusatória para Tehmina. — Desculpe o linguajar, mamãe — acrescentou, em tom vago.

— Por falar em comida, quem fez o bufê para a festa foi a Yasmin Shroff. Provamos a comida dela numa outra recepção, recentemente, e eu a achei muito boa — disse Perin. Deu uma cutucada nas costelas de Percy e acrescentou: — Espero que o *pullao-daar* que ela preparou conte com a sua aprovação.

— Ah, tenho certeza de que será ótimo. Mas uma coisa eu lhe digo: ninguém sabe fazer um *daar* como esta senhora aqui — retrucou Percy, pondo o braço sobre os ombros de Tehmina. — O *dhansak* de frango que ela fazia me manteve vivo quando eu era pequeno.

E, apesar da leveza de seu tom, Percy e Tehmina trocaram um olhar que captou a intimidade que os dois haviam compartilhado ao longo dos anos. A mãe de Percy fora a melhor amiga de Tehmina e, ao morrer de um câncer de mama, deixara Tehmina tão arrasada quanto seu filho de doze anos, Percy. Ela teria acolhido o menino de qualquer maneira e insistido em que ele passasse em sua casa para o chá e para um jantar leve, depois da escola, mesmo que o pai dele, Bomi, não fosse o bêbado imprestável que era. Mas, dada a situação, ela e Rustom tinham decidido que era preciso proteger o garoto dos acessos de raiva do pai embriagado e de seus surtos de autocomiseração. Se dependesse da vontade de Tehmina, Percy teria se mudado definitivamente para a casa deles. Em vez disso, ela havia procurado mantê-lo ali o máximo de tempo possível, inclusive nos fins de semana. Toda viagem ou passeio feito pelos Sethna incluía um quarto membro, e para toda peça ou concerto a que eles iam era comprado um quarto ingresso. Perdido nos vapores do álcool, Bomi abria mão de bom grado da responsabilidade pelo filho. Houve até ocasiões em que eles pagaram a mensalidade escolar do menino, quando o pai as atrasava, e não demorou para que também lhes parecesse fazer sentido acompanhar o progresso de Percy, quando iam à escola da Catedral participar das reuniões de pais e professores, por causa de Sorab. Os dois se contentavam em fazer tudo isso de um modo silencioso e discreto, embora, toda vez que cruzavam com Bomi na rua, ele fizesse um de seus discursos espalhafatosos e bombásticos, prometendo pagar-lhes cada rupia que eles gastassem com seu filho. O homem vivia inteiramente alheio ao constrangimento que lhes causava e, pior ainda, à mortificação que provocava no único filho. Mesmo assim, em sua maior parte, o cuidado que os Sethna dedicavam a Percy não era mencionado nem reconhecido, e era assim que eles gostavam. Só uma vez tiveram que intervir diretamente: depois que Percy apareceu soluçando em sua porta, numa noite de sexta-feira, com lanhos vermelhos no corpinho magro e moreno, nos pontos em que o cinto de Bomi o havia atingido. Nesse dia, Rustom havia empalidecido, vestido uma camisa por cima da sadrá e saído porta afora. Assustada, Tehmina tentara detê-lo, perguntando o que ele pretendia fazer, mas o marido se desvencilhara dela, levando estampada no rosto uma expressão tensa e carregada que ela nunca tinha visto. Rustom voltara uma hora depois, dirigindo-se diretamente a Percy:

"Ele nunca mais vai encostar a mão em você, filhote", dissera baixinho. "Isso eu lhe prometo."

Quando Tehmina lhe perguntou o que havia acontecido entre ele e Bomi naquela noite, Rustom respondeu apenas que eles tinham tido uma conversinha. Mas foi verdade: Bomi continuou a beber e as agressões verbais não diminuíram, porém ele nunca mais bateu no filho.

Agora, olhando para o rosto gorducho, mas bonito, de Percy, Tehmina tornou a se deslumbrar com a capacidade de recuperação dele. Dois anos depois de Sorab partir para os Estados Unidos, para cursar a pós-graduação, Percy o seguira. O curso de direito tinha transformado sua vida. Embora pagasse pensões a três ex-mulheres, Percy ainda ganhava dinheiro suficiente para enviar um cheque a Bomi todo mês, para o custeio de suas despesas. O menino pobre que ficara órfão aos doze anos, para todos os efeitos, tinha agora a gargalhada mais sonora de qualquer aposento, era a alegria de todas as festas e tinha um gosto pela vida que Tehmina ambicionava para o próprio filho. Ao ver Percy nesse momento, com sua cabeleira farta e sedosa, sua camisa Ralph Lauren e seus jeans de grife, ninguém adivinharia os maus-tratos diários com que o pai o havia cumulado, os palavrões de que ele fora chamado, a dor e a raiva que ele havia sentido ao ter a mãe querida arrancada de seu convívio. E, pela primeira vez, Tehmina sentiu-se grata aos Estados Unidos. Ela e Rustom tinham dado a Percy uma chance, porém aquele país lhe tinha dado sua vida. Era surpreendente a transformação que ocorria com todos aqueles jovens ao chegarem lá — a maioria engordava, quase todos falavam e riam mais alto, e alguns chegavam até a crescer dois ou três centímetros, por mais improvável que isso parecesse. O mais notável, porém, era que eles ficavam felizes nos Estados Unidos. Meninos que tinham sido magros como um lápis, melancólicos, deprimidos, calados e tímidos tornavam-se confiantes, fortes, tagarelas e felizes. Como é que um país podia modificar a personalidade inerente a uma pessoa?, intrigou-se Tehmina. Essa história da Constituição deles, da qual costumávamos zombar na Índia — a busca da felicidade, ou coisa assim —, talvez a inclusão de uma idéia tão absurda na Constituição realmente fizesse alguma coisa pelas pessoas. Quem sabe lhes desse a liberdade de achar que elas eram dignas da felicidade, que serem felizes era algo pelo qual não tinham que pedir desculpas nem se sentir culpadas. Tehmina lembrou-se de todos os limites rigorosos impostos por sua mãe: a mulher não devia se olhar no espelho, para que os outros não a julgassem fútil; nunca devia reclamar de nada em sua vida, porque havia milhões de pessoas em pior situação; devia cobrir a boca ao rir, porque, de outro modo, os homens a considerariam promíscua; devia contentar-se com o que Deus lhe desse, porque esse era o seu destino; nunca devia comer na rua, para não despertar a atenção e a inveja dos famintos a seu redor; nunca devia gabar-se de ter dinheiro, para não provocar inveja nos vizinhos. Graças à postura generosa e aos horizontes largos de Rustom, ela mesma se afastara de muitas dessas crenças. Mesmo assim, era verdade: nunca se sentira tão livre em Bombaim como se sentia naquele outro continente. O simples ato de tomar um sorvete de casquinha na rua, sem ser seguida pelos olhos esfaimados de uma centena de crianças, era uma liberdade, um luxo que ela nunca havia experimentado nas ruas de Bombaim. Nos Estados Unidos, ela nunca se sentira olhada com cobiça por rapazes sedentos de sexo, não ficava constrangida com seus seios, não vivia aflitivamente cônscia de seu corpo de mulher, não andava com a postura tensa e resguardada que lhe era costumeira em sua terra. E, embora isso fosse difícil, vinha se obrigando a se olhar no espelho, ao correr a mão pelo cabelo num banheiro público. Admirava-se com o modo como as norte-americanas passavam longos minutos se olhando no espelho, arrumando o cabelo, passando a maquiagem. Uma vez, num banheiro público de Hunan Village, ela até vira uma moça jogar um beijinho para sua própria imagem refletida. Obviamente, a mãe *dela* não a havia alertado para os pecados da vaidade e do orgulho.

Tehmina sentiu Percy mexer-se a seu lado. Os outros estavam passando para o cômodo vizinho, enquanto Homi discorria sobre a técnica usada pelos pintores para dar aquela textura especial às paredes.

— Um tostão pelos seus pensamentos — murmurou Percy, e ela sorriu e abanou a cabeça.

— Estava só pensando... nos anos que passaram.

— Não. Não pense no passado, mamãe. Você devia estar pensando no futuro.

Tehmina perguntou-se quando ele havia começado a chamá-la de mamãe. Tanto quanto podia lembrar-se, Percy a havia chamado de tia Tehmina durante todos os anos em que morara na Índia. Ela gostava desse novo nome, gostava da proximidade e da intimidade que ele transmitia, mas se perguntou por um instante se isso incomodaria Sorab. Quando ela e Rustom haviam acolhido Percy, Tehmina tivera muito cuidado de observar de perto o comportamento do filho, em busca de qualquer sinal de ressentimento ou ciúme. Mas Sorab parecera aceitar a presença de Percy em sua vida com a mesma calma com que aceitava a presença da lua no céu noturno. Na verdade, após anos como filho único, provavelmente fora bom para ele que os pais concentrassem as energias numa outra pessoa.

— Você não ouviu uma palavra do que eu disse, ouviu? — indagou Percy, e Tehmina levou um susto.

— Desculpe, *deekra*, desculpe. Eu não pretendia ignorá-lo.

Percy revirou os olhos:

— *Arre*, mamãe, todas as mulheres da minha vida me ignoram. Por que você seria a exceção a essa regra? — brincou. Segurou-lhe a mão e a puxou para a beira da cama. — Sente-se aqui um minuto. Preciso conversar com você.

Tehmina sentiu uma apreensão repentina com a seriedade abrupta no tom da voz dele. Sabia exatamente do que Percy queria falar — aquela história da imigração — e experimentou o pavor de ter que pensar no assunto nessa noite.

— Pelo amor de Deus, mamãe! — riu Percy. — Você está com cara de quem acha que esta cama é uma guilhotina.

Ela deu um sorriso tímido e disse:

— Eu sei que você precisa saber. Mas é que...

— Mamãe — interrompeu Percy —, qual é o problema, se posso perguntar? Seu único filho está aqui nos Estados Unidos, seu neto está aqui. E, agora que o tio Rustom... quero dizer, com tudo o que aconteceu no ano passado, você não tem ninguém em Bombaim. Sua família inteira está aqui. Não acha que faz sentido você estar onde tem pessoas que a amam?

Dito dessa maneira, Tehmina percebeu a lógica do que Percy falava. Mas também sabia que sua realidade era mais complicada. *Deekra*, a vida é feita de mais do que a família imediata, teve vontade de dizer. É feita de todas as pessoas que nos cercam — os vizinhos, mesmo aqueles que a gente não suporta; os amigos que a gente conhece há mais tempo do que conheceu o próprio marido; Sunil, o leiteiro que trapaceava, pondo água no leite que entregava na porta; Krishna e Parvati, o casal de sem-teto do outro lado da rua; Shiva, o mendigo sem pernas que vinha correndo feito um louco, no skate em que se sentava, para cumprimentar a gente com um sorriso; Hansu, a empregada que havia trabalhado na nossa casa nos últimos dezessete anos. A vida é feita de todas as nossas rotinas — levantar às cinco horas, todas as manhãs, para atender a porta quando chegam o açougueiro, o padeiro, o leiteiro e o jornaleiro; abrir a porta às sete horas para Krishna encher seu balde de água quente, para sua família poder tomar banho na rua; encontrar Sheroo e as outras amigas para almoçar, a cada duas ou três semanas;

assistir à versão indiana do *Who Wants to Be a Millionaire*, todas as noites de quinta-feira; ser voluntária no centro Shanti nesse mesmo dia da semana. E era verdade, agora que Rustom se fora, a rotina dela havia sofrido um grande impacto — Tehmina já não tinha um companheiro com quem ir ao Templo do Fogo todos os dias, ou com quem fazer suas preces no poço Bhika Behram, na Fonte de Flora, todas as sextas-feiras. E também não ia jantar no Paradise todo domingo. Mesmo assim, Bombaim era sua casa, a cidade a que ela chegara como recém-casada. Tehmina tinha andado em milhares de seus táxis, sobrevivido a tumultos e festejos comemorativos, assistido a centenas de tempestades. Olhou para Percy, o menino que ela havia ajudado a transformar num homem, o menino que um dia havia compartilhado com ela seus segredos e temores mais íntimos, e se perguntou como fazer para atingi-lo, como levá-lo a compreender a complexidade simples de sua vida.

— Não é tão simples assim — tentou falar Tehmina, mas Percy a interrompeu, abanando a cabeça:

— É claro, mamãe. É claro. Sei disso. Você não precisa me dizer. Puxa, ainda me lembro do meu primeiro ano neste país. Se o Sorab não estivesse aqui, não sei o que eu teria feito. Mas, meu Deus, a idéia é justamente essa: você tem toda a sua família aqui, ao passo que eu...

Tehmina o encarou, sem saber ao certo o que dizer. Percy falou para o silêncio:

— Olhe, mamãe, é o seguinte. Com as festas natalinas e tudo o mais, nenhum daqueles cretinos do Serviço de Imigração faria nada, de qualquer maneira. Mas, depois do dia 1° de janeiro, teremos que fazer alguma coisa a esse respeito *jaldi-jaldi*, bem depressinha. É que lhe sobrarão o quê, uns dois ou três meses do visto de turista? E, desde o 11 de Setembro, até as coisas mais rotineiras parecem levar o dobro do tempo. Não que o SIN fosse um modelo de pontualidade antes disso, entenda bem. Mas preciso de uma decisão sua logo, certo? Isso não é uma coisa que eu queira deixar para o último minuto.

Tehmina engoliu em seco e balançou a cabeça. De repente, Percy deu uma risada.

— *Arre*, mamãe, estou lhe pedindo para pensar em viver no maior país do planeta, *yaar*. E você me olha como se eu lhe pedisse para passar o resto dos seus dias numa Etiópia miserável, ou sei lá o quê.

A expressão de Percy abrandou-se, e ele prosseguiu:

— *Chalo ne*, ora, vamos, mamãe. Por que você está se fazendo de difícil desse jeito? Obrigando-me a correr atrás da senhora, como todas as outras mulheres fazem. Precisamos de você aqui, *yaar*, o Sorab e eu. Diabos, que mais não seja, você deveria ficar para eu poder comer sua comida ao menos uma vez por semana. Você devia ver o *curry* anêmico de camarão que a minha querida Julie faz. Estou lhe dizendo, qualquer indiano que se preze deveria pedir o divórcio imediatamente. Mas, que fazer? A pobrezinha está tão orgulhosa por aprender a culinária indiana, que não tenho coragem de lhe dizer a verdade. Mas é por isso que preciso de você aqui, mamãe, para não morrer à míngua com a chamada comida indiana da Julie.

Percy deu um tapinha no ventre bojudo e os dois riram. Em seguida, pôs um braço nos ombros de Tehmina e continuou:

— Mas, brincadeiras à parte, precisamos mesmo de você aqui. Para nós, você é, não sei, um lembrete de algo que não devemos esquecer. Não sei explicar direito. Só sei que aqui, nos Estados Unidos, é muito fácil a gente se deixar levar pelos empregos e os carros e as casas e o dinheiro. E, toda vez que eu a vejo, me lembro de que a vida é mais do que isso. Lembra-se de como você e o tio Rustom me acolheram depois que a mamãe morreu? Enquanto eu viver, não me esquecerei do que você disse no funeral dela. Eu estava chorando sem parar, não só por sentir falta dela, mas porque tinha pavor da idéia de morar sozinho com meu pai. Eu nunca tinha vivido um sentimento assim, como se houvesse ficado sozinho numa cidade e todas as ruas estivessem desertas. E, de todas as pessoas reunidas lá, todas aquelas velhas carpideiras que batiam no peito e choravam lágrimas de crocodilo, você foi a única que compreendeu o que eu estava sentindo. Lembra-se? "Você nunca ficará sozinho, Percy" foi o que me disse. "De hoje em diante, nós somos a sua família." Você não faz idéia do que essas palavras fizeram por mim. Foi como se alguém acendesse uma lanterna numa mina de carvão: a partir dali, eu tinha um caminho a seguir para sair da mina.

— *Deekra*, tudo isso são águas passadas — murmurou Tehmina, sem jeito. — Você já devia ter esquecido isso tudo.

— Mas aí é que está — retrucou Percy, inflamado. — Sabe, eu não quero esquecer! Na verdade, lembrar-me disso é o que há de mais importante. E é por isso que será tão bom para todos nós ter você aqui permanentemente.

Tehmina sorriu.

— Agora eu entendo por que você é tão bom advogado. Que lábia de ouro você tem!

Para sua surpresa e desolação, o rosto de Percy ruborizou-se e seu nariz ficou vermelho. Ah, como Tehmina conhecia aquele olhar! Sabia que significava que ele ficara magoado e estava fazendo força para conter as lágrimas.

— Eu não estava tentando enrolá-la, mamãe — ouviu-o dizer. — Eu falei sério.

Apressada, ela segurou a mão de Percy.

— É claro, é claro, *deekra*. Não pretendi sugerir... — Interrompeu-se, fez uma pausa e disse: — Está bem, me dê mais uns dias para decidir. Eu lhe aviso logo, prometo. Sei que isso não tem sido fácil para vocês todos. Desculpe, eu tenho feito o melhor que posso, mas não é uma decisão fácil para mim, entende?

Para seu constrangimento, Tehmina ouviu as lágrimas em sua própria voz. Mesmo assim, obrigou-se a continuar:

— Abrir mão da cidade em que se nasceu, dos velhos amigos com quem se cresceu, de um apartamento que se decorou, mobiliou e arrumou, tudo isso é muito difícil, *beta*. Não sou idiota a ponto de não perceber a tensão que isso tem causado no Sorab e na Susan, acredite. Muito pelo contrário. Mas também... preciso de tempo. Ou de um sinal, talvez.

— Eu compreendo. De verdade. E gostaria... Mas o Sorab e a Susan também têm que tomar umas decisões. Se forem se mudar para uma casa maior, eles precisam começar a planejar isso, não é?

Tehmina o encarou:

— Mudar-se para uma casa maior?

Percy pareceu surpreso:

— Eles não lhe contaram? Se você decidir ficar, eles vão comprar uma casa maior. Para você poder ter seu próprio banheiro e para que... para que, você sabe, eles tenham mais privacidade, essas coisas. De preferência, uma casa com um quarto e um banheiro no térreo.

Embora soubesse que não tinha sido isso que ele pretendera dizer, Tehmina sentiu um aperto no peito. Então os meninos sentiam necessidade de uma casa maior! Isso queria dizer que sua presença era uma imposição, um inconveniente para eles. De quem teria sido a idéia da mudança? De Susan, provavelmente. Tehmina recordou os lábios espremidos da nora e sua voz tensa, no dia em que ela lhe dissera para, por favor, se lembrar de tirar os fios de cabelo da banheira, quando terminasse o banho. Na ocasião, Tehmina não dera grande importância àquilo. Mas, agora, perguntava-se que outros de seus hábitos e comportamentos impensados afetavam Susan e, possivelmente, criavam atritos entre ela e Sorab. Tehmina havia tentado viver sem chamar a atenção na casa deles, andando pé ante pé quando precisava usar o banheiro à noite, para não acordá-los, ficando deitada até mais tarde do que era seu hábito, para lhes dar algum tempo um com o outro de manhã, e não se oferecendo para fazer nada para o Cookie, a menos que Susan lhe pedisse. Ela havia procurado viver na casa deles como um fantasma amistoso, ansioso por ajudar no que pudesse, mas também pronto a desaparecer nas sombras, quando necessário. E tudo isso para nada. Não era o que Percy tinha dito? Que eles ainda julgavam necessitar de distância e privacidade? Ela os imaginou conversando aos cochichos, com Susan externando suas frustrações e Sorab tentando apaziguar a mulher, sem insultar a própria mãe. A idéia de ver o filho colocado numa situação tão incômoda provocou náuseas em Tehmina.

— Mamãe, o que foi? — indagou Percy. — Que foi que eu disse que a está deixando com essa cara?

Ela o fitou, sem se incomodar em impedir que as lágrimas lhe assomassem aos olhos.

— Eu não sabia que as crianças sentiam necessidade de uma casa maior. Tenho feito muito esforço, nestes últimos meses, para lhes dar privacidade.

Percy respirou fundo.

— Ah, por Deus, mamãe. Não leve isso a mal. Por favor! Escute, aqui neste país é diferente. As pessoas não têm o costume de morar com os pais, e por isso... por isso precisam de mais espaço e privacidade, certo? Não é nada contra você, sinceramente. Meu Deus, já ouvi a Susan dizer que prefere morar com você a conviver com qualquer dos parentes dela.

E, de qualquer modo, o Sorab vinha planejando comprar uma casa maior, independentemente de você se mudar para cá ou não.

Tehmina ouviu a hesitação na voz de Percy diante dessa evidente inverdade. Ele não sabe mentir, pensou. Não é uma boa qualidade num advogado.

— Vamos voltar para a festa, sim? — sugeriu Themina, levantando-se da cama. Tentou dar à voz um tom leve. Mas seu coração estava frio.

— COMO FOI? — SUSSURROU Sorab a Percy. Os dois estavam no bar, servindo suas bebidas e as de suas mulheres.

Percy abanou a cabeça.

— Não sei. Acho que cometi uma gafe — e se virou para o amigo, aborrecido. — *Saala*, por que não me disse que vocês não tinham mencionado a ela seu projeto de comprar uma casa nova?

Sorab o encarou.

— Você disse isso a ela?

— Bem, sim. Como é que eu ia saber que você tinha mantido isso em segredo, porra? Só achei que isso a ajudaria a perceber que o tempo estava ficando apertado.

— Ótimo. Nada é tão ruim que não possa piorar. Parabéns, Percy. Sei o que ela vai pensar: que estamos cansados da presença dela, ou coisa assim.

— É exatamente isso que ela acha. Quer dizer, é o que eu penso, enfim. Quem é que vai saber o que se passa na cabeça das mulheres? Não importa se elas têm doze ou oitenta anos, é a mesma coisa.

— Ah, poupe-me das suas cantilenas de praxe sobre a astúcia das mulheres. Será que podemos voltar ao assunto da minha mãe, por favor?

— Tudo bem. Claro. Só que não sei o que lhe dizer — concordou Percy, com um suspiro. — Qualquer norte-americana legítima agarraria num minuto a chance de se mudar para uma casa nova. Mas não as nossas mulheres indianas, ah, não! Elas têm que meter na situação um melodrama e uma intriga psicológica suficientes para fazer os desgraçados do Freud e do Jung darem voltas na sepultura.

A despeito de si mesmo, Sorab riu.

— Vá se danar, Percy. Primeiro você dá com a língua nos dentes com a mamãe, e agora vem tentar acobertar a droga do seu erro com um ataque generalizado contra todas as indianas.

— Eu me declaro culpado. Escute, vamos apenas deixar passar as próximas semanas, *achcha*? Eu volto a conversar com ela depois do dia 1º.

Os dois voltaram para onde Susan e Julie estavam. Sorab relanceou os olhos pela sala, à procura da mãe, e a viu sentada no sofá, ao lado de outra senhora idosa que viera da Índia visitar a filha.

— Aqui está, meu bem — disse ele, entregando a Susan uma taça de vinho tinto.

Julie e Percy bebericaram seus drinques.

— Ah! — suspirou Julie. — Ninguém faz um gim-tônica mais perfeito do que o meu marido.

Como as três esposas anteriores de Percy, Julie também era loura e miúda. Fazia Sorab lembrar-se de Pattie Boyd, a modelo que se casara com George Harrison. Distraído, ele se perguntou onde Percy arranjava todas aquelas mulheres, que pareciam ter saído de uma fábrica de louras miúdas. Mas Julie tinha um traço de dureza que contrariava sua presença minúscula. E, pela primeira vez, Percy dera a entender que era receptivo à idéia de ter filhos. Com as primeiras três esposas, ele fora firme a respeito do fato de que não desejava ser pai. Em muitas ocasiões, Sorab havia pensado que essa era a única área em que podia observar as cicatrizes que os maus-tratos infantis tinham imprimido em Percy. Em todos os outros aspectos, ele realmente parecia ter deixado o passado para trás, chegando ao ponto de visitar o pai uma vez por ano, no pequeno apartamento que havia comprado para ele, alguns anos antes. Mas sua recusa definitiva a ter filhos sempre parecera reveladora a Sorab, especialmente levando-se em conta que Percy era doido pelo Cookie e o enchia de presentes. Saber que o melhor amigo tinha fechado as portas à possibilidade da maior felicidade de sua vida sempre entristecia Sorab.

Nesse momento, sentindo-se alegremente alto com sua segunda cerveja, ele se voltou para Julie e disse, com um sorriso:

— Você tem sido uma influência muito civilizadora nesse bárbaro. E por isso todos nós lhe somos gratos.

— Ah, é só me dar mais alguns anos — retrucou Julie. — Vocês vão achar que ele freqüentou um curso de etiqueta, ou coisa parecida.

Julie estava sorrindo, mas algo em sua voz fez Sorab acreditar no que ela dizia, e isso lhe trouxe um pouco de pânico. Na verdade, ele não queria que Percy se *modificasse*, nada disso. Seu amigo já era perfeito do jeito que era.

— Muitíssimo obrigado, *yaar* — interveio Percy. — Até o meu melhor amigo revelou-se um traidor.

— E tem outra coisa — disse Julie, num tom que fez Sorab perceber que ela também estava meio alta. — Há uma coisa que eu deixei clara para o Percy: chega de divórcios. Não sou do tipo que se divorcia, entendeu? Meu jogo é para valer. Portanto, eu cheguei para ficar, benzinho.

De repente, Sorab se deu conta de que não gostava muito de Julie, e reconhecer esse fato o deprimiu. Havia nela um quê meio crocante e duro, como as castanhas-de-caju adocicadas *chikki*, que eles costumavam comer quando garotos, bem à moda indiana. Para se consolar, ele pegou a mão de Susan e a apertou. Sua mulher retribuiu e, num momento eletrizante, Sorab percebeu que ela acabara de ler sua mente e de lhe afirmar que concordava com sua avaliação. Depois de tantos anos de casamento, ele ainda ficava perplexo com a perspicácia de Susan e com a linguagem taquigráfica que funcionava entre os dois. Isso tornava muito mais fáceis de levar todos os aspectos menos palatáveis do casamento, essa ligação que havia entre eles. Nenhuma pessoa no mundo era capaz de adivinhar seus pensamentos como Susan. Às vezes, ele detestava isso em sua mulher, porque lhe dava a sensação de estar tão nu quanto numa radiografia. Mas, nesse momento, seu coração se encheu de amor pela mulher inteligente e perspicaz parada a seu lado.

Sorab queria muito que Percy tivesse o mesmo tipo de companheirismo e apoio que ele havia encontrado no casamento. Mas teve uma súbita percepção de que o amigo jamais desfrutaria do que ele tinha — a estabilidade serena do amor, o aconchego de uma família. A percepção de que a infância criara nele um vazio que nada seria capaz de preencher. Talvez, se Percy encontrasse uma mulher estável e inteligente como Susan, tivesse alguma chance. Mas aí é que estava o problema — Percy jamais procuraria alguém como Susan, uma mulher capaz de derrubar suas defesas, de ameaçar sua postura inconseqüente e de exigir ser levada a sério como ser humano. Ao contrário, ele passaria a vida correndo atrás de uma coisa que mal conseguia definir ou descrever, tentando saciar uma fome insaciável, e depois, por pura frustração, se conformaria com alguém como Julie ou Karen, ou — como era mesmo o nome da segunda mulher? — Verônica. Mulheres de cintura fina e unhas dos pés pintadas, que não constituíam qualquer ameaça para ele, que claramente não eram seus pares intelectuais e que se sentiam mais à vontade nos salões de beleza do que nas bibliotecas.

Sorab nunca havia pensado em nada disso até então, e tomou outra golada de cerveja para afastar o sentimento triste e pesado que se abatia sobre ele. Como seria ter um bebê com uma mulher como Julie?, perguntou-se. Que tipo de vida essa criança levaria, com pais que também eram crianças, que freqüentavam boates todo fim de semana? Será que o Percy poderia mudar, crescer? Ou seria uma pálida cópia do pai — mais bondoso, com certeza, e seguramente não violento, porém um pai cuja ganância sempre viria antes das necessidades de uma simples criança? Quanto a Julie, Sorab simplesmente não sabia que tipo de mãe ela viria a ser. Até essa noite, ele tinha gostado de Julie, achado que ela seria boa para Percy, e se comovera com suas tentativas de aprender a preparar pratos indianos. Agora, de repente, vinha-lhe uma azia, um gosto amargo na boca que ele sabia não provir da cerveja. Talvez ele estivesse apenas projetando maciçamente em Percy sua própria insatisfação, seu sentimento incômodo de fracasso.

Mas que porra era essa que o estava deixando tão infeliz? Ele não acabara de fazer uma comparação favorável de sua mulher com uma outra que era pelo menos oito anos mais jovem? Não era sua mãe que estava sentada ali no sofá, dando ao mundo inteiro a impressão de estar perfeitamente integrada a essa sala, com todos os seus outros amigos? Não tinha sido ainda ontem que ele ficara todo choroso ao ver a mãe e o filho juntos no shopping?

— Meu bem — murmurou Susan. — Você já bebeu o bastante. Por que não muda para uma Coca-Cola, ou algo assim?

Percy deu uma risada alta.

— Dominados pelas mulheres, é isso que nós todos somos, os homens parses — comentou, e se virou para Susan. — Minha querida, houve época em que o seu marido era capaz de tomar mais cerveja do que qualquer outra pessoa da faculdade — e deu uma cutucada na barriga de Sorab. — É claro que isso foi há quase vinte anos, e essa barriga dele não era nem de longe tão... hum... tão próspera.

Perin Jasawala aproximou-se do grupo, sorridente:

— Bom, Percy, você acaba de estabelecer um recorde mundial. Afinal, o bufê está servido na sala de jantar há dois minutos inteiros, e você ainda está aqui.

— Ora, desde que me casei com a Julie, eu sou um homem satisfeito — declarou ele, dando uma piscadela para todos. — Estou falando do fato de ela estar aprendendo a preparar pratos parses, é claro... Embora possa acrescentar que também estou satisfeito em... hum... outros cômodos da casa, se vocês me entendem. E é por isso que posso resistir aos aromas que vêm da sua cozinha, Perin. Pelo menos por um ou dois minutos, é claro.

Perin afastou-se, comentando entre risadas:

— Bem, o jantar está servido. É um autêntico cardápio de casamento parse, embora o *patra-ni-macchi* esteja envolto em papel manteiga. A moça que preparou o bufê não conseguiu encontrar folhas de bananeira.

— Folhas ou papel, quem é que se importa? É do peixe que estou atrás, não dessa merda que o envolve — resmungou Percy. Deu uma espiada em volta e disse: — Cadê a mamãe? *Arre*, Sorab, vá buscá-la, *yaar*. Se ela continuar sentada naquele sofá, escutando as histórias maçantes daquela velha, é capaz de virar um fóssil, ou coisa parecida.

PARSES, PENSOU TEHMINA. Podiam vir para os Estados Unidos, freqüentar as faculdades de maior prestígio, diplomar-se nos graus mais elevados, casar-se com norte-americanas, falar com sotaque norte-americano e possuir carros e casas sofisticados. Mas nada era capaz de mudar os hábitos alimentares de um parse, ou diminuir sua paixão por pratos condimentados. Em matéria de comida, eles continuavam a ser *khadras*, gulosos como sempre. Bastava olhar para esse grupo de gente rica e sofisticada, admirou-se ela, com ar divertido. Eles continuavam a se portar exatamente como faziam os parses nos casamentos em Bombaim — obcecados com a busca do alimento. Essa era uma grande recepção — pelo menos cinqüenta convidados, calculou Tehmina —, mas Homi e Perin haviam servido comida suficiente para alimentar o dobro de gente. Ainda assim, a fartura só fazia deixar os convidados ainda mais delirantes, quando os aromas dos pratos que eles adoravam e dos quais sentiam saudade — as *farchas* de frango frito, marinado naquela deliciosa mistura de temperos que era o massala; o peixe defumado, coberto de *chutney* verde; o *pullao* de cordeiro — lhes assaltavam as narinas. Eles não estavam propriamente disputando a tapas um lugar melhor na longa mesa de jantar — eram sofisticados demais para isso —, mas o ar estava carregado de sua urgência e impaciência.

Susan se aproximou com um sorriso de onde Tehmina se encostara na parede.

— Um espetáculo e tanto, hein, mamãe? Você acha que os homens vão se lembrar de também servir um prato para nós, depois de chegarem perto da comida?

Tehmina retribuiu o sorriso.

— É, essa é a comunidade parse no que ela tem de melhor. Acho que eles não se portam na América de maneira muito diferente do que fazem na Índia.

— Bem, graças a Deus é um bufê. Se fosse um jantar com lugares à mesa, eles ficariam parados atrás das cadeiras dos convidados, esperando que eles terminassem.

— Você se lembra disso? — perguntou Tehmina.

— Nossa, mamãe, como é que eu poderia esquecer? Lembra-se daquela recepção que você e o papai Rustom nos ofereceram em Bombaim, depois de nós nos casarmos? Puxa, pensei que eu nunca fosse conseguir me sentar para comer naquela noite, do jeito que as pessoas esperavam para agarrar as mesas.

— É um costume estranho esse de comer em turnos — disse Tehmina, pensativa.

Por mais supérfluo que fosse esse gesto, Perin circulava pela grande sala de jantar, exortando os convidados a encherem os pratos, a não serem tímidos. Tehmina sabia que isso era o remanescente de um costume indiano e ficou contente por Perin praticá-lo, mesmo percebendo o quanto era desnecessário. Ainda assim, era melhor do que o que ela havia observado nas casas dos amigos norte-americanos de Susan e Sorab. Depois de todas as suas visitas aos Estados Unidos, ela continuava pasma diante da prática de não se insistir com os convidados — ou até forçá-los — para que repetissem a comida. Uma vez, quando eles tinham ido à casa de um colega de Sorab, Bob Carol, para um jantar em que fora servido um bufê, os anfitriões, na verdade, haviam recolhido a comida enquanto eles ainda estavam lá. "Ah, que bom! Sobra mais para nós!", dissera a mulher de Bob. E, apesar de ter percebido a piada bem-humorada na voz dela, Tehmina ficara estarrecida. A idéia de não insistir para que os convidados tornassem a se servir lhe era tão estranha quanto seria comer com as mãos, para a maioria dos norte-americanos. A única exceção a isso havia ocorrido quando eles jantaram na casa de Eva, em sua última visita. Até Solomon se alvoroçara em volta deles, como se estivessem todos em Bombaim, enchendo suas taças de vinho toda vez que eles bebiam um gole, enquanto Eva amontoava comida em seus pratos sem lhes pedir permissão. Susan havia detestado aquilo, declarando que era o cúmulo da grosseria, mas Tehmina se refestelara no calor humano que havia por trás daquele gesto.

Ao olhar para todos aqueles pratos, o pensamento de Tehmina voou para Josh e Jerome. Que estariam fazendo nessa noite?, perguntava-se. Será que já tinham jantado? Haveria uma luminosa árvore de Natal em sua sala de estar, como na dos Jasawala? Será que aquela mãe deles tinha realmente comprado alguma coisa para os meninos? E quando Tehmina teria a chance de lhes dar os presentes que ela e Cookie haviam escolhido para os dois?

Perin, que conseguira passar por entre os convidados e chegar até elas, interrompeu seus pensamentos.

— Susan. Tehmi. Por que vocês não estão comendo? — exclamou.

— O Sorab e o Percy estão servindo os nossos pratos — respondeu Susan.

— Ah, está bem. Ótimo, ótimo. Escutem, como sempre, encomendamos comida demais. O meu Homi tem essa fobia de que falte alguma coisa. Por isso, como de praxe, nós exageramos. Portanto, lembrem-se de preparar um pacotinho para levar, está bem? Por favor!

— Vamos ver, vamos ver — murmurou Tehmina. Por mais que gostasse de dar, ela detestava receber presentes das pessoas.

Mas Susan se manifestou.

— Puxa, Perin, seria esplêndido. Obrigada. Assim não terei que me preocupar com o que vou preparar para o meu almoço e o do Sorab amanhã. Se bem que, vendo como esses parses estão atacando a comida, pode ser que estejamos sendo indevidamente otimistas — acrescentou, com uma risada.

— Ah, meu bem, não. Você precisa ver a quantidade de comida que tem na cozinha! — disse Perin, e deu uma olhada em volta. — O Cookie está jantando na outra sala com as crianças? Ótimo. Encomendamos pizza e milk-shakes para a garotada. Espero que ele goste dos dois.

— Você realmente pensou em tudo, Perin. Obrigada — disse Tehmina.

Perin abriu um sorriso largo e franco, que lhe transformou o rosto.

— Ah, não foi nada. Gostamos de passar bons momentos com os amigos.

De repente, inclinou-se para frente e deu um abraço em Tehmina, dizendo:

— É muito bom ter você aqui, Tehmi. Você é um acréscimo maravilhoso ao nosso grupo. E quando é que vai se decidir e nos tirar a todos deste sofrimento?

O escritório de Perin é que cuidaria de seus papéis da imigração, percebeu Tehmina. E se perguntou se Percy a vinha mantendo a par de todos os desdobramentos.

— Em breve, espero — respondeu em tom débil. — Só estou esperando passarem as festas.

— Ah, as festas! — suspirou Perin. — A que pressão elas submetem todo o mundo! Mesmo assim, é difícil acreditar que só faltam três dias para o Natal.

CAPÍTULO ONZE

O RUGIDO RECOMEÇOU e Sorab ficou tenso. Que diabo mamãe estava fazendo de pé, tão cedo? Virou a cabeça para longe dos sons que vinham do banheiro e sentiu uma dor lancinante entre os olhos. Tenho que parar de beber tanto, pensou, grogue de sono. Ele e Susan haviam bebido demais na casa de Homi, na véspera. E agora a última coisa de que precisavam era serem acordados pelas artimanhas de Tehmina. Sorab abriu um olho cauteloso e deu uma espiada em Susan, esperando vê-la resmungando. Por sorte, no entanto, encontrou-a sorrindo.

Mamãe estava no banheiro, retumbando para o mundo inteiro como um leão enjaulado. Ela sempre fizera esses sons desagradáveis e altos ao escovar os dentes e a língua. Quando menino, Sorab achava hilariante a idéia de que sua mãe, tão meiga, tolerante e equilibrada, tivesse dentro de si um animal feroz. "Grrrrrrrrrrrr. Grrrrrrrrrrrr", rugia ele a plenos pulmões, correndo pelo apartamento, imitando a mãe e implicando com ela, até que seu pai, também às gargalhadas, lhe pedia para parar.

"Mas, papai, por que ela faz esses barulhos estranhos?", perguntara uma vez, e Rustom dera de ombros.

"É só uma de suas idiossincrasias" fora a resposta.

"E o que isso quer dizer?"

"Idiossincrasias? Significa... é o que faz as pessoas serem quem são."

Sorab estava tão acostumado a ouvir a mãe soltar seu leão interno no banheiro, que mal havia reparado em seus gargarejos furiosos na primeira vez em que os pais o visitaram depois do casamento. Mas Susan sentara-se na cama, esfregando os olhos para afastar o sono:

"Que... que merda de barulho é esse?"

Ele havia enrubescido:

"É só... esqueci de lhe dizer. É a minha mãe gargarejando. Ela sempre faz esses ruídos engraçados com a garganta."

Susan o havia olhado, incrédula:

"Você só pode estar brincando. Meu Deus, parece um trem de carga passando pela casa!"

Como que para comprovar que Susan tinha razão, Tehmina emitira um gorgolejo particularmente alto, seguido pelo som inconfundível de uma escarrada na pia. Susan se encolhera visivelmente.

"Mas, que diabo ela *está fazendo*?"

Sorab puxara a mulher para si:

"Ora, vamos, benzinho. Ela está velha e tem hábitos arraigados. É só ignorá-la. É só... pôr isso na conta de uma diferença cultural, está bem?"

E Sorab havia rezado fervorosamente para que a mãe lavasse a pia antes de sair do banheiro. Susan era maníaca por limpeza, ele sabia. Uma vez o fizera lavar e secar a pia, por ele ter deixado uma mancha de sabonete na cuba.

Susan levantara as sobrancelhas:

"Diferença cultural uma ova. Se um dia eu o ouvir fazendo essa algazarra no banheiro, meu querido Sorab, no dia seguinte eu peço o divórcio", afirmara. Mas estava sorrindo.

Dois anos depois dessa primeira visita, os dois tinham ido ver os pais dele em Bombaim, e Rustom tivera a brilhante idéia de levar o filho e a nora a Goa, de trem. "É uma boa maneira de ver a zona rural", dissera a Susan. "É lá que a Índia vive, nos vilarejos, sabe?"

Nessa viagem de trem é que Sorab se dera conta de que agora era um membro oficial da classe média norte-americana. Embora seu pai tivesse gastado muito dinheiro para lhes arranjar assentos reservados na primeira classe, num vagão com ar-refrigerado, tudo o que dizia respeito ao trem lhe causava repulsa. Sorab havia notado os cobertores puídos que lhes deram para estender sobre a madeira dura das camas-beliches desmontáveis, os lençóis surrados e finos, com jeito de sujos, e as manchas de *paan*, a erva que muitos passageiros mascavam e depois cuspiam, no canto do vagão de carga. Acima de tudo, ele reparara no estado de indizível imundície dos banheiros. Rezara fervorosamente para que o toalete feminino estivesse em melhores condições que o masculino — afinal, ele tinha a vantagem de poder descer do trem numa de suas muitas paradas e se aliviar numa moita atrás das estações desertas —, mas uma olhadela para o rosto pálido e chocado de Susan fora o bastante para lhe dizer que suas preces não tinham sido atendidas.

"Quanto tempo leva essa viagem de trem?", cochichara ela, certificando-se de não deixar os pais de Sorab ouvirem.

"Não sei. Pelos menos umas doze ou treze horas."

"Então, vou ter de agüentar. Não há a mais remota possibilidade de eu entrar lá de novo."

Às seis da manhã, o trem fizera uma parada de meia hora numa estação rural e todos desceram para apanhar um pouco de ar.

"Você quer... quer dar uma volta, para ver se há um lugar em que possa ir?", perguntara ele a sua mulher, constrangido. "Eu fico vigiando."

Susan fizera uma careta:

"Não. Só faltam algumas horas. Está tudo bem, desde que eu não pense no assunto."

E, nesse momento, eles ouviram. E viram. Vários outros passageiros também haviam desembarcado do trem e parado ao longo da plataforma, com garrafinhas plásticas de água. E estavam escovando os dentes, cuspindo e escarrando nos trilhos. Ao que parecia, todo o mundo gargarejava furiosamente e escarrava com ferocidade. Era como se Tehmina houvesse gerado uma porção de discípulos.

"Caramba!", dissera Susan, com uma espécie de assombro na voz. "Não é só a sua mãe. É a Índia inteira!"

Sorab irritara-se, como fazia sempre que ela tecia um comentário generalizado sobre tudo que era indiano.

"Por favor, Susan, não exagere. Não é a Índia *inteira*. São apenas algumas... algumas pessoas rudes."

Mas Susan tinha se afastado, com um brilho nos olhos.

"Putz! Esse é um traço nacional autêntico, dogmático. Não negue, meu bem. Cruz credo! Um país inteiro em que as pessoas fazem amor quietinhas feito camundongos, mas gargarejam e pigarreiam feito tigres selvagens! Um país em que não se pode andar de mãos dadas com o próprio marido na rua, sem ser alvo de olhares severos, mas onde é possível praticar os rituais mais íntimos em público!"

A despeito de si mesmo, Sorab tinha rido:

"Agora você teve uma boa sacada. É uma ótima observação."

"De que vocês estão rindo?", indagara Rustom, que se havia aproximado por trás deles.

"Ah, não é nada, papai. Eu só estava mostrando à Susan as paisagens e os sons da nossa Mãe Índia", rira Sorab, apontando com um gesto largo para o cenário formado pela fileira de pessoas à sua frente.

"Ah, sim. Nossas queridas Manibens e nossos amados Pandovjis em ação", comentara Rustom. Nesse exato momento, um homem de calças *dhoti* brancas dera uma escarrada particularmente ruidosa, e Rustom estremecera. Mas se recuperara quase de imediato: "Olhem só para aquele sujeito ali. Ele pensa que é um homem viril e saudável, com seu gargarejo vigoroso e sabe-se lá o que mais. *Saala*, que imbecil! A minha Tehmi seria capaz de transformá-lo num camundongo com um de seus sonoros gorgolejos. A simples força de uma das demonstrações dela seria capaz de atirá-lo daqui até Goa, ida e volta."

Sorab achava que Susan se havia resignado com esse hábito lamentável de Tehmina fazia muito tempo. Mas essa visita era muito diferente de qualquer das anteriores. Para começar, seu pai não estava presente desta vez — seu pai, que sempre soubera fazer Susan rir, que implicava com a própria mulher, adulava a nora e mantinha com o filho uma solidariedade zombeteiramente enfadada, com base na masculinidade comum aos dois. E, nesta visita, mamãe se estava demorando muito mais do que nas habituais estadas de quatro semanas, de antigamente. Isso se dera por insistência dele, é claro, o que o fazia sentir ainda mais remorso por ter gritado com ela, depois do telefonema de Persis em plena madrugada, por tê-la culpado por uma situação que não era da responsabilidade dela. Sorab lembrou-se do que Percy lhe dissera na noite anterior:

"*Saala*, tem certeza de que é isso que você quer: que a sua mãe more aqui em caráter permanente? Não é fácil, sabe? E, depois que você a fizer vender o apartamento de Bombaim e tudo mais, é um caminho sem volta. Não seria justo com ela, você sabe disso."

"Às vezes é difícil, mas daremos um jeito", respondera Sorab, com uma animação que não sentia. "A Susan também está convencida de que é a coisa certa a fazer."

E, nesse momento, ao observar a expressão compadecida e indulgente da mulher, ele teve certeza de que os dois estavam tomando a decisão certa.

— É melhor ela parar logo com essa imitação de trem de carga. Preciso muito dar uma mijada — resmungou Sorab.

— Então, tire esse seu rabo preguiçoso da cama e vá usar o banheiro lá embaixo.

Ele bocejou.

— Não quero. Além disso, tenho que tomar uma chuveirada rápida, assim que ela sair. A Grace convocou uma reunião para as oito da manhã. Para examinar a programação de férias de todo o mundo, entre outras coisas.

Susan soltou um grunhido.

— Aquela mulher é uma megera. Deus do céu, por que o Malcolm tinha que se aposentar?

Sorab abriu a boca para responder, mas, nesse exato momento, Tehmina emitiu um rosnado particularmente agressivo, e ele cobriu instintivamente sua cabeça e a de Susan com o edredom. Embaixo das cobertas, ambos riram feito crianças.

— Acho que esse foi o *gran finale* — cochichou ele, abraçando a cintura da mulher e notando que o corpo dela sacudia, de tanto prender o riso.

— Parecem os fogos de 4 de Julho — cochichou Susan de volta. — Toda manhã ela constrói o clímax.

Sorab pensou nas muitas manhãs dessa visita em que nem ele nem a mulher tinham sido tão indulgentes com as abluções matinais de sua mãe, manhãs em que, ao primeiro som dos rugidos de Tehmina no banheiro, Susan resmungava e virava de lado, tapando a cabeça com o travesseiro. Nessas ocasiões, ele se sentira dilacerado entre uma gama de sentimentos contraditórios — insatisfação com a idiossincrasia atipicamente grosseira da mãe, irritação com a resposta intolerante de sua mulher. Nessa manhã, cheio de gratidão pela intimidade dos dois, apertou a mão de Susan:

— Eu já disse que te amo?

Ela se virou para o marido, que notou a crosta em torno de seus olhos ainda sonolentos, e disse:

— Hoje eu estou me sentindo feliz.

Sorab riu de pura alegria e, para disfarçar, comentou:

— É impressionante o que duas taças de bom vinho podem fazer com a minha garota.

— Ei, eu nunca disse que não era fácil. Sou uma garota barata, você sabe.

— É, até parece. Nesse caso, posso devolver as caixas de som que acabei de mandar instalar no seu carro?

Susan deu-lhe um sorriso meigo.

— É claro que pode, benzinho. E, depois, você faz jejum sexual pelo resto da vida.

— Por falar nisso... — disse ele, fazendo um cálculo rápido enquanto puxava o corpo da mulher para junto do seu. Haveria tempo para fazer amor e ainda chegar ao escritório às oito. Suas mãos pegaram a bainha da camisola de Susan e, depois de suspendê-la acima da cintura, apertaram as nádegas da mulher.

— Epa, devagar aí, caubói! — disse ela, mas também já comprimia seu corpo contra o dele.

Sorab desatou às pressas o cordão das calças do pijama e beijou-a com ardor, aninhando fundo a língua em sua boca, que tinha gosto de sono e de sal. No entanto, mesmo ao colocar-se em cima dela, mesmo ao se perder na acolhida de seu corpo, parte dele estava alerta, distraída. Sorab tinha aguda consciência do fato de sua mãe estar a poucos metros de distância, enquanto ele transava com sua mulher. Sufocou de beijos a boca de Susan, sabendo que o fazia, em parte, para lhe abafar os gemidos baixos, mas inconfundíveis, dela; e, mesmo quando os sussurros febris e incompreensíveis da mulher lhe inundaram os ouvidos, mesmo quando ele sentiu uma força cruel e inexorável inundar-lhe o corpo, ainda ouvia o som dos passos da mãe saindo do banheiro. Ouviu-a entrar no quarto e pôr a escova e a caixa de talco na penteadeira, que ficava encostada na parede entre os dois quartos. Mediu o ritmo dos movimentos de seu quadril, para que a cama não rangesse e revelasse as batidas dolorosas e inconfundíveis. Houve um prazer intenso e confuso na busca de todo esse silêncio, um prazer que o excitou, ao mesmo tempo que o deixou vivamente ressentido de ter que ser tão furtivo. Sorab ouviu o barulho de alguma coisa caindo no quarto ao lado, mas já não se importou, porque nessa hora ele próprio se sentia explodir, como se seu corpo todo fosse uma onda poderosa rebentando nas rochas da praia. Mordeu o lábio, para prender os gemidos que queriam vazar de sua boca, e, ao mesmo tempo, teve a excruciante consciência de que Susan não havia exercido a mesma autodisciplina e gemia sob o seu corpo. Forçou o lado da mão na boca da mulher, que a mordeu com força, causando uma dor que o fez estremecer.

— Bem — disse Susan, minutos depois, apoiada num dos cotovelos, com a mão sob os cabelos dourados. — Esse foi um bom-dia e tanto!

Sorab beijou-lhe a dobra do cotovelo.

— Eu gostaria de trocar esses cumprimentos matinais todos os dias.

— Aposto que sim — disse Susan, com os olhos cor de âmbar, dando-lhe um tapinha de leve no braço. — Se você não se levantar em trinta segundos, roubo sua vaga no banho.

— Já vou, já vou — resmungou ele, afastando as cobertas e pulando da cama. Uma vez de pé, deu mais uma olhadela na esposa sonolenta. — É só vem fundo, neném, obrigada, meu bem — brincou, com ar desdenhoso. — Vocês mulheres são todas iguais, só querem saber do nosso corpo. Eu me sinto tão... usado.

O riso baixinho de Susan o acompanhou na saída do quarto.

Eles tinham reformado o banheiro de cima fazia alguns meses e, parado sob a ducha quente e abundante, Sorab experimentou o profundo sentimento de satisfação que vivia todas as manhãs, quando seus olhos percorriam os ricos azulejos de porcelanato de mármore da parede, os metais e apliques dispendiosos de peltre, a banheira de hidromassagem. Ele levara muitos anos para aceitar o fato de que gostava das boas coisas da vida. Nos primeiros tempos nos Estados Unidos, sentira-se atormentado pela riqueza repentina que o havia tragado. Mesmo quando ainda era um aluno sem recursos da pós-graduação, tinha plena consciência de desfrutar de um padrão de vida que, em certos aspectos, era superior ao de seus pais. E isso apesar de Rustom sempre ter tido uma boa renda e de Sorab nunca ter passado por um dia de aperto ou de miséria. Mas o simples gesto de abrir uma torneira e ver a água quente fluir — tão mais cômodo do que ter que encher um balde de plástico com água tirada do aquecedor elétrico, e depois derramá-la sobre o corpo com uma lata grande de metal — era algo cujo valor lhe era impossível subestimar. No início, ele costumava andar pelas ruas do *campus* e se deslumbrar com o fato de poder tomar três Pepsis por dia sem pensar no preço; admirara-se por poder comprar um Chevy usado, oito meses depois de chegar aos Estados Unidos, e se sentira culpado pelo fato de que encher o tanque do carro custava uma fração do que custaria a seu pai na Índia.

Durante anos, visitar a Índia lhe fora difícil. Os mendigos na rua, os criados em casa, as paredes descuidadas e mal pintadas do apartamento dos pais, a poeira persistente que se depositava sobre todos os pertences deles, apesar da limpeza diária, tudo aquilo o torturava. Ele sentia culpa por tudo — por seu pai ainda dirigir o carro antigo, que nem tinha direção hidráulica, por sua mãe enfrentar terríveis engarrafamentos quando saía para comprar mantimentos, ou pelo fato de homens com três vezes a sua idade chamarem-no de "senhor" ao lhe pedirem dinheiro. Sorab tinha vontade de pedir desculpas pelo açoite implacável das chuvas das monções, pela fúria cruel do sol, pelo lixo nas ruas, pelos esquálidos cães sem dono que vagavam em frente ao prédio, pela barulheira das buzinas no trânsito, pelo cinza turvo das águas poluídas do mar. Afinal, ele havia escapado daquilo tudo — e aquelas pessoas não. Enquanto Sorab morava num prédio residencial em que nunca faltava energia, tomava banho sob uma água confiavelmente quente e respirava um ar cristalino e adocicado, enquanto ele tomava Pepsi na hora em que sentisse vontade e sacava dinheiro de caixas eletrônicos sempre que era necessário; milhões de pessoas — inclusive sua mãe e seu pai — viviam aprisionadas numa cidade quente, poluída, superpopulosa, empobrecida e decrépita, na qual as únicas coisas confiáveis eram o caos e a imprevisibilidade. E o pior era que, como estudante de pós-graduação, ele realmente não dispunha de nenhum dinheiro extra com que ajudar qualquer dessas pessoas.

Sorab tinha mudado, ponderou nesse momento. O estímulo da novidade e o encanto da exploração já se haviam desgastado. Cada carro adquirido por ele, depois do Chevy inicial, tinha sido mais caro e mais repleto de acessórios. E agora ele se permitia desfrutar das coisas que a riqueza podia comprar. Tinha que agradecer a Susan por isso. Seu senso norte-americano de ter direito a tudo — não, talvez isso não fosse verdadeiramente justo, talvez se tratasse de seu senso norte-americano de otimismo, de desenvoltura com as coisas boas da vida — finalmente o havia contagiado. Agora Sorab desfrutava de suas posses. Dizia a si mesmo, repetidamente, que dava um duro desgraçado pelo que possuía — não recebera nada de graça. Lembrava a si mesmo que tinha chegado a esse país com seiscentos dólares no bolso. Tudo o que ele possuía, tudo — automóvel, aparelho de som, divã, louça, casa — tivera que ser conquistado com o trabalho.

Alisou delicadamente a lajota de mármore. Adorava sua frieza úmida, aquele acetinado sensual, muito parecido com a branca maciez da parte interna das coxas de Susan. Você terá que tomar um banho frio se continuar nessa linha de pensamento, riu consigo mesmo. Em vez disso, aumentou a temperatura da água até deixá-la escaldante e regulou o massageador do chuveiro para fazê-lo pulsar sobre o ponto dolorido no alto das costas. Ao se ensaboar, olhou com desagrado para a camada extra de flacidez na barriga. *Saala*, você precisa voltar para a academia, disse a si mesmo. Por um instante, pensou com saudade no garoto esguio e sarado que ele fora ao chegar aos Estados Unidos, aos vinte e um anos de idade. Durante anos, apesar da dieta baseada em Pepsis e Big Macs de seus primeiros dois anos de pós-graduação, ele conseguira combater a maldição norte-americana da obesidade. No início do namoro com Susan, ela comentava com freqüência sobre as maçãs altas de seu rosto e falava do quanto suas faces encovadas chamavam atenção para seus olhos negros e fogosos. Quando os dois faziam amor, ela costumava correr os dedos pelos ossos de sua caixa torácica e alisar sua barriga chata e firme. Terei que engordar você, murmurava, mas seu olhar de admiração desmentia suas palavras.

Sorab beliscou a gordurinha extra na barriga, segurando-a entre o polegar e o indicador. Nove quilos, disse a si mesmo, embora eu até me conformasse em perder apenas sete. E chega de comer demais neste período das festas. Todas essas comemorações e mais os biscoitos e doces que o pessoal anda levando para o escritório estão acabando comigo. E a primeira coisa que farei em janeiro será me matricular numa academia. No entanto, no instante mesmo em que tomou essa decisão, ele pensou em como seria difícil mantê-la. Ter a mãe por perto era como ter, de uma hora para outra, um segundo filho por quem ele se sentia responsável. Todas as tardes, Sorab chegava do trabalho e se sentia obrigado a passar algum tempo com ela, sabendo que a mãe estivera sozinha em casa o dia inteiro, sabendo o quanto essa sua vida de subúrbio devia parecer pálida, entediante e solitária para ela, comparada à vida colorida, atarefada, ativa e cheia de gente que ela levava em Bombaim. Aqui, com as janelas fechadas por causa do inverno, a casa parecia vedada e silenciosa como um túmulo. Lá, a sacada aberta deixava entrarem no apartamento os sons da cidade, os sons da *vida*, como de repente pareceu a Sorab — os gritos agudos e nasalados dos fruteiros, o choro das crianças, o chiado seco dos ônibus da BEST — a empresa pública de eletricidade e transporte de Bombaim —, o estardalhaço incessante das buzinas. Lá, a campainha da porta tocava pelo menos cinqüenta vezes por dia, à chegada do jornaleiro, do açougueiro, do *doodhwalla*, que levava o leite, dos criados, e dos vizinhos e amigos que porventura estivessem nas imediações. Aqui, Tehmina podia passar uma semana inteira sem atender à porta. Graças a Deus por Eva Metzembaum, pensou Sorab. Ao menos ela faz mamãe sair de casa umas duas vezes por semana.

Com súbito pavor, Sorab pensou nos meses longos, frios e árduos do inverno que a esperava. Por enquanto, havia a animação das festas natalinas, as idas constantes ao shopping, o planejamento dos cardápios, a agitação das recepções. Até o tempo andava incomumente ameno para dezembro, e eles tinham inclusive experimentado uns dois dias de céu azul, em vez do plúmbeo descolorido que Sorab costumava descrever como "cinza Ohio". Mas o que faria mamãe, inteiramente só, durante os meses de inverno? Ele poderia animá-la a fazer algum curso no Centro Comunitário, talvez, mas, nesse caso, haveria a questão do transporte. Cidadezinha filha-da-puta essa Rosemont Heights, pensou Sorab. Tantos impostos, e nem ao menos um sistema decente de transporte público.

Ele saiu da banheira e se descobriu trêmulo, apesar do calor enfumaçado do banheiro. Pegou depressa a toalha, imaginando-se com frio, até de repente reconhecer a origem de seu tremor. Estava com medo. Medo do futuro que o esperava — que os esperava a todos. Essa situação com a mamãe é uma aposta alta, pensou. E se ela acabar detestando isto aqui? E se não conseguir suportar o frio do lugar — não só o frio do inverno, mas o de uma vida esvaziada de barulho, cor, multidões e alvoroço? A vida que ele levava neste país era um quadro pastoril, comparada à tumultuada paisagem urbana da vida de sua mãe. Pessoalmente, ele passara a apreciar e até a gostar da solidão, da desolação da paisagem hibernal. Mas e ela?

Sorab achou que estava pedindo demais à mãe. Abrir mão de sua pátria, dos amigos, de um apartamento com milhares de lembranças felizes, de uma cidade cuja própria existência pulsava no sangue dela, cujo ritmo enlouquecido e maníaco era o batimento de seu coração. E em troca de quê? Em troca... dele mesmo. E, até certo ponto, do neto. De repente, ele percebeu como sua oferta era pretensiosa. Que tinha realmente a oferecer à mãe, exceto o aconchego da família, a proximidade da pessoa a quem ela amava mais do que à própria vida? Será que era muito? Seria o bastante?

Sorab sentiu-se pequeno, aquém da tarefa. A magnitude do que estava fazendo, do que vinha pedindo à mãe para fazer, atingiu-o em cheio. Ele parou no meio do banheiro, esfregando vigorosamente a toalha nas costas e no peito, tentando infundir calor e vitalidade nos músculos subitamente frios. Mas nada apagava o bolo gelado que se formava na boca de seu estômago.

Tudo lhe parecera muito claro nos dias seguintes à morte do pai. Ele havia passado seis semanas em Bombaim (graças a Deus, o bom e velho Malcolm ainda estava na empresa nessa época; se fosse a Grace, ela teria exigido que ele voltasse superextraordinariamente depressa, logo depois do funeral), reunindo-se com advogados e contadores, cuidando de todos os papéis do pai. Sua mãe parecia um zumbi naqueles dias, recebendo ordens dele, acatando-o em todas as grandes decisões financeiras, andando de um lado para outro num torpor de choque e luto. É impossível, ela ficava repetindo. O Rustom não pode ter morrido. Houve um engano.

A primeira vez que Sorab lhe sugerira que se mudasse permanentemente para os Estados Unidos tinha sido um simples gesto de bondade, um modo de construir com palavras uma corda para içá-la das águas lodosas do luto em que ela se estava afogando. Você não vai ficar morando aqui sozinha, mamãe, dissera com firmeza, desempenhando o papel do filho responsável, do novo chefe da família. Você vai morar conosco. Vai só resolver os assuntos do papai, depois viverá conosco em Ohio. No entanto, em vez de a resgatarem da tristeza, suas palavras tinham se tornado a corda que o salvara do atordoamento, do desamparo e da culpa. A oferta se transformara em sua saída, em sua maneira de escapar do luto opressivo da mãe, da enormidade da tragédia que se abatera sobre ela. Ajudara-o a sair daquele apartamento que ocupava um lugar tão grande em sua memória, ajudara-o a reduzir a dimensões manejáveis sua própria tristeza sufocante pela morte de um pai a quem havia adorado, e a encontrar coragem para embarcar no avião que o levaria de volta à vida real. Seja forte. Eu a verei nos Estados Unidos dentro de poucos meses. Essas tinham sido suas frases para a mãe no aeroporto, e a recompensa delas fora o brilho de esperança que lampejara por um instante nos olhos opacos de Tehmina.

Sorab lembrou-se de mais uma coisa: do bilhete que entregara à mãe a caminho do aeroporto. Na noite anterior, a última passada em Bombaim, ele ficara sentado na sacada, ouvindo em seu iPod a música "Across the Universe", dos Beatles, e num impulso rabiscara um dos versos num pedaço de papel. Sempre tinha gostado dessa canção, até a havia cantado no show de talentos da escola secundária, e nessa hora, na cadeira de balanço da sacada, apanhara-se com lágrimas descendo pelo rosto. *Limitless, undying love — Um amor ilimitado, imorredouro*, havia murmurado para si mesmo, atendo-se a esse verso como se fosse um rosário, e depois havia pensado no pai e em ter saído de casa aos vinte e um anos, por razões que ainda não lhe estavam claras, e nos anos que havia passado longe, os anos que poderia ter passado desfrutando a companhia do pai, passeando com ele, rindo de suas piadas, contemplando os mesmos pores-do-sol — um milhão de momentos comuns com Rustom, aos quais ele havia renunciado para ter a América. E agora tudo se fora: a oportunidade, o sonho, a possibilidade, o resgate. Acabado. Seu pai estava morto e uma porta se fechara. E então lhe ocorrera a idéia: aí está a magia das palavras de John Lennon, sua generosidade total. Esse é um amor ilimitado, imorredouro, que não restringe, não aprisiona nem retém, mas sai dançando à nossa frente como um espírito luminoso, que atrai e chama até que o sigamos, atravessando todo o universo. Era um tipo de amor diferente do amor dos parses, do amor indiano, que era adepto da acumulação, da proximidade, do não permitir que o outro se vá. Mas, a bem da verdade, seus pais tinham sido geniais, não é? Só agora, agora que ele tinha o Cookie, agora que conhecia a possessividade do amor paterno, é que Sorab era capaz de reconhecer a enormidade do sacrifício deles, o tanto que sua ambição devia ter sido uma facada no coração dos pais. Mesmo assim, eles tinham sorrido e dito sim. Sim para ele, para seus sonhos, para seu futuro, ainda que isso significasse destruir os próprios sonhos deles de futuro.

Sorab havia enxugado as lágrimas do rosto. Olhara para as palavras escritas, que refletiam tão perfeitamente o que ele estava pensando e sentindo, que, por um momento, fora como se ele próprio as houvesse composto. Era isso que sua mãe precisava fazer. Só ele seria capaz de lhe dar isso, agora que seu marido se fora, esse amor ilimitado.

Cabia a ele fazê-la ouvir o canto de sereia dessa letra, convencê-la de que ela precisava acompanhá-lo ao outro lado do universo.

E assim Sorab dera à mãe a letra manuscrita, no dia seguinte, sem uma palavra de explicação. "Venha logo nos ver", segredara no ouvido dela no aeroporto, antes de se encaminhar para onde o avião esperava. E passara a longa viagem de volta planejando a maneira de dar a notícia de sua proposta absurda a Susan. Tinha esperado que ela resistisse e se preparara para ser criticado por sua arrogância, pelo egoísmo de ter dado um passo tão imenso sem consultar sua mulher. Mas quando, dois dias depois de chegar, ele havia gaguejado o que tinha dito à mãe, Susan o olhara com ar de perplexidade, dizendo:

"Eu sei."

"Sabe o quê?"

"Que você propôs que ela viesse morar conosco."

Sorab ficara estarrecido.

"Como é que você podia saber? Nem eu sabia o que estava dizendo, até ouvir as palavras saírem da minha boca. E, depois de dizê-las, aquilo me pareceu a opção mais lógica... não, a única opção que eu tinha."

Susan sorrira:

"Meu querido Sorab, eu o conheço melhor do que você conhece a si mesmo."

"E que diabo significa isso? Quer dizer que você está mesmo zangada?"

"Zangada? Não, de jeito nenhum. É a coisa certa a fazer. Ela está com o quê: sessenta e cinco, sessenta e seis anos? Não pode ficar morando sozinha naquele apartamento, de forma alguma. É provável que nem saiba pagar a conta da luz. Você sabe que o papai fazia tudo. E você vai ficar louco de preocupação toda vez que ela tiver um resfriado ou uma dor de estômago. Não, é claro que ela tem que se mudar para cá."

Sorab havia encarado a mulher com lágrimas nos olhos, sentindo-se subitamente abatido.

"Eu... eu tive tanta certeza..."

"Sorab", dissera Susan, baixinho, "está tudo bem, meu amor. Eu também amo a mamãe, você sabe disso. E é muito fácil conviver com ela, graças a Deus. Vai dar tudo certo. E, depois, é o que o seu pai teria desejado."

Meu Deus, como fomos piegas naquele momento, pensou Sorab. Mas, afinal, como poderíamos saber? Não havia jeito de saber como era mais fácil recebê-los aqui quando papai era vivo. Ele sabia tornar o clima leve em casa com perfeição, era mais fácil lidar com a mamãe tendo-o por perto. E que diferença entre recebê-los para uma visita de algumas semanas, no verão, e ficar com a mamãe aqui durante seis meses, inclusive no inverno, quando a escuridão e o frio conspiravam para nos manter em casa. Só no mês anterior, Sorab já ouvira Susan dar respostas tortas a Tehmina algumas vezes, e tivera de morder a língua e lembrar a si mesmo a pressão que sua mulher vinha sofrendo. Talvez Susan tivesse razão em sua insistência em se mudar para uma casa maior se mamãe concordasse em ficar. Mas a verdade era que a idéia de uma nova hipoteca o deixava nervoso. A desavença com Grace por causa da programação de férias, as numerosas insinuações que ela fizera sobre seu desempenho no trabalho, tudo isso o fazia sentir-se vulnerável no emprego. Aquela mulher era tão imprevisível, tão irracional, que seria capaz até de demiti-lo. E, apesar da inabalável confiança que Susan tinha nele, Sorab não estava tão certo de conseguir outro emprego com rapidez suficiente. A economia andava bem ruinzinha, e os jornais viviam cheios de histórias de antigos vice-presidentes e gerentes que aceitavam empregos por metade de seus salários anteriores. E, a bem da verdade, ele vinha se sentindo lento e meio frouxo nos últimos tempos. Já não tinha a energia e a vivacidade que o haviam transformado numa lenda do marketing aos vinte e seis anos. Os comentários cáusticos de Grace e seus olhares depreciativos haviam destruído alguma coisa nele, e a situação em casa também não vinha ajudando.

Sorab fechou a calça com tanta raiva que, por um instante, pensou que havia quebrado o fecho-ecler. Ao pegar a camisa branca e bem passada, percebeu que estava se demorando, adiando a hora de ir para o trabalho. Pensou em todos os anos em que fora o primeiro a chegar ao escritório, estourando de idéias e de ambição. Desde que ele saíra do curso de pós-graduação, munido de cartas de recomendação cuja efusividade chegava a ser quase embaraçosa, sua ascensão fora contínua e sem esforço. E o mais bonito era que ele fizera isso a seu modo, desarmando os rivais e conquistando a afeição perene de subordinados e chefes. E por isso, aos trinta e oito anos, Sorab Sethna podia andar de cabeça erguida e fazer a notável afirmação de que não tinha um só inimigo no mundo, não conhecia nenhum homem, mulher ou criança que lhe quisesse mal. Essa fora a dádiva que seu pai lhe havia legado, essa capacidade de andar pelo mundo como se passeasse por um jardim perfumado. E isso havia funcionado, tudo havia funcionado, até uma mulher boba e inconseqüente chamada Grace Butler entrar em sua vida.

Os olhos de Sorab encheram-se de lágrimas, que ultimamente surgiam com muita facilidade. Porra, pensou ele. Você acabou de sair do chuveiro, seu idiota. Que é que vai fazer, aparecer na reunião com cara de choro? E qual pensa que será a reação da mamãe, se você descer para o café parecendo aquele quadro do Edvard Munch?

A idéia do café da manhã o levou a dar um gemido, embora seu estômago roncasse. Mamãe era uma cozinheira tão fabulosa que devia ser proibida de se aproximar do fogão. E, um mês atrás, ela havia enfiado na cabeça que os cereais gelados que ele comia de manhã simplesmente não bastavam. E dera para levantar cedo, para lhe preparar um desjejum quente. Todas as manhãs, enquanto devorava os ovos mexidos condimentados ao modo parse, o *akuri*, ou a omelete que Tehmina preparava, Sorab sentia-se apanhado entre o olhar de advertência de Susan, atento e zangado, e a expressão indulgente e satisfeita de sua mãe.

Talvez ela decida voltar para casa, afinal. Sorab estava passando apressadamente a mão pelo cabelo quando essa idéia traiçoeira lhe ocorreu. Olhou-se no espelho, estarrecido. É isso que você quer, seu cretino? Se é assim, por que está submetendo mamãe, Susan e todo o mundo a esse dramalhão? Fitou com desagrado um rosto que de repente lhe pareceu fraco e desonesto. Quem é você?, perguntou a seu reflexo. O que quer? Em quem se transformou? Quando não houve resposta, obrigou-se a imaginar a casa sem sua mãe, e sentiu-se gratificado com a fisgada de perda e solidão que acompanhou essa imagem. No segundo seguinte, porém, imaginou o alívio — o alívio de não ter que ficar em silêncio quando fazia amor com a mulher, o alívio de não ter que entreter a mãe ao voltar para casa, depois de um dia cansativo no trabalho, o alívio de não ter que se mudar para uma casa maior, de não ter que se meter em mais dívidas, numa hipoteca maior. Mas aí pensou na mãe sozinha no apartamento de Bombaim, dormindo sozinha na cama que havia dividido com o marido durante décadas, pensou nas paredes com a tinta descascada, imaginou a mãe doente e sem poder cuidar de si mesma, imaginou-a envelhecendo sozinha numa cidade distante, longe do filho e do neto, solitária, pagando o preço pela ambição juvenil de seu único filho, por ele haver abandonado sua cidade natal em busca de campos mais verdejantes. E, agora que ele tinha condições de dividir esses campos com ela, por que não haveria de fazê-lo? Sorab pensou no ar venenoso e poluído de Bombaim, que atacava os olhos e a garganta, pensou na bronquite que a mãe desenvolvia com assustadora regularidade por respirar aquele ar, pensou no calor cruel e úmido daquele sol implacável, e compreendeu que jamais conseguiria salvá-la disso tudo se a mantivesse lá. No entanto, sabia que isso não era brincadeira, que era algo profundamente sério, e que, se queria pedir à mãe que alterasse o rumo de seu destino e se mudasse para uma terra estranha, era melhor ele estar muito seguro de seus próprios motivos.

O que você quer?, tornou a se perguntar. E o que está disposto a sacrificar para conseguir o que quer?

Sua única resposta foi um rosto que o fitou do espelho, em silêncio. Sorab notou que era o rosto de um homem amedrontado.

CAPÍTULO DOZE

Véspera de Natal, suspirou Tehmina, e ela ainda não entregara os presentes que tinha comprado para os dois meninos da casa vizinha. Toda vez que passava pela sala e aquela pilha de presentes, tão alta que mais parecia uma pequena loja, ela sentia uma pontada de culpa por toda essa abundância. Depois vinha uma pontada de culpa por se sentir culpada, porque, afinal, a maioria dos presentes era para o seu querido Cookie, e que espécie de avó se ressentiria de ver seu único neto cheio de brinquedos, livros e roupas? Na Índia, ela e Rustom costumavam comprar um presente de Natal para Sorab — em geral, um novo par de sapatos, ou um conjunto de calça e camisa. Esse era seu primeiro Natal nos Estados Unidos e, apesar de ter visto centenas de filmes e cartões-postais que mostravam um Natal com neve, nada a havia preparado para aquele ruidoso frenesi consumista, que fazia todos andarem de um lado para outro numa espécie de delírio. Ela fora tola ao imaginar exatamente o inverso — que um país com tanta riqueza material, durante o ano inteiro, daria de ombros coletivamente à idéia de comprar mais alguma coisa.

E essa era a outra nota dissonante: onde estava o Natal branco que Sorab praticamente lhe havia prometido, ao seduzi-la para uma visita no outono? Onde estava o Natal com que Bing Crosby a fizera sonhar durante quase toda a sua vida? Ali em Rosemont Heights, a grama ainda estava visível e, embora houvesse nesse dia um vento frio e cortante, ele não trouxera a neve. O único sinal de neve eram as pilhas lamacentas e escuras que tinham sido empurradas com a pá para os lados da entrada de automóveis, alguns dias antes.

Ao olhar pela janela, Tehmina viu a sombra de um bichinho passar chispando pelo canto mais distante do quintal. Provavelmente, o gato de um vizinho. Ou, quem sabe, um animalzinho perdido, à procura de alimento; o que a fez suspirar. Até alguns meses antes, ainda houvera esquilos, que roubavam as sementes que Susan repunha todos os dias no comedouro dos pássaros. Susan costumava indignar-se com o fato de os esquilos comerem o alpiste, até que um dia Tehmina lhe dissera, com toda delicadeza:

"*Beta*, de que adianta se aborrecer com as coisas do mundo natural? É o mesmo que nos aborrecermos com o fato de o leão comer o cervo. E quem disse que o esquilo não precisa mais do alimento do que os passarinhos? Eles pelo menos podem voar de um lugar para outro."

Susan rira e abanara a cabeça, pesarosa:

"É verdade. Desculpe. É que eu adoro ver aqueles passarinhos lindos no nosso quintal."

Nesse momento, Tehmina fitou o comedouro vazio, que ainda não fora retirado. Estava pendurado numa árvore, lá no fundo do quintal, perto da cerca que o separava do terreno da casa de Antonio. Será que ela devia enfrentar o vento e ir lá fora enchê-lo com um pouco de alpiste, para o caso de haver alguma criaturinha morrendo de fome? Tehmina resolveu que sim. E, já que estava com a mão na massa, podia muito bem aproveitar e pôr um pratinho de leite para o gato, ou qualquer que fosse o bicho que tinha avistado. Ela o deixaria bem longe da casa e o limparia antes que os meninos voltassem do trabalho.

Imagine, trabalhar na véspera de Natal!, pensou Tehmina, enquanto procurava o alpiste. E então parou, tomada por um pensamento amargo e desconfiado: e se os meninos lhe houvessem mentido sobre ir trabalhar e, em vez disso, estivessem passando o dia juntos, só para ter um pouco de privacidade? Antes que o sentimento amargo se acomodasse em seu estômago, antes que ela pudesse lembrar-se do projeto de Sorab de se mudar para uma casa maior, sobre o qual Percy dera com a língua nos dentes na festa de Homi, Tehmina obrigou-se a se indignar com sua própria mesquinhez. E daí, se foi isso que eles fizeram?, repreendeu-se. Por acaso você já não foi moça? Ou será que está tão velha que se esqueceu do que os jovens precisam? E, de qualquer modo, você sabe o duro que os meninos dão. Neste exato momento, é provável que estejam se rachando de trabalhar, enquanto você fica por aí sentada, pensando mal deles. Quando foi que o Sorab mentiu para você, sua velha bocó? Que bom que o Rustom não está aqui para adivinhar seus pensamentos desconfiados — em dois tempos, ele lhe passaria um belo carão. E, a despeito de si mesma, ela sorriu de como Rustom costumava tomar obstinadamente o partido da nora. Embora essa lealdade cega às vezes a irritasse, Tehmina compreendia a postura do marido — ele procurava esmagar qualquer possível discórdia na família, antes que esta sequer pusesse a cabeça horrorosa de fora. E o que estava implícito naquilo era a realidade do amor de Rustom e Tehmina um pelo outro, assim como a robustez de seu casamento, sólido como uma rocha. Rustom era rigoroso com ela por presumir que sua mulher sabia da devoção inconteste que ele lhe dedicava. Algumas mulheres talvez se ressentissem de ser tidas como não precisando de atenção especial, mas Tehmina via isso pelo que era — uma declaração de amor. E gostava do fato de o marido a considerar uma senhorinha durona, sua companheira de armas, ainda que ela mesma não se sentisse tão forte. De algum modo, o fato de Rustom a ver dessa maneira fazia com que aquilo fosse verdade.

Segurando o vidro de alpiste, Tehmina abriu a porta que dava para o quintal e saiu. Assim que pôs os pés na área de serviço, o vento a atingiu com tal virulência que ela perdeu o fôlego. Será que algum dia as pessoas se acostumavam com esse frio?, perguntou a si mesma. E ela conseguiria viver ali, ano após ano, nessa terra de céus de chumbo e árvores desnudas? Atravessou o deque da área e pisou na terra gelada do quintal, onde ficava o comedouro das aves. O frio lhe dava dor no quadril e seus dedos já pareciam pingentes de gelo. Ela se arrependeu de não ter calçado as luvas antes de sair, mas era muito difícil fazer qualquer coisa de luvas. Ah, por que o Sorab não podia ter emigrado para a Austrália, ou coisa assim? Ela e Rustom se haviam orgulhado muito quando o filho fora aceito por todas as três universidades a que se candidatara. Mas, naquela época, é claro, tinham toda a expectativa de que seu filho único voltasse para casa depois de obter o diploma. Eram poucos os indícios corroborativos dessa crença otimista — quase todas as crianças parses de seu círculo que haviam deixado a Índia nunca tinham voltado. No entanto, assim como os fumantes acham que o câncer é uma coisa que acontece com as outras pessoas, eles haviam confiado em que sua família seria a exceção a essa regra. Afinal, com os contatos empresariais de Rustom, nunca faltariam oportunidades de trabalho para Sorab em Bombaim.

Mas, depois, Sorab conhecera Susan e o curso da vida de todos se havia modificado. Tehmina ainda se lembrava do dia em que o filho lhe telefonara para dizer que tinha conhecido a mulher com quem queria se casar, e pedir que ela e o papai começassem a providenciar os vistos, para estarem com ele e sua noiva no dia do casamento. Tehmina havia desligado o telefone atordoada, com lágrimas nos olhos. Tivera muita esperança de que Sorab viesse a escolher uma boa moça parse, alguém a quem ela pudesse amar de forma irrestrita como a uma filha. E agora, que fazer com seus sonhos de oferecer uma suntuosa recepção nupcial em Bombaim para seu único filho? Nos anos anteriores, toda vez que comparecia a um casamento parse, Tehmina anotava mentalmente quais eram os bons serviços de bufê e os bons floristas, quais os conjuntos musicais do seu agrado e quais os salões de recepção que ela preferia. Durante anos, havia pensado em qual das jóias de sua avó ofereceria à futura nora no dia do noivado, no dia do enlace matrimonial e no primeiro aniversário de casamento. E, agora, Sorab ia se casar com uma moça que eles nunca tinham visto, num lugar em que nunca haviam estado. Uma norte-americana branca, chamada Susan. Eles nada sabiam sobre seus pais, sua família, sua formação, se ela teria um sotaque tão carregado que os dois teriam dificuldade de compreendê-la, se os respeitaria e prezaria suas tradições, se torceria o nariz ao visitar Bombaim ou adoraria a cidade, se gostaria das jóias de ouro e brilhantes que estavam na família havia pelo menos três gerações. No dia do inesperado telefonema de Sorab, Tehmina esperara Rustom chegar do trabalho, para lhe dar em pessoa a notícia calamitosa.

"Por que essa cara tão amarrada, querida?", perguntara o marido ao cruzar a porta.

"O Sorab telefonou. Ele... ele vai se casar. Nos Estados Unidos. Com uma norte-americana branca. Susan é seu nome. E disse que quer que vamos ao casamento."

As lágrimas lhe haviam descido pelo rosto, e Tehmina não fizera nenhuma tentativa de contê-las.

Tinha havido uma breve pausa. Em seguida, Rustom dissera:

"Bem, é melhor pedirmos logo os vistos. Você sabe como isso pode demorar."

Ao ver a expressão atônita da mulher, ele franzira o cenho:

"Espero que as suas lágrimas sejam de alegria, Tehmi. Porque é uma ocasião feliz. O nosso Sorab vai se casar."

Ela o fitara, sem compreender:

"Você ouviu o que eu disse? Ele vai se casar nos Estados Unidos. Vai se estabelecer nos Estados Unidos."

"Ouvi o que você disse. E também estou ouvindo uma coisa que você parece não escutar: as trombetas que anunciam o destino do Sorab", respondera Rustom. Seu rosto se havia abrandado e ele atravessara a sala para se sentar ao lado da mulher, dizendo-lhe: "Tehmina, não lute contra o destino, querida. Nosso filho está apaixonado. Está feliz. Encontrou alguém que o faz feliz. Isso é uma boa notícia, não uma tragédia."

Àquela altura, Tehmina soluçava abertamente, afundando o rosto no peito do marido e balbuciando entre lágrimas:

"Mas... mas ele vai ficar muito longe. Quando concordei em que fosse para os Estados Unidos, não achei... não achei que ele não voltaria. Nunca. Nunca mais."

Rustom dera um suspiro:

"Nunca é um tempo muito longo, *janu*. A vida dá inúmeras voltas. Nunca se sabe. E, de qualquer modo, a questão é que agora nosso filho precisa de nós. Precisa de nossas bênçãos, de nossa aprovação, de nossa felicidade. E não quero que ninguém atrapalhe... inclusive essa minha pequenina mulher", acrescentara, com um sorriso e um afago em sua cabeça.

Passados vários meses, depois de terem assistido ao casamento do filho, numa bela cerimônia ao ar livre às margens do lago Erie, Rustom fizera uma confissão: sabendo que a mãe reagiria mal à novidade, Sorab telefonara para o pai no escritório e lhe dera a notícia primeiro. Ao saber da traição do marido, Tehmina se voltara para ele, fingindo-se de zangada:

"Seu *luchcha*, danado. Quer dizer que você já sabia da novidade quando chegou em casa naquele dia? E, mesmo assim, me deixou fazer toda aquela cena?"

Rustom dera um sorriso:

"Ora, umas lagriminhas nunca fizeram mal a ninguém. Foi bom você derramar suas lágrimas de crocodilo. Além disso, agora você não adora a nossa Susan? Não está contente por Sorab haver encontrado uma mulher tão bonita e inteligente, em vez de uma parse analfabeta do interior, que você sem dúvida teria achado para o nosso filho?"

"*Arre wah*, como se atreve a dizer isso? Como se eu fosse deixar meu filho se casar com uma pessoa dessas! Eu teria encontrado uma médica ou uma advogada para o meu Sorab. Uma porção de moças faria fila para ter a chance de se casar com ele."

Com uma olhadela indolente e implicante para a mulher, Rustom havia retrucado:

"Só mesmo uma mãe pensaria assim, quando, verdade seja dita, foi o Sorab quem levou a melhor nessa história. Essa Susan é um partido e tanto."

E Tehmina já ia protestando, mas havia percebido o brilho nos olhos do marido e resmungara:

"*Bas*, é só para isso que você vive. Para implicar comigo, em todas as oportunidades que tem."

"Minha querida, um homem precisa ter algumas coisas por que ansiar na velhice."

E agora, ao derramar o alpiste no comedouro dos passarinhos, com as mãos trêmulas de frio e de emoção, Tehmina concluiu que era disso que mais sentia saudade: sem Rustom, não havia mais ninguém em sua vida para implicar com ela como o marido costumava fazer.

Seus devaneios foram interrompidos pela batida de uma porta. No segundo seguinte, ela ouviu as vozes conhecidas dos meninos da casa ao lado.

— Puxa, eu queria que tivesse neve, pra gente fazer um boneco — escutou um deles dizer.

— Eu não dou a mínima — retrucou a outra voz. — Não quero nem saber se tá frio. Só quero é ficar fora de casa o maior tempo que eu puder.

— Eu sei — disse a voz que, nesse momento, Tehmina reconheceu como sendo a de Joshua. — Cara, hoje a mamãe tá num mau humor danado.

— Só hoje? — corrigiu Jerome. Como os dois estavam se aproximando da cerca, Tehmina pôde ouvir o ressentimento no tom do menino. — A mamãe tá sempre com um humor de cão.

Tehmina sentiu-se desolada. Teve vontade de se aproximar dos meninos e dizer alguma coisa que os acalmasse, mas viu-se paralisada por duas forças — o desejo claro de Susan de não se misturar com a família de Tara e seu próprio temor de ser apanhada pela mãe dos meninos, conversando com eles. Não gostava mesmo daquela mulher. E, se um dia Tara voltasse a dizer alguma coisa ruim sobre o Sorab, Tehmina não sabia como seria capaz de reagir.

Antes que ela pudesse mexer-se, tornou a ouvir a porta da cozinha se abrir.

— Josh! Jerome! Vocês dois, tratem de entrar, neste instante! — ouviu Tara gritar. — Eu juro que, se tiver que olhar mais um segundo para aquela louça suja, vocês vão levar uma surra de que nunca mais vão se esquecer!

Do seu lado da cerca, Tehmina enregelou-se. É claro que Tara devia estar brincando. Vão para dentro, meninos, desejou ela, em silêncio. Vão terminar suas tarefas, e tirem de suas costas essa bruxa da mãe de vocês.

Por isso, ficou desolada ao ouvir Jerome cochichar para o irmão:

— Fique atrás daquelas moitas. Ela nunca vai encontrar a gente aqui.

Tehmina ouviu o farfalhar das plantas e teve certeza de que Tara também o ouvira. Que é que os meninos estavam fazendo? Seria uma espécie de brincadeira perversa que faziam com a mãe? Mas a raiva que ela havia escutado na voz de Tara certamente era real.

Nessa hora, os dois estavam tão perto que, se Tehmina esticasse o dedo por entre as tábuas da cerca que separava os dois quintais, quase poderia tocá-los. Ouviu-os se mexendo, ouviu um deles dar um risinho nervoso. E, inconscientemente, descobriu-se imitando o comportamento furtivo das crianças, ficando meio agachada perto da cerca, com medo de que Tara a visse e percebesse que ela havia testemunhado aquela cena horrível. Sentiu uma raiva momentânea, mas não soube ao certo se era raiva de si mesma, por agir como uma fugitiva em seu próprio quintal, ou da mulher da casa ao lado, por colocá-la nessa situação.

— Escutem aqui, seus merdinhas — ouviu Tara dizer —, eu já estou atrasada, e vocês estão me atrasando ainda mais. Tratem de entrar em casa já, se sabem o que é bom para vocês.

— Ela tá braba mesmo, Jerome — Tehmina ouviu Josh refletir. — É melhor a gente entrar.

— Fica quieto aqui — cochichou Jerome, em tom ameaçador. — Ela vai te matar se vir você aqui agora. E, de qualquer jeito, ela vai sair daqui a uns minutos.

Que espécie de mãe ameaçaria os filhos dessa maneira? Que espécie de mãe amedrontava os filhos a tal ponto, que eles se escondiam atrás da moita numa noite fria de véspera de Natal? Os olhos de Tehmina começaram a arder, com lágrimas que ela não mais atribuiu ao frio, debatendo consigo mesma se devia levantar-se da posição semi-agachada e esticar toda a altura do corpo. Tara por certo pararia com a gritaria, se visse que havia alguém testemunhando sua conduta. Tehmina sempre ouvira histórias de que, nos Estados Unidos, as pessoas tinham medo de disciplinar os próprios filhos, pelo temor de que alguém as denunciasse à polícia. E, com certeza, vê-la ali em pé bastaria para que Tara recobrasse o juízo.

No entanto, antes que pudesse se mexer, ouviu a vizinha deslocar-se rapidamente pelo quintal. "Ai, merda!", ouviu Jerome murmurar, e em seguida a mulher chegou perto dos filhos pequenos. Tehmina escutou o farfalhar da moita, quando Tara afastou os galhos, e, depois, sons que a deixaram de cabelo em pé: as pancadas enlouquecidas de Tara, batendo com um objeto misterioso nos corpinhos dos meninos, os gritos de um deles, que eram de enregelar o sangue, a respiração pesada e irregular da mãe — até a respiração dela parece raivosa e louca, pensou Tehmina, aflita — e, por fim, as súplicas enfáticas de Jerome para que ela parasse, porque estava realmente machucando Joshy. Tehmina olhou ao redor, à espera de que viessem vizinhos correndo de todos os lados, como fariam em Bombaim, e à espera de que ela mesma se pusesse totalmente de pé e rugisse um aviso para Tara parar com aquela maluquice imediatamente. Mas nada aconteceu. Não houve passos apressados; nenhum homem alto e forte se aproximou para arrancar das mãos de Tara o instrumento de sua violência; nenhuma vizinha chegou para abraçar os meninos soluçantes junto ao peito; nenhuma criança vizinha olhou para Tara com grandes olhos acusadores, deixando-a envergonhada. E, o que era ainda mais inexplicável, ela própria, Tehmina, não fez nada, continuando escondida atrás da cerca, como se ela é que houvesse cometido um ato vergonhoso, como se fosse ela a pecadora.

— E agora, já para casa! — ouviu Tara ordenar aos meninos balbuciantes. — E fiquem lá dentro até eu voltar. Eu volto em duas horas, no máximo. E, se aquela louça não estiver lavada quando eu chegar, é melhor vocês nem estarem vivos.

— Mãe — disse Jerome, insistentemente —, a boca do Josh tá sangrando.

— É bem feito, por ele se esconder na moita. Deve ter se cortado em alguma coisa. E agora sumam de uma vez, todos dois, antes que eu perca a paciência de novo.

Pela fresta da cerca, Tehmina viu Tara parada na entrada de automóveis, com as mãos nos quadris, enquanto os garotos entravam correndo em casa e fechavam a porta. Ouviu-a resmungar, enquanto se dirigia ao carro e entrava. Ouviu-a ligar o motor, sair da garagem e descer a rua. Incrédula, passou um minuto inteiro escondida em sua posição. É claro que Tara devia estar blefando. Com certeza não deixaria dois meninos machucados sozinhos em casa.

Quando Tehmina finalmente se permitiu levantar, tinha as pernas trêmulas. A princípio, achou que fosse do frio e da posição incômoda em que havia ficado, meio agachada, para não ser vista pelos vizinhos. Em seguida, porém, notou que seu corpo inteiro tremia e, com uma espécie de assombro, percebeu que estava furiosa. Friamente, destrutivamente furiosa. Furiosa o bastante para cuspir no rosto repugnante de Tara, se um dia voltasse a vê-la.

Andou de um lado para outro pelo quintal, sem saber ao certo o que fazer, ou como se livrar da raiva que fazia seu corpo chacoalhar como as folhas caídas no chão. A idéia de entrar em sua casa confortável e silenciosa, enquanto havia duas crianças pequenas machucadas, soluçando na casa ao lado, estava fora de cogitação. Mas, se ela fosse até a entrada da casa delas e tocasse a campainha, Susan descobriria. Com certeza, algum vizinho bisbilhoteiro — provavelmente, aquele velhote que morava do outro lado da rua, o Henderson, que vivia dia e noite no jardim, com chuva ou com sol — mencionaria alguma coisa a Susan, na próxima vez que a visse.

Pense!, gritou consigo mesma em silêncio. Faça alguma coisa! Enquanto você anda para lá e para cá feito uma vaca velha, pode ser que aqueles dois meninos estejam sangrando até morrer. E aquela desgraçada não vai demorar a voltar, você mesma a ouviu dizer isso. Em desespero, Tehmina olhou para a cerca. Tinha cerca de 1,80m de altura, avaliou. Mas o deque de madeira da área ajudaria. Se ela trepasse numa das cadeiras de jardim que havia lá, com certeza conseguiria pular a cerca e entrar no quintal de Antonio. Poderia bater à porta da cozinha, sem ser detectada pelos olhos bisbilhoteiros do sr. Henderson ou de qualquer outro vizinho, só para se certificar de que os meninos estavam bem. Antes mesmo de a idéia acabar de se formar em sua cabeça, Tehmina, agitada, aproximou a cadeira da cerca. Subindo cautelosamente, parou por um instante, para recobrar o equilíbrio. Depois, com cuidado, segurou-se e passou a perna esquerda por cima da cerca, redistribuiu o peso do corpo até ficar com a outra perna balançando acima da cadeira, e se descobriu na posição improvável de estar sentada com as nádegas penduradas no espaço entre duas estacas da cerca. A borda arredondada das tábuas a cutucava incomodamente nas costas, na altura da cintura, de modo que ela soube que não poderia passar muito tempo nessa posição. E também teve medo de que a cerca cedesse com seu peso. Pela primeira vez na vida, Tehmina desejou ser ainda mais magra do que era. Só lhe faltava isso — um pedaço da cerca desabar e ela ter que explicar a causa do desmoronamento a Tara, indignada e acusadora, e a Susan, de cara amarrada. Ela desejou que Cookie estivesse em casa, a fim de poder usá-lo, com seu corpo ágil, flexível e atlético, para pular a cerca e agir como mensageiro de consolo e esperança da avó para os outros dois meninos. Em vez disso, ali estava ela, com seu corpo idiota, troncho e envelhecido, presa numa cerca, com uma perna pendurada para cada lado.

O vento soprou por baixo da *khameez* que Tehmina usava, fazendo a túnica inflar-se como uma vela de barco. Ela se deslocou alguns centímetros na cerca e, no instante seguinte, ouviu — ou talvez tenha sentido — um rasgo nas calças compridas e folgadas. Atormentou-se. Como poderia agora ir à casa dos vizinhos, com um rasgão bem perto do bumbum? É claro que, provavelmente, a túnica era longa o bastante para cobrir a visão infeliz de sua roupa íntima aparecendo pelo *shalawar* rasgado. Mesmo assim, Tehmina olhou com saudade para a cadeira recém-esvaziada, considerando a ânsia de abandonar essa missão biruta e voltar para o conforto aquecido e a segurança de sua casa. E se alguém a surpreendesse nesse momento, uma mulher de sessenta e seis anos, trepada numa cerca que poderia cair a qualquer minuto? Com certeza a trancariam em algum hospício norte-americano, no qual médicos de rosto carrancudo a olhariam como se ela fosse uma espécie vinda de outro planeta. Os meninos provavelmente estavam bem, estavam, possivelmente, habituados a levar uns tapas ocasionais da mãe. E, a rigor, Tehmina ainda não fizera nada que fosse irreversível — não tinha chamado Tara para mandá-la parar com aquela surra louca, não havia consolado os meninos em prantos e ainda não batera à porta deles, como pretendia fazer. Não, tudo o que ela havia feito fora colocar-se na situação de estar sentada no alto de uma cerca, feito uma bandeira fincada numa montanha.

A lembrança da voz chorosa de Jerome a levou adiante. Tehmina forçou-se a mudar a posição do corpo, enquanto suspendia lentamente a outra perna por cima da cerca. Apesar do frio cortante, o rosto dela suava, com o esforço físico e mental despendido. Que acontecera com ela?, perguntou-se. Na escola secundária, ela havia praticado corridas de velocidade e com obstáculos. Será que nenhuma parte daquela adolescente atlética e forte permanecia viva em seu corpo? Será que aquela jovem estava completamente enterrada sob as barragens do tempo, sob as queixas estrídulas da artrite e da dor muscular? Teria ela sido tão completamente esfregada por camadas pungentes de ungüentos analgésicos, como Tiger Balm e Iodex, a ponto de desaparecer?

É que precisava da ajuda daquela adolescente nesse momento. Tehmina o percebeu ao olhar para a altura de 1,80m, do ponto em que se encontrava na cerca até o chão do quintal de Antonio. Tinha se esquecido de que não havia deque do lado de lá, nenhuma área construída que pudesse amortecer sua queda ao descer do outro lado. Uma lufada cortante de vento soprou e congelou o suor em seu rosto. Seus olhos lacrimejavam de frio e de medo. E se ela torcesse um tornozelo? Logo ela, que estava ali numa missão de resgate, teria que ser resgatada. Passaria de salvadora a vítima, em questão de segundos. Em vez de verificar como estavam Josh e Jerome, os pobres meninos é que teriam de cuidar de sua visita desajeitada, que teria despencado em seu quintal feito um pássaro pesado e canhestro, de asa quebrada.

Tehmina, chamou-a Rustom. Pelo amor de Deus, *janu*. Que diabo, *pule*! Ela se assustou ao ouvir a voz do marido, tão clara que parecia ter vindo de alguém parado às suas costas. E, pelo resto da vida, acreditou que Rustom de fato se postara atrás dela no deque, e que seu amado lhe dera um empurrão não muito gentil no bumbum, para ajudar. Isso porque, quando menos esperava, ela soltou as mãos agarradas na borda da cerca e, enquanto ia caindo, fez força para posicionar direito os pés na aterrissagem. Caiu meio de pé, meio ajoelhada. O chão estava tão frio que, no mesmo instante, ela se apoiou nas palmas das mãos para se levantar, deixando-as com finos arranhões. Ficou imóvel e ereta por um momento, torcendo para que o corpo não a traísse, não a surpreendesse com uma nova dor aguda. Mas Tehmina estava ótima.

Dirigiu-se depressa aos fundos da casa. Subiu os dois degraus de madeira que levavam à porta da cozinha e bateu. Não houve resposta.

Protegendo os olhos com as mãos para evitar a luz do sol, encostou o rosto no vidro da porta e olhou para dentro. Não havia sinal dos meninos. Se não tivesse visto as cenas anteriores, ela acharia que não havia ninguém em casa. Seus olhos avistaram uma grande mancha escura no piso claro de cerâmica e a louça suja na pia. Mas nem sinal dos garotos.

Tornou a bater, desta vez mais alto.

— Josh, Jerome! Abram a porta. É a Tehmi, a avó do Cookie. Da casa ao lado.

Nenhuma resposta. Tehmina sentiu o pânico aumentar e fez todo o possível para contê-lo. Experimentou a maçaneta, que girou sem dificuldade sob sua mão. Sentindo-se uma intrusa, entrou na cozinha desarrumada. Uma voz em sua cabeça soava como um alarme de incêndio: você não devia estar aqui. Pode ir presa por isso, invasão de propriedade privada. Talvez deva dar meia-volta agora mesmo, e ninguém saberá que você esteve aqui.

Mas seus pés seguiram seus próprios princípios. Conduziram-na para a sala de estar. Tehmina notou duas coisas ao mesmo tempo: primeira, que a sala parecia ter sido palco de uma batalha. Havia papéis e caixas de pizza por toda parte. As quatro almofadas do sofá estavam no chão. Dois cinzeiros entupidos transbordavam seu conteúdo numa mesinha de centro imunda.

Segunda, ela notou um movimento num canto, entre a parede e a televisão. Josh e Jerome estavam agachados nesse canto, juntinhos e quietos feito dois camundongos. São as únicas coisas bonitas nessa sala catastrófica, pensou Tehmina.

Ficou observando os meninos bebericarem o chocolate quente em sua cozinha, com uma expressão preocupada. Começava a se dar conta da barbaridade do que tinha feito. Tehmina havia convencido os dois meninos apavorados a saírem de casa. Na saída, apanhara um banquinho de bar, no qual todos haviam subido para pular a cerca e descer na cadeira do deque que os esperava do outro lado. Em outras palavras, ela havia raptado duas crianças de casa. A mãe delas chegaria a qualquer momento e, ao encontrar o banquinho junto à cerca, quanto tempo levaria para descobrir o que tinha acontecido? E, agora, ali estava ela, sentada com os dois meninos que havia seqüestrado, numa casa que não lhe pertencia e era de uma mulher que lhe dissera expressamente que não queria ter nada a ver com os vizinhos problemáticos da casa ao lado.

— A que horas a sua mamãe vai chegar? — perguntou aos meninos, e notou como o rosto de Jerome se fechou.

— Sei lá — respondeu ele, dando de ombros. — Ela foi na casa do Ernie. Pode ser que leve duas, três horas.

Tehmina viu que os meninos a olhavam com expectativa, aguardando que ela fizesse alguma coisa. Mas ela se sentia pesada, lerda, incapaz de raciocinar, como se houvesse usado toda a sua energia na aventura maníaca anterior.

— Como está o seu lábio? — perguntou a Josh. Tehmina já o havia limpado, e notara os olhinhos de Josh úmidos de lágrimas ao lhe aplicar o anti-séptico. O menino também tinha um machucado feio acima do olho esquerdo, que Tehmina lavara com uma toalhinha e água morna. Ao olhá-lo nesse momento, ansiou pelo iodo que ocupava um lugar permanente em seu armário de remédios, em casa. Ao que ela soubesse, ninguém nos Estados Unidos tinha iodo em casa.

— Tá legal. Só dói quando eu rio — murmurou o menino. Tinha um ar tão humilhado, que Tehmina sentiu uma fisgada no peito. Aquela mulher perversa feriu o espírito desse lindo menino, pensou. Como quem pisoteia uma flor.

— Bom, se dói na hora de rir, então não ria, bobalhão — disse Jerome, com um toque maldoso e cruel na voz. Já está acontecendo, pensou Tehmina. A maldade da mãe está vazando para as veias de outra geração, gota a gota, como o café fresco que pinga no bule todas as manhãs.

— Não fale assim com seu irmão, filhote — disse ela, automaticamente, e não estava preparada para a expressão de raiva que viu no rosto de Jerome.

— Quero ir pra casa — declarou ele. — Minha mãe vai chegar logo.

Tehmina entrou em pânico. De jeito nenhum deixaria os meninos voltarem para aquela casa, pensou. Saber disso a impeliu à ação.

— Que tal comer alguma coisa? — perguntou. — Vocês querem umas frutas? Não? Uma torta de espinafre?

Deu uma olhada na geladeira e praguejou em silêncio contra seu azar. A família vinha comendo fora com tanta freqüência, por causa das festas, que a geladeira, normalmente transbordando com os pratos que ela preparava, estava praticamente vazia. Nenhuma costeleta de carneiro nem de porco, nada de arroz ao *curry*. Não que esses meninos fossem gostar de alguma dessas coisas, de qualquer modo. Mas ela teve uma repentina inspiração:

— Já sei. Que tal um queijo-quente, com batata frita para acompanhar?

Deixou os meninos mastigando os sanduíches, enquanto ia à sala usar o telefone. Hesitou por um instante, mas discou o número da secretária de Sorab.

— Janet? O Sorab está? É a mãe dele.

— Ah, olá, Tammy — respondeu Janet. — Ele está numa reunião atrás da outra, a tarde inteira, receio. Mas posso interromper, se for uma emergência.

Será que o fato de ela estar com dois garotinhos sentados na cozinha, sem a permissão ou o conhecimento da mãe, constituía uma emergência? Tehmina imaginou a expressão horrorizada no rosto do filho quando lhe desse a notícia. Nesse país, será que mandavam as pessoas para a cadeia por causa do que ela havia feito: entrar na casa de outra pessoa e raptar duas crianças pequenas? E de que modo ela poderia contar ao filho como fizera isso, pulando uma cerca como se fosse uma ladra de jóias? Seria o mesmo que confessar que tinha andado no telhado de todas as casas da vizinhança e descido pela chaminé. De repente, inexplicavelmente, deu-lhe uma grande vontade de rir. Estou ficando maluca, pensou.

— Não — disse a Janet ao telefone. — Não precisa incomodá-lo. Não é nada importante, na verdade. Era só uma pergunta que eu queria fazer. Bem, feliz Natal para você, querida.

A campainha da porta tocou no exato momento em que ela desligava, e, por um segundo, Tehmina ficou paralisada de medo. Com certeza era Tara. Devia ter voltado enquanto ela falava ao telefone e descoberto que os filhos eram mantidos reféns na casa ao lado.

Tehmina sentiu o estômago se embrulhar. Sabia que não tinha o direito de ficar com aqueles meninos. Mas sabia igualmente, tão certo quanto dois e dois são quatro, que Tara também não tinha direito aos garotos, que ela havia renunciado ao privilégio ímpar da maternidade com sua crueldade e sua brutalidade. E de jeito nenhum ela entregaria essas crianças a Tara sem uma boa briga.

— Vovó — ouviu a adorada voz gritar —, abre logo a porta! Tá frio aqui fora.

Por pouco Tehmina não desmaiou de alívio. É claro, era o Cookie, voltando das brincadeiras marcadas por seus pais na casa de Bill Steinberg. A caminho da porta, no entanto, ela parou, ao lhe ocorrer outra idéia: em nenhuma circunstância poderia deixar que Mary Steinberg, que sem dúvida estaria trazendo Cookie, entrasse em sua casa.

— Estou indo! — gritou, mas voltou pé ante pé à cozinha.

— Vocês sabem brincar de polícia e ladrão? — perguntou aos garotos assustados, e, quando os dois abanaram a cabeça num gesto negativo, disse: — Quando eu falar "parados", vocês param tudo que estiverem fazendo e ficam imóveis nessa posição. Não podem se mexer nem falar nem nada. Certo, vamos ensaiar uma vez. Vocês não podem se mexer até eu dizer "liberados", está bem?

Viu Jerome lançar um olhar pesaroso para o resto do sanduíche, mas os dois ficaram imóveis feito estátuas, enquanto ela fechava a porta da cozinha e se dirigia ao vestíbulo. Abriu a porta para Cookie e Mary, que estavam com o rosto vermelho de esperar no frio.

— Desculpem, desculpem. Eu estava ocupada. É tanto trabalho, com os preparativos para o Natal e tudo o mais! Você com certeza compreende — disse, virando-se para Mary.

A mãe de Bill deu uma risada:

— Bem, nós não comemoramos propriamente o Natal. Mas sei o que a senhora quer dizer — comentou. Fez um ligeiro movimento, como se fosse entrar com Cookie. — Precisa de alguma ajuda?

Tehmina não soltou a porta da frente. Também não cedeu um centímetro de espaço.

— Não, não, de jeito nenhum! São só umas coisas que eu mesma tenho que fazer — disse, segurando Cookie pelo ombro e puxando-o para si, de modo que o menino também bloqueasse a entrada de Mary.

— E, agora que o Cookie chegou, é menos uma coisa com que me preocupar. Muito obrigada por trazê-lo, Mary.

— Ah, sim. Não há de quê — disse Mary, olhando-a com ar de estranheza. — Bem, está certo. Acho que preciso mesmo ir para casa.

Inclinou-se para Cookie e acrescentou:

— Tchau, rapazinho. Volte qualquer dia para brincar, viu?

Cookie fez que sim e disse:

— Ah, eu me esqueci de contar pro Billy. Pode dizer a ele que eu vou ganhar um robô Power Destroyer no Natal? — E olhou de esguelha para a avó: — Pelo menos, eu espero que sim.

Ficaram os dois parados na porta até Mary Steinberg entrar no carro e se afastar. Depois, Tehmina virou-se para o neto e disse:

— *Ae*, Cookie. Nós temos companhia.

— Companhia? Quem? Quem é? — perguntou ele.

— Está bem, calma, calma. Eles estão na cozinha. São o Jerome e o Josh, os vizinhos aqui do lado.

— Jerome e Joshy? Obaaaaa! — exclamou o menino, disparando para a cozinha.

— Liberados — disse Tehmina, e Jerome pôs imediatamente o último pedaço de sanduíche na boca.

— Oi! Vocês vieram brincar? — perguntou Cookie. Em seguida, notando o rosto machucado e inchado de Joshua, acrescentou: — Ei, o que aconteceu com você, Joshy?

— Mamãe me bateu.

Cookie o encarou sem compreender.

— Quer dizer que você levou um tombo? — perguntou, por fim.

Jerome deu um murro na mesa da cozinha.

— Não, ele quer dizer que a mamãe bateu nele. Ela bate na gente quando a gente faz besteira — disse. Tinha o rosto vermelho e ameaçador, carregado de ódio. E também parecia à beira de começar a chorar.

— Meninos — disse Tehmina —, sem gritaria, por favor. Todos devemos falar baixo. E pensar. Pensar.

Correu os olhos pela cozinha e viu os três rostinhos a fitá-la, esperando sua orientação, esperando que ela desse sentido a suas vidas. Não se achou à altura da tarefa. Estou tão confusa quanto vocês, teve vontade de dizer. Sei tão pouco quanto vocês sobre o que fazer. Mas, em vez disso, ao notar a expressão chorosa no rosto do neto, falou em tom áspero:

— Cookie, quero que você vá até o seu quarto e lave o rosto. Você está todo sujo.

— Mas, vovó, eu tomei banho hoje de manhã — protestou o menino.

— Não quero saber... — começou ela, mas foi interrompida por uma risada. Era Josh.

— Você tá todo sujo — repetiu ele, torcendo o nariz.

Cookie lançou à avó um olhar feroz, que dizia "olhe só o que você fez". Mas subiu para o quarto, pisando duro na escada, para deixar clara a sua insatisfação.

Tehmina sentou-se abruptamente. Aquilo tudo estava fugindo do seu controle, como um novelo de linha que caísse no chão e se desenrolasse. Que tolice haver pensado que poderia fazer alguma coisa para ajudar esses pobres meninos! Além de alimentá-los com um queijo-quente e lhes oferecer uns presentes de Natal, havia pouco que pudesse fazer por eles. Não podia protegê-los da ira e da ignorância da mãe. Não podia salvá-los de seu destino. Pensou em todos os anos em que trabalhara como voluntária num orfanato de Bombaim, em como, em companhia de outras senhoras parses, havia promovido eventos beneficentes e organizado vendas de doces para angariar fundos. Lembrou-se dos bebês abandonados que embalara no colo, das crianças pequenas em que dera banho e vestira, em suas visitas semanais ao centro. Acaso havia alterado ou salvado uma única vida graças a seus esforços? Provavelmente, não. É claro, tinha levado um pouco de consolo e ânimo a algumas crianças de lá. Mas era só isso. Era ela quem mais se havia beneficiado, ela é que saíra de lá toda semana sentindo-se mais rica e mais sábia. E a questão era justamente essa: ela ia embora ao final de cada visita. Voltava para sua casa, para a vida que tinha com o marido e o filho. E o mesmo aconteceria com os dois meninos sentados à sua frente, tristes como uma carteira perdida. Essa carteira não lhe pertencia; Tehmina teria que devolvê-la à mulher indigna que era sua dona, mas dona por direito.

Estava ponderando sobre como enunciar suas palavras, o que dizer aos meninos, quando Cookie voltou saltitando para a cozinha. Uma olhadela para o rostinho sujo bastava para saber que o neto não cumprira suas ordens.

— Você lavou o rosto, como eu mandei?

— Não, vovó. Eu estava ocupado — retrucou Cookie, com ar de importância.

— Ocupado? Ocupado com quê?

Cookie deu uma olhadela para Jerome e Josh e respondeu, baixando a voz:

— Acabei de chamar a polícia.

CAPÍTULO TREZE

— Você fez o quê? — exclamou Tehmina, incrédula.

— Liguei para a polícia — repetiu Cookie. Depois, olhando para o rosto horrorizado da avó, explicou: — É o que eles ensinam a gente a fazer na escola, quando um adulto bate numa criança.

Jerome deu um pulo da cadeira.

— Seu maluco idiota! — gritou. — Pra que você foi fazer isso? Agora, a mamãe vai ficar furiosa de verdade. Vai me arrebentar, com certeza — e se virou para o irmão caçula, agarrando-o pelo braço. — Anda, Joshy. Nós vamos pra casa.

Joshy começou a chorar.

— Não quero ir pra casa — soluçou. — Quero ficar aqui com essa moça. Ela é boazinha — disse. Olhou para Tehmina, com os olhos grandes e molhados. — Posso comer mais batata frita?

Tehmina contemplou os três rostinhos levantados, à espera de que ela tomasse a próxima decisão.

— Muito bem — disse, mais alto do que havia pretendido. — Acalmem-se. Vamos todos ficar calmos. Precisamos pensar — e se virou para Jerome. — Ninguém sai desta casa até eu mandar, entenderam? Agora, quero que vocês fiquem quietinhos, enquanto eu... eu... dou um telefonema.

Com uma olhadela desamparada para o neto, Tehmina voltou à sala. Agora precisava realmente falar com Sorab, agora que o Cookie fizera uma bobagem dessas. Havia tirado o fone do gancho quando ouviu a campainha da porta da frente. Ah, meu Deus, com certeza ainda não devem ser eles! Ficou parada um segundo, com o fone na mão, e então captou um movimento pelo canto do olho. Era Cookie, correndo da cozinha para a porta. Antes que Tehmina pudesse detê-lo, o menino abriu a porta e entraram três policiais, dois de uniforme e um à paisana.

Tehmina pôs o fone no gancho.

— Receio que tenha havido um engano — disse, forçando um sorriso. — Meu neto entendeu mal a situação e...

O policial alto, de cabelo ruivo, parou de examinar a sala e concentrou os olhos nela.

— Boa tarde — disse, sem alterar a voz. — Sou o agente de polícia Bruce, e este aqui é meu parceiro, o agente Curtis. E este é Luke Johnson, do *Daily Mirror*. Hoje ele está nos acompanhando. A senhora é a dona dessa casa?

— Sim. Não. Quer dizer, estou visitando meu filho. Da Índia.

Tehmina sabia estar soando atrapalhada e tentou controlar as emoções.

— Entendo. E qual é seu nome, senhora?

— Tehmina Sethna. Embora também me chamem de Tammy.

Depois de lhe pedir que soletrasse seu nome, Bruce levantou os olhos do bloco de anotações e franziu o cenho para ela:

— Muito bem, sra. Sethna. O que temos aqui? Parece que recebemos um telefonema, dizendo que havia um problema com uma vizinha, certo? A senhora ouviu a mãe espancando os filhos?

Tehmina desejou desesperadamente que Sorab e Susan estivessem em casa nesse momento. Como é que se falava com agentes de polícia nos Estados Unidos?

— Bem, ela não estava exatamente... isto é, quero dizer, o senhor sabe, na verdade eu não vi nada...

— Eles estão aqui! — gritou Cookie. — Na cozinha. E o Joshy tá com um machucadão onde a mãe dele bateu nele.

Os dois policiais se entreolharam, e Tehmina viu o terceiro homem abrir um caderno de notas e dar um passo em direção a ela.

— Eles estão aqui? — perguntou o policial Curtis. — Como foi que vieram para sua casa? Eles fugiram, ou algo assim?

Tehmina engoliu em seco. Sentiu o rosto enrubescer. Como seria uma prisão norte-americana?, perguntou-se. Com certeza não teria ratos, como os presídios indianos. Tehmina tinha pavor mortal de ratos.

— Eu fui lá buscá-los — gaguejou. — Depois que a mãe deles saiu de carro. Eu... eu fiquei preocupada. Só queria saber se eles estavam bem. E, quando vi o pequenininho sangrando, eu... só quis trazê-los para cá e animá-los. O senhor sabe, dar-lhes alguma coisa para comer e um chocolate quente.

O agente Curtis deu um leve sorriso, e o clima da sala teve uma mudança perceptível. Mas ele logo voltou a ficar sério.

— A mãe já voltou para casa? Sabe que os filhos estão aqui?

— Ainda não ouvi o carro voltar. Ele é barulhento... talvez um silencioso solto, sabe?... E eu estava escutando, para ver se ele chegava.

— Aposto que sim — resmungou o agente Bruce, mas Tehmina o ouviu e se perguntou o que ele estava querendo dizer. Será que iam acusá-la de seqüestro? Se assim fosse, de que modo Susan e Sorab superariam uma coisa dessas? Teria ela posto em perigo o futuro dos filhos, com seu ato irrefletido? E como é que os parses e os outros todos reagiriam à notícia, na Índia?

— Bem, vamos dar uma olhada nas crianças, pode ser? — disse Curtis, e todos se dirigiram à cozinha, com um animado Cookie abrindo caminho.

Tehmina viu Jerome encolher-se quando os policiais entraram no cômodo. E notou que Josh se servira de mais batatas fritas.

— Olá, meninos — disse Curtis, com a voz baixa e calma. Despenteou o cabelo de Joshua com um afago. — Parece que você está com um tremendo olho roxo, parceirinho. O que houve?

— A mamãe bateu na gente. Por ficar do lado de fora, no frio, em vez de entrar e lavar a louça, como era pra gente fazer. Ai! — gritou, quando Jerome beliscou-lhe o braço. — Por que você fez isso?

Jerome fuzilou-o com os olhos e se voltou para os policiais.

— Ele tá mentindo. Ele só caiu e se machucou.

— Entendo — concordou Curtis, mordendo o lábio inferior. — E onde está sua mamãe agora, parceiro? Em casa?

— Não — respondeu Jerome. — Ela tá com o namorado.

Tehmina viu Curtis lançar um olhar de advertência ao parceiro.

— A-hã — fez ele, com voz amistosa e neutra. — Ela sempre faz isso? Deixa vocês sozinhos em casa?

— Nem sempre. Só às vezes, quando precisa resolver alguma coisa.

— Quando ela precisa ficar longe da gente — acrescentou Josh, sem maldade, e a inocência de sua voz dilacerou o coração de Tehmina. Ela mais intuiu do que percebeu que as palavras do menino haviam afetado os outros adultos da mesma forma.

O agente Curtis deu um sorriso gentil e passou o braço pelos ombros de Josh.

— E por que ela precisaria fugir de vocês, rapagão? — indagou.

— Porque eu sou uma encrenca. Deixo ela maluca — respondeu o menino. Assombrada, Tehmina percebeu que Josh se gabava, que havia uma espécie de orgulho equivocado em suas palavras.

— E o que ela faz quando você a deixa maluca? — perguntou Curtis, com voz suave e baixa, como um motor bem lubrificado.

— Ela me senta a mão... — começou Josh, mas mordeu a língua e deu um olhar ansioso para o irmão mais velho, em busca de orientação. — Eu caí e machuquei o lábio.

O agente Curtis empertigou-se, e Tehmina notou o brilho em seus olhos cinzentos.

— Bom, vamos até a sua casa dar uma olhada... Podemos? — propôs. Em seguida, parou, como se lhe ocorresse uma outra idéia, e perguntou a Tehmina: — Como foi que a senhora entrou pela porta da frente? A mãe a deixou destrancada, ou os meninos a deixaram entrar?

Tehmina o encarou. Mexeu os lábios, mas não saiu nenhuma palavra. Percebeu que o policial espremia os olhos, à espera de uma resposta. Ai, meu Deus, ele acha que estou mentindo ou escondendo alguma coisa, pensou.

— Eu pulei — deixou escapar. — Por cima da cerca. Quer dizer, no quintal. Eu... eu não quis entrar pela frente. Muitos olhares curiosos, o senhor sabe.

Dessa vez, foram os policiais que a olharam fixamente.

— A senhora pulou uma cerca? Com esse tempo? — perguntou o agente Bruce. Seu olhar expressou o que ele era educado demais para dizer: *com esse corpo velho e fora de forma?*

O terceiro homem, que vinha escrevendo furiosamente em seu caderninho, manifestou-se pela primeira vez:

— Escute, eu gostaria de ver a cerca.

O agente Bruce deu um risinho.

— Aposto que sim — comentou, e se voltou para Tehmina: — Importa-se de nos mostrar como foi que fez, senhora?

Tehmina sentiu o rosto arder de vergonha, ao abrir as portas corrediças de vidro e parar no deque da área. A cadeira continuava onde ela a havia deixado. A indiana a apontou, com uma expressão de súplica nos olhos:

— Eu subi ali. E depois, vocês sabem, pulei.

O policial do caderninho, que nesse momento Tehmina notou não passar de um rapaz, mal entrado na casa dos vinte anos, caiu na gargalhada.

— Ora, mas isso é fantástico! Eu só queria ter uma fotografia da cena.

Tehmina enrubesceu. Será que o rapazinho estava rindo dela? Mas ocorre que o jovem, que ela havia presumido ser um policial à paisana, tinha um rosto franco e sem malícia, e Tehmina notou que seus olhos brilhavam ao fitá-la.

Curtis pigarreou.

— Bem, não vou pedir que a senhora repita o ato — disse, e dessa vez ela ouviu o sorriso em sua voz. — Mas foi uma proeza e tanto a sua — interrompeu-se, dando uma espiada na cerca, e prosseguiu: — Quantos anos mesmo a senhora disse que tem?

— Sessenta e seis — respondeu Tehmina, e, pela expressão nos rostos dos interlocutores, foi como se lhes tivesse dito que tinha duzentos.

O frio de dezembro tornou a castigá-los, e Tehmina estremeceu. Notando isso, o rapaz desviou os olhos do caderninho e disse:

— Está um dia muito frio, mesmo sem neve. É melhor nós entrarmos.

Nesse momento, o tom amistoso com que se dirigiu a ela foi inconfundível. Tehmina ficou contente. Os policiais Bruce e Curtis eram educados e gentis, mas tinham qualquer coisa de distante e impassível. Talvez fosse o cabelo muito curto. Talvez o corpo sólido feito rocha e a postura ereta, que lhes davam um ar de robôs. Em contraste, o rapaz de calças jeans e suéter de lã parecia miúdo, em escala humana, abordável. Tehmina retribuiu-lhe o sorriso.

De novo dentro de casa, mandou Cookie subir para seu quarto. O garoto já tinha visto muitas coisas. Ela se preparou para uma discussão, mas o agente Curtis virou-se para o menino e disse que lhe estava dando a incumbência de ficar em seu quarto e montar guarda. Para surpresa de Tehmina, o garoto deu meia-volta e se retirou da cozinha, sem dizer mais uma palavra.

O rapaz do caderninho sentou-se no bar da cozinha com Josh e Jerome e se pôs a conversar com eles, com sua voz baixa e agradável. Embora escrevesse sem parar, manteve os olhos focados nos dois meninos. Tehmina teve vontade de se juntar a eles, mas notou que os outros dois policiais haviam ficado juntinhos perto das portas de vidro. O que quer que estivessem conversando, queria certificar-se de ouvi-los. Ficou rondando os dois por alguns minutos, e então o policial Bruce voltou-se para ela:

— Certo — disse, como se continuasse uma conversa. — Vamos fazer o seguinte, senhora. O Curtis levará os meninos para o abrigo do Serviço de Proteção à Criança e eu esperarei a mãe deles voltar.

Tehmina sentiu um aperto no peito:

— Como assim? Levar os meninos para o Serviço de Proteção à Criança? — murmurou. — O que é isso, exatamente?

O agente Bruce levantou uma sobrancelha, como se ficasse surpreso com a pergunta.

— Bem, minha senhora, teremos que dar voz de prisão à mãe. E é obvio que esses meninos não podem ficar sozinhos. Por isso, temos que dar início ao processo... sabe, verificar se há um parente com quem possamos deixá-los temporariamente. É assim que se fazem as coisas neste país — acrescentou.

Tehmina olhou em volta, à procura de uma cadeira, já não sabendo se podia confiar em suas pernas para sustentá-la. Fechou os olhos. Por favor, faça com que eles tenham sumido quando eu abrir os olhos, rezou. Por favor, permita que tudo isto seja um pesadelo.

— A senhora quer um copo d'água? — perguntou o agente Curtis, quando ela abriu os olhos.

Tehmina esforçou-se para se recompor.

— Não, não, obrigada — respondeu. — É só que... sabe, nunca tive a intenção de criar problemas para a Tara. E os meninos gostam da mãe, entendem? E, se vocês a levarem embora, não sei o que... Eu me sinto péssima com tudo isso.

— Dona Tammy — disse o rapaz do caderninho, que havia deixado os meninos e agora se postava atrás dela. — A senhora realmente não deve se sentir mal por nada disso. A senhora... ora, a senhora é uma heroína. Não são muitos os americanos que teriam feito o que a senhora acabou de fazer, isso eu posso lhe assegurar.

Mas o problema é justamente esse, pensou Tehmina, imaginando a expressão reprovadora de Susan. Agi como uma indiana típica, interferindo e metendo o bedelho em assuntos que não são da minha conta.

Virou-se para os dois policiais mais velhos, em desespero:

— Será que não podemos... não podemos simplesmente esquecer tudo isto? Eu quero dizer, eu nem sequer os chamei, sabem? Foi o meu neto, e ele... ele cometeu um erro.

Curtis deu um sorriso tristonho:

— Ao contrário, madame. Ele fez exatamente o que era certo.

— Assim como a senhora — acrescentou o jovem, com veemência. Embora confusa, Tehmina ouviu o fervor em sua voz, a necessidade ardorosa de acreditar em algo, e ficou ao mesmo tempo envaidecida e irritada.

— Está bem — disse o policial Curtis, em seu tom de comando. — Receio que estejamos perdendo tempo aqui. Precisamos retirar os meninos antes que a mãe chegue em casa. E, como é véspera de Natal e tudo o mais, a papelada levará o dobro do tempo habitual.

O homem dirigiu-se para o lugar em que Josh e Jerome estavam sentados e disse, com um sorriso:

— Certo, meninos. Vamos dar uma volta. Vocês já andaram de radiopatrulha?

— Uau! — exclamou Josh, mas Jerome encarou o policial, com a expressão mal-humorada.

— Aonde a gente vai? — perguntou.

O agente Curtis transpirava ligeiramente:

— Vamos dar um passeio de carro, filho. E depois vocês passarão a noite com umas pessoas muito legais, está bem? Vocês têm parentes por aqui?

De repente, Tehmina recuperou a fala:

— Eles podem ficar aqui em casa — interveio. Lidaria com a raiva de Susan, disse a si mesma.

O policial pareceu irritar-se:

— Não será possível, senhora — disse em tom seco. — Há procedimentos que eu preciso seguir.

Tornou a se virar para os meninos:

— Quem sabe se não há um parente favorito com quem vocês gostariam de passar o Natal?

— Eles têm um tio — disse Tehmina. — Ele é... quer dizer, a casa aí ao lado é dele. Agora, ele e a mulher estão morando em... — mas não conseguiu lembrar-se do nome do lugar para onde Antonio se mudara. — Espere. Nós temos o telefone dele no caderno — e saiu às pressas da sala, sem conseguir encarar nenhum dos dois meninos.

Quando voltou, Curtis estava parado junto à porta da frente com os garotos. O que quer que lhes tivesse dito em sua ausência havia quebrado a última resistência de Jerome, era óbvio.

— Aqui está — disse ela, entregando o pedaço de papel em que havia anotado as informações sobre Antonio.

Jerome fechou a cara e se virou para ela, dizendo-lhe, olho no olho:

— Vaca idiota.

Tehmina encolheu-se, como se o menino lhe houvesse acertado um direto bem aplicado no queixo. Seus olhos encheram-se imediatamente de lágrimas, lágrimas de culpa, mágoa e algo mais — um sentimento de solidariedade e pena de Jerome. Por ter causado a situação que ele estava vivendo. Por não o ter ajudado cedo o bastante para impedi-lo de se transformar no tipo de menino que falava daquele jeito com os mais velhos.

— Epa, garoto! — cortou o policial Curtis, dando um tapinha de leve no ombro de Jerome. — Cuidado com o que diz.

— Esperem — pediu Tehmina, lembrando-se dos presentes de Natal que havia comprado para as crianças. Virou-se para Curtis: — Por favor, se o senhor não se importa. Eu comprei... quer dizer, tenho uma lembrancinha para os meninos. Pelo Natal. Está lá em cima, no meu quarto. Se o senhor pudesse...

Curtis sorriu e a interrompeu:

— Pode ir, senhora. Leve o tempo que precisar.

Os olhos de Joshy se arregalaram ao ver o embrulho colorido do presente. Jerome fingiu-se de desinteressado por um instante, mas, em seguida, a curiosidade levou a melhor e ele agarrou o presente que Tehmina lhe estendia.

— Obrigado — resmungou, sem olhar para ela.

— Puxa, cara, puxa! — suspirou Josh, parecendo prestes a rasgar o papel do embrulho.

— Aqui não, parceirinho — disse Curtis, pondo a mão no pulso fino do garoto. — Você pode abri-lo no carro.

Ao levá-los à porta, na saída, Tehmina surpreendeu-se ao ver uma segunda radiopatrulha na entrada da garagem. Em que momento os dois policiais teriam chamado um segundo carro? Ficou parada à porta e esperou os dois meninos entrarem no automóvel. Inexplicavelmente, Joshy virou-se para lhe acenar um adeusinho, pouco antes de entrar no veículo. Tehmina retribuiu o aceno, embora tivesse a sensação de estar com a boca cheia de algodão. Que foi que eu fiz?, pensou. Ah, Rustom, que foi que eu fiz?

Quando tornou a entrar em casa, o agente Bruce estava no deque da área, vigiando, à espera de que o carro de Tara parasse em sua garagem. O outro homem estava sentado na cozinha, rabiscando furiosamente em seu bloco. Ergueu os olhos quando Tehmina entrou no recinto e lhe deu um sorriso, o qual ela retribuiu, grata por sua presença calorosa.

— E então, como a senhora se sente? — perguntou o rapaz, baixinho.

Ela abanou a cabeça, sem se permitir falar. O jovem deu um estalo solidário com a língua, e a expressão bondosa de seu rosto fez as lágrimas assomarem aos olhos de Tehmina, sem serem chamadas.

— Aquelas pobres crianças — começou a dizer ela.

— Elas têm sorte — interrompeu o rapaz, de novo com o mesmo ardor na voz. — Pelo menos tiveram alguém para defendê-las. Pode ser que agora tenham uma chance na vida. E, por isso, não importa o que aconteça, sempre se lembrarão deste dia.

O riso de Tehmina teve um gosto de maçãs ácidas.

— É, vão se lembrar do dia em que foram separados da mãe.

— Não. Do dia em que alguém os defendeu. Do dia em que alguém disse que o que vinha acontecendo com eles estava errado.

De repente, o rosto cansado e sujo de Tara surgiu na lembrança de Tehmina, provocando-lhe uma pontada de pena. Toda a sua raiva homicida contra a mulher havia sumido, deixando em seu lugar um cansaço melancólico.

— Ela é muito moça... a mãe. E pobre. E não tem muita instrução, sabe?

Tehmina queria que esse jovem, tão limpo e lúcido em seus julgamentos, em sua retidão, compreendesse alguma coisa da vida — de suas áreas cinzentas, sua obscuridade.

— Entendo. Quer dizer que a senhora tem pena dela?

O rapaz continuava a escrever tudo e, de repente, Tehmina acautelou-se. Então já não ouvira falar da encenação do policial bonzinho e do policial malvado? Talvez aquilo fosse uma armadilha, talvez a solidariedade e a lisonja dele fossem uma farsa. Talvez ele estivesse tentando fazê-la dizer que tinha pena de Tara para que também ela pudesse ser acusada de um crime. Tehmina sentiu-se velha, confusa e desorientada.

— Não sei — murmurou.

Deu uma espiada no quintal, onde Bruce andava de um lado para outro no deque, esfregando as mãos para espantar o frio.

— O seu parceiro vai se resfriar. Ele pode entrar e esperar aqui — disse ela.

O rapaz a fitou.

— Meu parceiro? Ele não é meu parceiro, dona Tammy. Isto é, não sou policial. Sou repórter do *Daily Mirror*. Só estou acompanhando os rapazes hoje, sabe, escrevendo uma matéria sobre um dia na ronda. Desculpe-me. Eu... eu pensei que o Bruce houvesse me apresentado quando chegamos. Meu nome é Luke Johnson — acrescentou, estendendo a mão.

— Ah — alvoroçou-se Tehmina. Por que havia presumido que o rapaz era da polícia? Olhando de perto, dava para ver como era jovem. E o que vinha a ser “um dia na ronda”? Talvez alguma coisa ligada ao Natal, concluiu.

— Nós assinamos os dois jornais — comentou ela, em tom vago. — O meu filho... ele gosta de ler. O *New York Times* também, aos domingos.

Luke fez uma careta.

— Fico feliz por saber que *alguém* ainda lê — disse. Calou-se por um instante e retomou a conversa, como se os dois estivessem num coquetel. — Pois é, somos o menor dos dois diários. É de surpreender que o grande Golias ainda não tenha nos engolido por completo. São pouquíssimas as cidades que chegam a ter dois jornais, sabe? Mas ainda damos neles de lavada nas reportagens, todos os dias.

— Entendo — disse Tehmina, tentando reprimir um bocejo. Continuava sem saber o que esse rapaz estava fazendo em sua cozinha. Depois, para ser gentil, acrescentou: — Em Bombaim nós temos centenas de jornais. Parece que alguém cria um a cada dia.

— Parece o paraíso — suspirou o rapaz. — Bombaim — repetiu, brincando com a palavra na boca, rolando-a como um pedaço de chocolate amargo e saboroso. — Agora eles chamam a cidade de Mumbai, não é? Essa é a minha meta, sabe? Ser correspondente estrangeiro. Quer dizer, o *Mirror* é um jornalzinho de muita garra, mas eu quero viajar pelo mundo.

Tehmina sorriu.

— Então, por que está perdendo seu tempo conversando com uma velhota boba, meu filho? — perguntou. Educada com a digna seriedade do *Times of India*, Tehmina pensava nas notícias como histórias importantes, que versavam sobre política, inflação, a corrupção do governo, a política externa. Conversar com uma indiana maluca, que tinha pulado uma cerca para salvar dois meninos e, em vez disso, pusera em risco o futuro deles, jamais constituiria sua definição de notícia.

Luke largou a caneta, para soar mais enfático:

— A senhora está brincando? Isto é...

O resto de sua frase foi abafado pelo som conhecido do silencioso de Tara. Ambos o ouviram, apesar da porta fechada, e ambos ficaram tensos e olharam para o agente Bruce. Agora ele estava sentado na cadeira que Tehmina havia encostado na cerca, para poder ver Tara entrar na garagem sem que ela o visse. Bruce fez sinal para Tehmina e Luke permanecerem dentro de casa. Passaram-se alguns segundos e, em seguida, eles ouviram a porta do carro bater. Em mais alguns segundos, Bruce levantou-se e entrou em casa:

— Certo, a mãe chegou. Pelo que a senhora nos contou — e consultou o relógio —, faz mais de duas horas que ela saiu — disse. Virou-se para Tehmina e acrescentou, em tom leve, embora ela pudesse perceber a dureza em sua voz: — Está na hora de ter uma conversinha com a mamãe. E eu só queria lhe agradecer por ter cumprido o seu dever. Gostaria que houvesse mais bons cidadãos como a senhora.

Com uma olhadela para Luke, acrescentou:

— Já chega de emoção para você? Vamos dar uma passada na casa da vizinha?

— É claro — respondeu Luke, fechando o bloco. — Mas, se você puder me dar um minutinho...

Tirou uma pequena câmera digital do bolso da calça e bateu uma foto de Tehmina, que ficou perplexa e ofuscada demais pelo *flash* da máquina para reclamar. Luke abriu-lhe um sorriso tão luminoso quanto o *flash*, dizendo:

— Foi um prazer conhecê-la, dona Tammy. Feliz Natal.

— Feliz Natal — repetiu ela, por hábito. A ironia grudou-se em sua garganta como o caroço de uma fruta amarga.

Quinze minutos depois, pela janela panorâmica da sala, ela viu o agente Bruce conduzir Tara ao carro da polícia. Ao sol pálido do meio da tarde, Tara parecia pequena, abatida. Tehmina tentou evocar a raiva que sentira da mulher poucas horas antes, mas constatou que o esforço já se assemelhava a uma lembrança ou um sonho. Agora, tudo o que sentia era uma pena profunda e sufocante de Tara, de Josh, de Jerome, de todos eles. Grande coisa as minhas boas intenções, pensou. Sem que ela o procurasse, um poema de Omar Khayyam lhe veio à lembrança:

Move-se a mão que escreve e, tendo escrito,
Segue adiante: nem toda a tua Piedade ou teu Saber
A atrairão de volta, para que risque sequer metade de uma linha;
Nem todas as tuas Lágrimas lavarão uma só de suas Palavras.

Tehmina subiu para procurar Cookie, sem saber ao certo em que estado de ânimo o encontraria. Percebeu que teria de dizer ao neto que todos os incidentes daquela tarde precisariam ser mais um segredo entre os dois. Não havia razão para aborrecer Sorab e Susan com aquilo, ainda por cima na véspera do Natal. Como um trapo molhado a lhe entupir a garganta, esse segredo seria seu castigo por meter o nariz onde não era chamada.

Mas então ela se apercebeu. Seria impossível guardar segredo de Sorab e Susan sobre os acontecimentos da tarde. Afinal, dois carros da polícia haviam estacionado em frente à casa deles. Dois policiais uniformizados tinham entrado na casa. Algum vizinho certamente teria notado toda a comoção. Se isso houvesse acontecido em Bombaim, é claro, pelo menos uns vinte vizinhos já teriam avisado a Sorab, àquela altura. Apesar do desânimo, Tehmina sorriu ao se lembrar da ocasião em que uma vizinha, Mani Poonawalla, havia delatado um indignado Rustom. Fazia alguns dias que ele estava em casa, de licença do trabalho, por ter sentido dores no peito. Embora o médico houvesse acabado por concluir que tinha sido uma simples indigestão, os exames de sangue haviam revelado níveis elevados de colesterol, fato que, sem querer, Tehmina havia compartilhado com a vizinha do sexto andar, Mani, que imediatamente se proclamara guardiã da saúde de Rustom. No quarto dia de convalescença do marido, Tehmina enfim o deixara sozinho em casa por algumas horas, para fazer compras com uma amiga. Três horas depois de ter saído, recebera uma ligação no celular. Era Mani, ofegante, telefonando para informá-la de que, em sua ausência, Rustom havia encomendado a entrega em seu apartamento de duas porções de *malai na khajas*, as bombinhas de frutas secas e queijo da Parsi Dairy Farm, Confeitaria e Queijaria Parse. Por azar, o entregador tocara por engano a campainha de Mani, em vez da de Rustom. A mulher havia confiscado prontamente os doces e telefonado para Rustom, para repreendê-lo por sua conduta sonsa. E, apesar dos apelos dele, estava ligando para Tehmina para lhe contar o que seu marido — que, segundo a vizinha, tinha um evidente desejo de morte — havia feito. Na ocasião, Tehmina não soubera como reagir à fofoqueira da Mani — ficara a um tempo agradecida e perplexa com a bisbilhotice da mulher. Mas Rustom não tivera nenhum desses conflitos. Passara dias esbravejando sobre a conduta chocante dos vizinhos, sobre como ninguém em Bombaim jamais cuidava da própria vida, e sobre o que ele faria com aquela intrometida miserável da Mani, quando se recuperasse. E que diabo a desgraçada da mulher tinha feito com suas *khajas*, afinal? Era o que ele queria saber. Muito provavelmente, havia entupido a própria boca mexeriqueira com elas.

Sorrindo dessa lembrança, Tehmina ia subindo a escada para o quarto de Cookie, quando um pensamento a deteve. O velho Henderson. O vizinho do outro lado da rua. A versão de Mani Poonawalla em Rosemont Heights. Chovesse ou fizesse sol, Henderson, que parecia ter setenta e tantos anos, ficava no jardim da frente varrendo as folhas, tirando a neve ou lavando a entrada de automóveis. Durante uma visita, alguns verões antes, Tehmina tinha visto o velho subir numa escada alta de metal e esfregar e enxaguar o telhado da casa. Ela havia presumido que isso era apenas mais um estranho costume norte-americano, porém Susan lhe garantira que ninguém, mas ninguém mesmo, lavava o telhado de casa, e que a pessoa precisava ter realmente um vigoroso gene obsessivo-compulsivo para fazer uma coisa *dessas*. Até nos meses de inverno, o velhote estava sempre do lado de fora, mesmo que não fizesse outra coisa senão andar para cima e para baixo pela entrada da garagem. Na casa dos Sethna, "Henderson" se tornara uma espécie de código abreviado. "Ei, meu bem, quer fazer um Henderson para mim?", pedia Susan a Sorab, quando queria que ele fizesse alguma coisa totalmente irracional, como rearrumar os temperos no armário da cozinha em ordem alfabética. Ou então Sorab dizia, em resposta a um pedido da mulher: "Quem você pensa que eu sou: o velho Henderson?"

Nesse momento, Tehmina tentou se lembrar se tinha visto Henderson zanzando por ali de manhã. O carro dele estava na entrada da garagem? Ou era realmente possível que o velho houvesse saído de casa e ido a algum lugar? Mas ela sabia, com um peso no coração, que Henderson provavelmente havia testemunhado a comoção do outro lado da rua. O que faria ele? Telefonaria para Sorab ou para Susan, à moda de Mani? Ou esperaria até topar com um deles na rua, dali a alguns dias? Ou será que faria sinal para o carro de Sorab, quando ele estivesse voltando do trabalho?

Tehmina sentiu um vago lampejo de esperança diante desta última idéia. Era inevitável, sabia, que alguém contasse aos meninos os acontecimentos dessa tarde, inevitável que ela tivesse que enfrentar o desagrado da nora de cara fechada, quando Susan soubesse de que maneira flagrante ela havia desrespeitado seus desejos. Mas, quem sabe... talvez ela pudesse adiar o inevitável, postergar o momento cruciante em que veria as reações estarrecidas dos meninos refletidas em seus olhos. Que bom se conseguisse ao menos adiar o conhecimento deles até depois do Natal!, pensou, e deixou seu coração se animar um tantinho com essa possibilidade.

Mas isso significava pedir a Cookie para esconder mais um segredo dos pais. Mais um segredo, somado aos presentes que eles haviam comprado para os meninos da casa vizinha. Não era justo sobrecarregar uma pobre criança dessa maneira. É nisso que dá tentar ajudar os outros, repreendeu a si mesma, ao chegar ao quarto de Cookie. É melhor você começar por se certificar de que seu neto não se torne mentiroso e ladrão, por causa da sua influência nociva.

CAPÍTULO QUATORZE

MANHÃ DE NATAL. QUÃO pouco tinham significado essas palavras para ele, quando menino, na Bombaim quente e úmida!, pensou Sorab. Mas agora, tendo um filho, que ele sabia que ia acordar a qualquer momento e descer a escada correndo, leve como a chuva, essa manhã passara a ser mais valorizada do que qualquer outra do ano. Era difícil não ser sentimental quando se era pai, meditou. Os filhos têm um jeito de nos fazer enxergar além do tédio rabugento da vida cotidiana e descobrir o coração vermelho e pulsante do universo.

De orelha em pé, atento aos passos de Cookie, Sorab pôs água para ferver na chaleira, a fim de preparar três xícaras de chá. Surpreenderia as duas mulheres que dormiam lá em cima, levando-lhes um chá na cama. Tirou umas folhas do pé de hortelã que havia na sala de jantar, triturou-as na mão e as jogou na água. Em seguida, pôs açúcar nas três canecas amarelas de cerâmica, enfileiradas na bancada da cozinha. Conhecia os gostos: uma colher para mamãe, duas para ele mesmo e meia para Susan. Sentiu-se tentado a pôr mais açúcar na xícara da mulher, já que era manhã de Natal, mas resistiu ao impulso. Para uma mulher que tomava café puro, era até de admirar que Susan suportasse o chá leitoso e adocicado que Tehmina preparava para os dois todas as tardinhas, quando eles chegavam do trabalho.

A água estava quase fervendo — Sorab a vigiava com atenção, para poder acrescentar as folhas de chá preto assim que ela levantasse fervura — quando o telefone tocou. Droga, resmungou com seus botões. A campainha com certeza incomodaria Susan e mamãe. Quem seria o idiota ligando a essa hora da manhã? Sorab olhou a água fervente, sem saber ao certo o que fazer, e então, com um suspiro aborrecido, diminuiu o fogo. Graças a Deus que ainda não tinha posto as folhas de chá.

— Alô — disse ao telefone, certo de que seria engano.

Ouviu um suspiro agudo do outro lado.

— Bem, que bom que você está acordado — disse uma voz masculina que ele não reconheceu. — Provavelmente, arquitetando um jeito de estragar o Natal de outra pessoa também. Merda, depois de tudo o que eu fiz por você e sua patroa...

Pois então, era engano.

— Desculpe — interrompeu Sorab, calmamente. — Receio que o senhor tenha ligado para o número errado — e desligou.

Mal havia atravessado a cozinha quando o telefone tocou de novo. Dessa vez, Sorab não tentou disfarçar o aborrecimento na voz.

— Escute aqui — disse, mas sua voz foi abafada pela correnteza de palavras que veio do outro lado da linha:

— Não me venha com "escute aqui", Sorab. Eu o conheço bem demais para você vir com essa banca de inocência. Não consigo acreditar...

O homem tinha dito seu nome. E a voz, com aquele leve vestígio de sotaque, também era conhecida.

— Antonio? — perguntou ele, cauteloso.

— Ah, ainda bem, quer dizer que você não é um figurão tão importante que tenha esquecido seu antigo vizinho! Pensei que aquela traiçoeira da sua mãe também tivesse estragado você.

Sua *mãe*? De que diabo Antonio estava falando? Sorab tentou recordar a última vez que vira o ex-vizinho. Antonio já estava meio senil, ele sabia, mas será que estava sofrendo de demência, ou coisa assim? E, mesmo que estivesse, por que haveria de ligar para ele, ainda por cima na manhã de Natal, pelo amor de Deus? E onde estava sua mulher? Por que não havia ninguém cuidando dele?

— Antonio, posso falar com a Marita, por favor?

A voz do outro lado soltou um rugido:

— Falar com a Marita? Veja bem, seu filho-da-mãe, a patroa está tão perturbada que não consigo fazê-la parar de chorar! A meia-irmã na cadeia e os sobrinhos arrasados, por estarem aqui conosco! Não temos nem mesmo uma porcaria de um presente em casa para eles! E tudo porque o raio da sua mãe não consegue cuidar da própria vida. E aqui estou eu, blasfemando contra o Senhor no dia de Natal. Que Deus me ajude... e Deus ajude você quando...

De repente, a voz de Antonio embargou-se:

— Ah, Sorab, como é que você pôde fazer uma coisa dessas? Fui eu que lhe falei da casa, quando ela foi posta à venda, está lembrado? E é assim que você me agradece?

Uma corrente longa de pânico, como as notas agudas de uma flauta, começou a se enroscar no estômago de Sorab. Ele fez força para não se deixar enredar.

— Antonio, por favor. Acalme-se, homem. O que você está dizendo? A Tara está mesmo na cadeia? Por quê? O que aconteceu?

A voz histérica acalmou-se, finalmente:

— Está me dizendo que você não sabe? — perguntou. E, em seguida, com uma fúria estridente, acrescentou: — Ou será que está mentindo descaradamente? Porque se estiver, Sorab, eu juro que o esgano com minhas...

— Antonio, o que você está dizendo? Saber o quê? Ontem eu trabalhei o dia inteiro e, quando cheguei em casa, mal tive tempo para trocar de roupa, e saímos para jantar com uns amigos. Ficamos todos fora pelo menos até onze horas...

— É, eu sei. Tentei telefonar ontem à noite, mas...

— Então, como é que poderíamos saber o que estava acontecendo na casa ao lado? — continuou Sorab, sem tentar amenizar a indignação da voz. — E depois, por quantos anos fomos vizinhos? Você sabe que a minha família não é de bisbilhotar nem de interferir na vida dos outros. Não gostamos de fofocas, Antonio. Você sabe disso.

O outro riu, uma risada seca e metálica:

— Não são de bisbilhotar... não gostam de... ora, essa é boa, Sorab. É ótima! Talvez você deva dar umas aulas de etiqueta a sua mãe.

Está bem, seu cretino, pensou Sorab. Mais uma piadinha sobre a mamãe e você já era.

— Por favor, deixe a minha mãe fora dessa história, seja o que for — disse, friamente. — Você não tem o direito de falar dela dessa maneira.

Ouviu um som engasgado.

— Não tenho o direito... Sabe, você agradeça à sua estrela da sorte por eu não morar mais na casa aí do lado. Se morasse, nem sei o que eu faria com você. Embora, é claro, se eu ainda morasse aí, nada daquela baderna de ontem teria acontecido, não é?

Sorab olhou para a água que começava a ferver, do outro lado da cozinha. Ele está velho, pensou com seus botões. Não perca a paciência.

— Eu lhe digo pela última vez, Antonio, não faço a menor idéia do que...

— Vá pegar o *Daily Mirror* de hoje! — gritou Antonio. — Depois nós conversamos.

E Sorab ficou com o fone mudo na mão.

Lá se foi a idéia de fazer uma surpresa às mulheres com um chá na cama. Era um milagre que o telefone e sua gritaria não tivessem acordado ninguém, nem mesmo o Cookie. Sorab procurou ouvir o som de passos nos quartos lá em cima, porém não escutou nada. Com um suspiro, apagou o fogo e foi até a porta da frente. Era melhor olhar o jornal e ver o que tanto havia irritado Antonio, antes de os outros acordarem. Embora ele não visse por que, mesmo que aquela vizinha horrorosa tivesse sido presa, isso devesse estragar o Natal de sua família. Sorab pegou na bancada um biscoito de Natal, ao sair da cozinha.

Apanhou o jornal na escadinha da frente e sacudiu o orvalho do saco plástico que o envolvia. Desdobrou-o e deu uma examinada rápida. A matéria principal do dia falava de como os soldados estavam comemorando o Natal no hostil Iraque. Nenhuma novidade nisso. Em seguida, seus olhos vasculharam a metade inferior do jornal, logo abaixo da dobra, e Sorab ficou paralisado. Lá estava uma foto colorida de mamãe. Sua mãe. Uma fotografia dela, no jornal de sua cidade. Seria um caso de troca de identidade? Uma grande manchete em negrito dizia: MILAGRE DE NATAL.

Sorab voltou para a sala andando de costas, esbarrou na mesinha e despencou no sofá. Leu a reportagem depressa, percorrendo-a com rapidez para entender o essencial da história, para compreender que motivo racional poderia haver para que a foto de sua mãe estivesse no jornal. Espremeu os olhos ao ver seu próprio nome impresso. E seu queixo caiu quando ele chegou ao pedaço que falava de ela ter pulado a cerca, como se fosse um raio de um herói de revistas em quadrinhos. Agora, sim, ele se certificara de que o repórter a havia confundido com outra pessoa. Mamãe, que se recusava até mesmo a ir à academia de ginástica do condomínio, mamãe, que precisava descansar quando eles andavam mais depressa no parque, pois sim, quando ele ia imaginar sua mãe pulando uma cerca! Era o mesmo que dizer que ela havia saltado por cima da lua! Em seguida, porém, Sorab leu sobre o modo como Tehmina fizera essa proeza, e seu coração começou a disparar. Mas que maluca! E pensar que ela havia trazido — seqüestrado — as crianças para sua casa! E se um deles tivesse caído e quebrado o nariz? Será que ela já ouvira falar em seguro de responsabilidade civil? Em ser processada? O que ela estava pensando: que isto aqui era a Índia, onde interferir na vida dos outros era um passatempo nacional? E onde é que estava o Cookie quando aconteceu toda essa *tamasha*, essa confusão? Por que ela havia chamado a polícia? Estava maluca? E por que não tinha dito uma palavra sobre isso ontem à noite, quando eles foram jantar com os Vakil no Tanjore Palace? E que diabo dera nela para falar com o repórter do jornal? Sorab voltou para a primeira página e contemplou a fotografia, observando o cabelo despenteado, o sorriso constrangido. Era uma péssima foto dela, concluiu. Nem um pouco parecida com a mulher sóbria e digna que ele conhecia e amava.

Mulheres, pensou Sorab, abanando a cabeça. Como sabiam ser traiçoeiras! Sem querer, uma imagem do rosto de Grace Butler, com seu cabelo bem penteado, surgiu diante de seus olhos. Provavelmente, ela leria ou ouviria falar dessa história. E Sorab sentiu-se enjoado com a idéia. Sabia o que ela iria pensar. Quem, senão uma ignorante do Terceiro Mundo, faria algo tão grosseiro quanto pular uma cerca para espionar uma vizinha? Mamãe havia acabado de garantir a promoção de Gerry Frazier. Ele sabia que a mãe *do Gerry* nunca teria feito uma coisa tão impulsiva e impensada.

Tornou a abrir a página em que a matéria continuava. E por que isso virou notícia, afinal? O país está em guerra, a economia está descendo pela privada, a situação entre israelenses e palestinos continua péssima, o mundo inteiro nos odeia, e é isso que esses idiotas resolvem publicar no jornal? Uma velha boba que pula uma cerca é tão importante que sai na primeira página? Que país banal e idiotizado virou isto aqui! Sorab lembrou-se de ter lido em algum lugar que os dois maiores itens de exportação dos Estados Unidos eram as armas e o entretenimento, e como isso soava como um epitáfio, como os sintomas de uma civilização agonizante! Bombas e Michael Jackson, é com isso que contribuímos para o mundo, pensara ele.

Agora, porém, havia coisas mais importantes em que se concentrar do que a lenta derrocada dos Estados Unidos. Sorab olhou para a pequena foto em preto-e-branco que mostrava Tara sendo retirada de casa, e a expressão raivosa de seu rosto o fez estremecer. Que aconteceria com essa mulher? Será que a mandariam para casa dentro de poucos dias? Se assim fosse, o que ela e aquele namorado pavoroso fariam com eles? Depois desse aborrecimento, morar ao lado da casa de Tara seria uma tortura. Agora a mulher ficaria cheia de moral, porque mamãe obviamente se excedera, havia ultrapassado os limites. E o resultado tinha sido uma mãe cujos filhos lhe haviam sido retirados. Pela expressão dura e implacável de Tara, Sorab compreendeu que ela não era o tipo de mulher que fosse deixá-los esquecer isso, nem tão cedo.

Ele tinha que contar a Susan. Sentiu um bolo no estômago ao pensar na reação da mulher. Lembrou-se de que ela havia pedido expressamente a sua mãe que não se relacionasse com as pessoas da casa vizinha. E mamãe havia ignorado a súplica da nora com displicência. Que tinha dado nela? Num instante de fraqueza, Sorab viu surgir uma imagem diante dos olhos — uma imagem de seus pais acolhendo em casa um Percy abandonado e perdido. Como ele se orgulhara dos pais naquele momento! Mas isso é diferente, disse a si mesmo, furioso. Neste país ela é uma estrangeira, nem sequer seus papéis com a imigração estão regularizados. E, sejamos francos, ela é uma hóspede nesta casa. Quer dizer, graças a Deus Susan é o tipo de mulher que concordou em deixar a mamãe morar aqui. Não sei de muitas norte-americanas que gostassem de ter a sogra morando com elas. E Susan tem sido uma grande companheira nisso tudo. Do jeito que a mamãe anda triste pela casa...

Sorab percebeu que estava com medo da própria mulher. Com medo de sua reação, sua indignação, sua raiva, quando ela descobrisse a que ponto sua mãe havia desrespeitado o pedido dela. E ainda por cima, tagarelado sobre isso no jornal. Talvez fosse a última gota. Talvez eles tivessem que reconsiderar o convite para que mamãe morasse lá permanentemente. Sorab constatou que estava trêmulo de indignação e de raiva. Seu clima anterior de serena animação tinha sumido como um barco numa tempestade. As luzes piscantes da enorme árvore de Natal de repente lhe pareceram zombar de seu bom humor matutino. A essa altura, ele antecipava com apreensão o som dos passos impacientes de Cookie descendo a escada. Lá se foi o Feliz Natal, pensou com amargura, arrastando-se escada acima em direção ao quarto.

Apesar do mau humor, a visão de Susan dormindo o emocionou, como sempre. Ele viu os vagos primórdios de uma ruga de preocupação vincarem a testa da mulher, e seu coração se abrandou. Susan sempre tivera aquele tipo comovente de beleza simples das moças do Meio-Oeste, mas, à medida que fora ficando mais velha, tornara-se ainda mais atraente aos olhos dele. O tempo, a idade e a experiência vinham deixando suas marcas naquele rosto liso, e Sorab achava isso irresistível. Há mulheres que envelhecem mal, pensou consigo mesmo. Graças a Deus, Susan não é uma delas.

Sentou-se na beirada da cama e murmurou:

— Querida, é Natal. Está na hora de acordar. Vamos, tenho uma coisa para lhe contar.

Tehmina sentiu o clima gelado da sala assim que entrou. Susan e Sorab estavam sentados à mesa de jantar, bebericando suas xícaras de chá. Ambos ergueram os olhos, ao vê-la chegar de camisola, e se entreolharam rapidamente. Não se via Cookie em parte alguma. Ela sentiu um aperto no peito. Eles sabem, pensou. O Henderson já deu com a língua nos dentes e lhes passou a notícia.

— Bom dia. Feliz Natal — disse.

— Feliz Natal — respondeu Susan, automaticamente. Para grande desolação de Tehmina, Sorab não disse nada, apenas mordiscou o lábio superior.

— Bom dia, *beta* — repetiu ela, e dessa vez o filho se levantou da cadeira e foi até a cozinha, voltando com uma xícara de chá para a mãe.

— O chá está gostoso — disse ela. — O Cookie ainda não se levantou?

Até ali, ela era a única a procurar manter uma conversa.

— Vou acordá-lo num minuto. Mas primeiro, mamãe, precisamos conversar — respondeu Sorab. Pegou o jornal na cadeira, alisou a dobra com os dedos e o pôs na frente da mãe. — Mamãe, o que vem a ser isso?

Tehmina ficou com as mãos tão trêmulas ao ver seu retrato no jornal, que derramou chá na toalha vermelha e dourada. Ouviu Susan abafar um suspiro, antes de se levantar para buscar toalhas de papel. Tehmina empalideceu quando seus olhos leram a manchete e as primeiras linhas da reportagem. *Ela é visitante nos Estados Unidos. Uma estrangeira neste país. Mas, para dois garotinhos amedrontados de Rosemont Heights, a indiana Tehmina Sethna, 66, revelou-se um anjo natalino.*

Como é que esse jornal tinha conseguido a matéria?, perguntou-se. E como foi que tiraram essa fotografia? E então, lembrou-se: é claro, foi aquele rapaz que esteve aqui ontem com a polícia. Ele não tinha dito alguma coisa sobre acompanhar os policiais para escrever uma história sobre a ronda da paz? Não tinha dito que trabalhava num jornal? Naquela hora, ela não havia entendido que o rapaz, na verdade, pretendia escrever a seu respeito. Havia pensado... *que é* que ela havia pensado? A rigor, não tinha pensado em muita coisa na véspera, tinha? E o problema não era justamente esse? — seu comportamento irrefletido, que resultara em dois meninos serem retirados da própria mãe? E, depois que a polícia chegara, tinha sido como se sua mente se dispersasse, feito passarinhos ao ouvir um tiro. Ela havia ficado alvoroçada, assustada, em pânico, com medo de que Sorab e Susan descobrissem. E, enquanto ela arrancava promessas do pequeno Cookie de não contar nada, enquanto rearrumava a cozinha, depois de todos irem embora, enquanto fingia divertir-se no jantar com os Vakil — embora sua mente vagasse, pensando em como estariam Josh e Jerome —, enquanto ela fazia de conta que estava tudo normal, aquele rapaz do jornal escrevia uma reportagem que o mundo inteiro poderia ler. Uma reportagem que escancarava a estupidez e a irreflexão dela.

— Mamãe, olhe para mim — disse Sorab, mas Tehmina não conseguia erguer os olhos do jornal. Continuou concentrada em seu rosto no papel, um rosto terrivelmente conhecido, mas que, mesmo assim, parecia o rosto de uma estranha. Será que realmente estava tão velha e feia? Será que seus olhos tinham mesmo aquela expressão desvairada e confusa? Ela viu uma mancha úmida espalhar-se na fotografia e percebeu que estava chorando.

Por fim, encontrou coragem para levantar os olhos.

— Desculpem. Sinto muito. Eu não raciocinei. Só ouvi aqueles meninos sofrendo e não sei mais o que aconteceu. Fiquei maluca, eu acho.

— Eu só queria não ter tido que saber através do Antonio e do jornal — murmurou Sorab. — Teria esperado que você...

— Eu sei. Eu sei, meu querido. Eu ia lhe contar, mas ontem ficamos fora até tão tarde, e... e eu só queria esperar até hoje, para não estragar seu bom humor. Realmente sinto muito.

— O que eu não entendo é que nós tínhamos falado com você — interpôs Susan —, tínhamos pedido para não se meter com aquela família. E fico muito incomodada por você ter deixado o nosso Cookie assistir a essa cena. Nem sei o que isso tudo significa... se você... se nós... se você nos pôs em perigo. Que vai acontecer quando soltarem essa mulher?

Tehmina fitou-a, horrorizada. Nem sequer havia pensado nisso.

— Eu vou embora — disse, aflita. — Vou voltar para a Índia, assim que conseguir uma passagem. Dessa forma, não estarei aqui quando a Tara voltar. Estou tão envergonhada, meus amores, que nem posso...

— Está bem. Já chega. Estamos na manhã do Natal, pelo amor de Deus — disse Sorab, com um vigor que ela não ouvia há muito tempo em sua voz. — O que está feito está feito. Não faz sentido estragarmos o dia inteiro.

Virou-se para a mãe e disse:

— E chega dessa conversa de voltar para Bombaim, entendeu, mamãe? Haja o que houver, nós vamos enfrentar isso — declarou. Lançou um olhar de advertência para Susan e forçou um sorriso pálido. — E depois, você não conhece este país maluco. Amanhã surge outro escândalo com o Michael Jackson, ou com o Tom Cruise, ou com seja lá quem for, e todos voltarão a atenção para eles. Eu trabalho com publicidade: pode crer, eu sei. E, pela primeira vez, posso dar graças a Deus pela memória curta das pessoas.

Mas Susan continuou com um ar infeliz.

— Eu sempre procurei levar uma vida sossegada — começou, mas, nesse momento, todos foram distraídos por uma barulheira estrondosa, que parecia um exército em deslocamento. Era Cookie correndo pela escada e entrando desabalado na sala.

— É Natal, é Natal! — gritou ele, pulando num pé e no outro. — Vamos ver o que o Papai Noel trouxe para mim!

— Cookie — repreendeu Susan. — Que tal dizer bom-dia a todos?

Mas o menino estava agitado demais para ponderações.

— Anda, anda, vamos abrir os presentes! — gritou, puxando o pai pela mão.

Os três adultos riram. Esse menino parece uma flor, pensou Tehmina. Sua beleza e seu perfume enchem a sala.

— Depois nós conversamos — disse Sorab, deixando-se arrastar para a outra sala. — Mas, primeiro, venham, vamos abrir os presentes.

Cookie exigiu abrir todos os seus presentes primeiro. Os papéis de embrulho voaram a seu redor feito uma ventania enlouquecida, enquanto ele se atirava à tarefa de rasgá-los. Tehmina ficou doente com aquele desperdício. Se fosse em Bombaim, ela se certificaria de que Cookie abrisse cada embrulho com todo o cuidado, para que fosse possível reaproveitar o papel de presente. Mas, ali, os pais pareciam encorajar aquela pilhagem frenética.

— Puxa, esperem só até o Brian ver isso! — comentou Cookie sobre um presente. Segundos depois: — Obrigado, vovó —, e deu uma beijoca rápida no rosto de Tehmina, antes de voltar para seu lugar no chão, onde as pilhas de caixas abertas e de papel cresciam à sua volta.

— Por nada — murmurou ela, surpresa, ao ver que Susan pusera seu nome num presente que ela mesma comprara para o filho. — Obrigada — disse, apenas mexendo os lábios, e Susan a recompensou com um sorriso tenso e um rápido aceno da cabeça.

O telefone tocou quando Cookie abria seu nono presente.

— Quer dar uma paradinha de um segundo, parceiro? — perguntou Sorab, mas, ao ver o rosto decepcionado do filho, riu. — Ora, que diabo eu estou dizendo? Vá em frente, eu já volto.

Tehmina viu Sorab atender o telefone no outro extremo da sala.

— Pois não? Ah, olá, Joe — ouviu-o dizer. — Ora, que grande surpresa! Sim, Feliz Natal para você também. Como vai a Heather?

Alguma coisa na voz do filho, uma certa formalidade, fez Tehmina escutar com atenção.

— Vó, mãe, olhem só pra isso! Um vale-presente para uma bicicleta nova, do tio Bobby! E sou eu que vou escolher! — gritou Cookie, abafando um pouco da conversa de Sorab. — Eba!

As orelhas de Tehmina logo captaram o filho referindo-se a ela:

— É, é minha mãe, sim. Uma autêntica heroína. Ah, certo. É claro. Eu transmito seus votos a ela.

Com quem Sorab estaria falando? Parecia tão formal! Mas, se não era um amigo, quem poderia estar telefonando tão cedo, na manhã de Natal? Ainda nem eram oito horas. Tehmina deu uma olhadela para Susan, mas a nora estava agachada no chão, aparentemente absorta em colocar pilhas num dos novos brinquedos de Cookie.

— Como? — ela ouviu Sorab dizer. — Ah, a Grace? Sim, acho que ela vai indo bem. Há sempre um período de adaptação, como você sabe.

Quer dizer que ele estava falando com alguém do escritório. Será que esses americanos nunca paravam de trabalhar? Não tiravam folga nem no dia de Natal? Fez-se uma pausa. Depois, Sorab disse:

— Sim, Joe, eu adoraria. Um jantar parece ótimo. Só me avise o dia, ok? Se quiser deixar para depois das festas, compreendo. É só me avisar.

Ao desligar, Sorab ficou parado por um segundo ao lado do aparelho, olhando para o fone. Depois, voltou para onde estavam a mulher e a mãe, com uma expressão engraçada no rosto.

— Era o Joe Canfield. O chefão. Foi ele quem fundou a agência, e agora preside o conselho diretor. Parece que leu a história das façanhas da mamãe no jornal, hoje cedo. Disse que quer jantar com uma verdadeira heroína americana.

Os olhos de Sorab brilhavam quando ele se dirigiu a Susan:

— Meu bem, acho que vamos jantar na casa do Joe.

Tehmina olhou para Susan, ansiosa, na esperança de que o telefonema a redimisse um pouco. A nora tinha um ar intrigado:

— Eu nem imaginava que o Joe Canfield soubesse o nosso telefone. Ei, quem sabe não podemos ganhar uma grana, explorando descaradamente o nosso Milagre Natalino aqui! — acrescentou, em tom leve. Tehmina notou que, pela primeira vez nessa manhã, a nora a olhou de frente.

Cookie fez um som sibilante e puxou a manga do pijama do pai, com impaciência.

— Papai, viu o que o tio Bobby mandou pra mim? Um vale-presente para uma bicicleta nova.

Sorab deu um tapinha na cabeça do filho, dizendo:

— Vi, meu amor.

Virou-se para a mulher, mas, antes que pudesse dizer alguma coisa, o telefone voltou a tocar. Dessa vez, Susan deu um pulo do chão.

— Eu atendo — disse.

Um minuto depois, entregou o telefone a Tehmina, levantando a sobrancelha esquerda:

— É a Eva Metzembaum. Diz que quer falar com a heroína americana.

Virou-se para Sorab, enquanto Tehmina pegava o telefone, e disse:

— Talvez devamos começar a cobrar ingressos.

Tehmina a ouviu, e não soube ao certo se o que ouvira na voz da nora tinha sido irritação ou divertimento.

— Alô? — sussurrou ao telefone, ciente de que Sorab e Susan a olhavam. — Que está fazendo acordada tão cedo, Eva? — indagou. Sabia que Eva era uma notívaga confessa, que dormia a manhã inteira.

— O meu Solomon me acordou depois de ver o jornal. Quase caí da cama quando vi a sua carona estampada lá — disse Eva, com a voz ofegante, como se tivesse passado a manhã inteira limpando a casa. — Ah, Tehmina, estou tão orgulhosa de você, que estou quase explodindo! Não me surpreende nem um pouco o que você fez. Coitadas daquelas crianças. Mas por que você tinha que sair pulando cercas, meu bem? Podia ter caído e quebrado o pescoço; podia, sim. Mas, escute só, eu mesma quase caí morta quando vi a sua cara me olhando no jornal.

Tehmina teve uma vontade tão grande de estar com a amiga, que seus olhos se encheram de lágrimas. De repente, sentiu-se muito cansada, como se já estivesse lá vinte e quatro horas em pé. Mal tinha dormido durante a noite, pensando em como dar às crianças a notícia dos acontecimentos da véspera. E o dia estava apenas começando. Susan e Sorab ainda nem haviam aberto seus presentes.

— Como você está, Eva? — perguntou.

— Eu? Assanhada como sempre. E quem se incomoda com isso? A grande pergunta, querida, é: como você está?

— Estou bem. Apenas cansada — e Tehmina sentiu três pares de olhos acompanhando sua conversa. — Escute, Eva, posso ligar para você mais tarde?

Ouviu Eva dar uma respirada rápida:

— Problemas em casa, meu bem? É, imagino que a sua nora não esteja muito satisfeita com toda essa comoção. Escute, ligue para mim quando puder, está bem? E lembre-se: não importa o que qualquer um diga, você fez o que era certo. Fique de cabeça erguida! Logo, logo, a gente se fala.

Tehmina continuou segurando o telefone até ouvir o sinal de ocupado. Depois, voltou para seu lugar no sofá. Cookie, que estivera absorto derramando e juntando todas as peças de seu conjunto LEGO, olhou para cima:

— Estou contente que você está aqui com a gente, vovó — declarou. E, levantando do chão num salto, pulou no colo dela e se pendurou em seu pescoço. Tehmina retribuiu o abraço, apertando-o com tanta força que o menino gemeu: — Vovó, você tá me machucando. Vou ficar fino que nem uma panqueca.

Susan levantou-se:

— Por falar em panqueca... que tal umas panquecas de mirtilo no café?

— Oba! — gritou Cookie. — E rabanada também.

— E *rava* — acrescentou Sorab, participando do plano com entusiasmo. Fitou a mãe e os olhos dele disseram o que ele não conseguia dizer: pediam-lhe perdão e expressavam que ela estava perdoada. — Por favor, mamãe? Você pode fazer *rava* com açafrão?

Tehmina sentiu o coração cantar. Pela primeira vez no dia, uma pequena esperança agitou-se em seu peito. Talvez as coisas tivessem um bom desfecho, afinal.

— Meu primeiro Natal na América com meu filho, e ele precisa perguntar se posso fazer *rava*? É claro que sim! — sorriu.

— Muito bem, então o plano é esse — propôs Susan. — Abriremos os presentes dos adultos depois do café, certo, benzinho? — disse a Cookie.

O menino encolheu os ombros, com um gesto exagerado.

— Está bem. Se vocês podem esperar isso tudo... — respondeu, arrastando a fala. Havia algo tão adulto e entediado em sua voz que todos caíram na gargalhada.

A família havia terminado o café, e Tehmina e Susan estavam arrumando a cozinha quando a campainha da porta tocou. As duas ouviram Sorab, que estivera ajudando Cookie a montar alguns dos brinquedos novos, dar um resmungo e dizer em voz alta:

— Eu atendo! Puta merda! — exclamou ele, no instante seguinte. — Hum, senhoras, acho melhor vocês correrem para a sala o mais depressa possível.

As duas se entreolharam por uma fração de segundo. O que era agora?, parecia dizer o olhar de Susan. Enxugaram as mãos e correram para a sala de estar. Sorab havia parado em frente ao janelão, e elas se postaram a seu lado. Soltaram uma exclamação. Era uma cena de filme. Todos os três canais locais de televisão haviam estacionado seus furgões na rua. Havia homens com câmeras nos ombros filmando a casa. Uma repórter parada em frente ao furgão do Canal 3 falava ao microfone. E duas outras pessoas, de tênis, bloco na mão e máquina fotográfica pendurada no pescoço, andavam de um lado para outro na rua.

— Mas, que diabo...? — exclamou Susan.

Sorab soltou um assobio:

— Mamãe, o que foi que você provocou? — disse, com um ar divertido de surpresa na voz.

A campainha tocou de novo, dessa vez com mais insistência. Resmungando xingamentos, Sorab foi até a porta da frente e a abriu:

— Pois não?

O rapaz de jeans azul batia os pés de leve, para espantar o frio.

— Olá, senhor. Eu sou Luke Johnson, do *Daily Mirror*. Conheci a sua mãe ontem...

— Ah, então é você o sujeito que virou nossa vida de pernas para o ar? — perguntou Sorab, mas não havia raiva de verdade em sua voz. — Graças a você, agora temos que lidar com isso tudo. — E apontou para o cenário espantoso à sua frente.

Luke fez uma careta:

— Desculpe. Deve ser um dia fraco para as notícias, com o Natal e tudo mais... Seja como for, eu estava pensando...

Houve uma gritaria e um tumulto repentinos na rua, quando outros jornalistas viram Luke falar com uma pessoa da casa. A repórter de cabelos compridos veio correndo pela entrada de tijolinhos, seguida de perto por seu fotógrafo.

— Com licença — gritou. — Podemos lhe fazer algumas perguntas?

Sorab decidiu que havia gostado do jeito do rapaz à sua frente. Quanto aos outros, não tinha muita certeza. E, de qualquer maneira, era gente demais.

— É melhor você entrar — disse, chegando para o lado, para dar passagem a Luke. Quando a repórter ia subir os três degraus da entrada, ele fechou a porta. A moça tocou a campainha, aborrecida, mas Sorab a ignorou.

— Ei! — ouviu-a gritar do lado de fora. — Isso não é justo!

Luke Johnson sorriu.

— Obrigado — disse, e, ao avistar Tehmina: — Oi, dona Tammy! Feliz Natal.

— Seu menino travesso — repreendeu-o Tehmina. — Você não disse que ia me colocar no jornal.

Luke pareceu confuso. E horrorizado.

— Desculpe, senhora. Pensei que eu tivesse dito, sinceramente. Quer dizer, eu lhe disse que era repórter do jornal. Sabe, a questão é que o negócio funciona assim, eu nunca sei se uma coisa dará uma matéria, até apresentá-la ao meu editor.

O rosto de Tehmina se abrandou, ao perceber que tinha afligido o rapaz.

— Bem, o que está feito está feito.

Susan aproximou-se:

— Olá, meu nome é Susan Sethna, a nora de Tehmina — disse com frieza. — Em que podemos ajudá-lo hoje?

Luke empertigou-se, como que ouvindo o tom gélido naquela voz. Assumiu uma postura formal e profissional, diferente do jeito descontraído que usava com Tehmina.

— Estou aqui para fazer uma continuação da reportagem com a dona Tammy, senhora. Algo nos moldes, a senhora sabe, de um perfil da personalidade.

— Chega de entrevistas — interveio Sorab. — Escute, somos apenas pessoas comuns, entende? Não gostamos de ficar sob os refletores. E, de qualquer modo, essa é uma história muito triste. Não queremos dar a impressão de estar explorando a tragédia de outras pessoas. Não é isso, mamãe?

Tehmina fez que sim, embora preferisse que Sorab a tivesse deixado falar por si. Afinal, Luke estava ali para entrevistá-la, não a eles.

— Sim, eu não quero mais publicidade, por favor.

A campainha voltou a tocar, ainda mais insistente.

— Escutem — disse Luke, em tom premente. — Eles não vão embora. É melhor vocês darem alguma resposta.

Ao perceber as expressões obstinadas de todos, tentou de novo:

— Olhem, essa é uma boa história, um assunto de interesse humanitário, que faz a gente se sentir bem. Meu editor até a transmitiu para a agência nacional de notícias ontem à noite... É... é para que qualquer outro jornal do país possa acompanhá-la. Vocês têm que entender... as pessoas precisam de alguma notícia com que se sintam bem. Olhem para o resto do jornal de hoje: é tudo sobre guerra e bombas explodindo, e toda essa porcaria. E aí aparece uma mulher que nem é americana e faz o que a maioria de nós não faria. Entendem o que eu quero dizer? Olhem — continuou, inconsolável —, muita coisa boa pode sair dessa matéria. Vocês podem convencer outras pessoas a fazer o que é certo. Isso pode inspirar mais alguém...

— Está bem — interrompeu Sorab. — Deixem-me fazer o seguinte. Preciso ligar para o meu melhor amigo, que é advogado, e pedir a orientação dele, certo?

Virou-se para Luke e prosseguiu:

— Você não está entendendo... Não foi assim que planejamos passar o dia de Natal. Tenho que voltar ao trabalho amanhã, graças aos caprichos da minha encantadora chefe. Por isso, este é o meu único dia de folga, certo? E não planejei passá-lo conversando com jornalistas.

Por um instante, Sorab pareceu choroso, como se tentasse combater a autocomiseração que ameaçava tragá-lo. Em seguida, deu meia-volta abruptamente e foi telefonar para Percy.

Tehmina ficou sozinha, olhando para Luke. Notou os flocos de neve em seu cabelo castanho e sentiu os dedos comicharem de vontade de sacudi-los. Lembrou-se de como o rapaz fora gentil com ela na véspera, de como seu jeito caloroso e cordial havia compensado a polidez rígida dos dois policiais. Olhou atentamente para o rosto de Luke Johnson e concluiu que gostava dele. Havia algo de sincero, franco e confiável no rosto do rapaz. Além disso, ele já tinha sofrido. Tehmina não entendeu como sabia disso, mas teve certeza. Estava nos olhos dele.

— Por que você voltou hoje, num dia tão frio, meu filho? O que mais precisa saber sobre uma velhota como eu?

— Ao que parece, os telefones da nossa redação começaram a tocar sem parar hoje de manhã, senhora. O meu editor ligou para mim em casa, hoje cedo, e me mandou tratar de correr para cá e conversar um pouco mais com a senhora. Acontece que os nossos leitores querem muito ajudar aqueles dois garotos... e saber mais coisas a seu respeito.

— Bem, quanto aos dois meninos, eu entendo. Mas por que...

— Mamãe — interrompeu Sorab. — Deixe-me ligar para o Percy, antes que você diga mais alguma coisa.

Algo no tom de Sorab — seu jeito de insinuar que Luke não merecia confiança, e que ela precisava obter permissão de Percy antes de confiar em seus próprios instintos — deixou Tehmina furiosa. Fique de cabeça erguida, dissera Eva, e Tehmina se apanhou inclinando um pouco a cabeça para trás, ao contemplar o filho. Seu olhar foi firme e resoluto ao fitar-lhe o rosto ansioso, ao ver como suas mãos agarravam o fone. Pela primeira vez em um ano, ela teve a sensação de que a ordem natural das coisas fora restabelecida: ela voltara a ser a mãe, e Sorab, o filho.

— Vá em frente, ligue para o Percy. Ele pode nos orientar sobre o que fazer quanto ao resto deles, os que estão lá fora. Mas este rapaz aqui, com ele eu vou conversar.

Ignorando as expressões estarrecidas e magoadas com que Sorab e Susan a fitaram, Tehmina conduziu Luke Johnson para a cozinha.

CAPÍTULO QUINZE

TEHMINA RESOLVEU USAR seu sári azul com a barra bordada para ir à casa de Joe Canfield. Afinal, por tudo o que dissera Sorab, Joe era um homem importante. Ela nunca vira o filho tão entusiasmado com um convite para jantar — um comportamento que lhe trazia à lembrança a agitação de Cookie no dia de Natal.

Natal. Tinham se passado apenas quatro dias, mas era como se tivesse sido uma vida inteira. Que país maluco esse! Em vez de se alvoroçarem com os dois meninos, que estavam morando com os tios, em vez de se preocuparem com Tara, que, apesar de todos os seus erros, era mãe e sem dúvida sentia falta dos filhos, em vez dessas reações apropriadas, era como se todos em Rosemont Heights estivessem ocupados em entoar louvores a ela. E não era só Rosemont Heights. Tehmina tinha recebido cartas de lugares distantes, como o Oregon e a Flórida. Só Deus saberia dizer como é que alguém no

Oregon tinha ouvido falar dela, muito menos obtido seu endereço. E a própria prefeita de Rosemont Heights havia telefonado para lhe dar os parabéns. Parabéns pelo quê?, por pouco ela não dissera. Mas já começava a desconfiar da resposta: nos Estados Unidos, ser uma celebridade era uma celebração em si, algo por que ser cumprimentado.

"Ora, mamãe, relaxe", Sorab tinha dito entre risos, quando ela lhe contara sobre o telefonema da prefeita. Sorab andava num bom humor incomum nos dias decorridos desde o Natal. "Aproveite os seus quinze minutos de fama." Tehmina lhe dera um olhar intrigado, e o filho fora obrigado a explicar o que significava essa expressão norte-americana, o que era *pop art* e quem era um de seus maiores representantes, Andy Warhol.

Mas até Sorab ficara abalado com o que havia acontecido na véspera. Tehmina e Susan tinham ido ao Kmart trocar alguns presentes. Susan estava no balcão de trocas, enquanto sua companheira de compras passeava a esmo pela loja. Quando ela corria as mãos pelos casacos pendurados numa arara, um estranho com óculos de aros de chifre de veado e cabeça calva, em formato de ovo, tinha se aproximado.

"A senhora é a mulher dos jornais, não é? O Anjo do Natal?"

Tehmina enrubescera, sem saber ao certo o que dizer. Mas o homem tinha vindo em seu socorro:

"Deus a abençoe, senhora."

"Obrigada", dissera ela, pronta para seguir seu caminho. Mas o estranho a havia barrado. "São pessoas como a senhora que estão cumprindo a profecia."

Tehmina o encarara, dizendo:

"Perdão?"

"Sim, senhora, o fim do mundo está chegando, isso é certo. A senhora é cristã?", perguntara o homem, de repente.

"Não, eu sou parse. Zoroastrista. O zoroastrismo é uma religião originária da Pérsia, sabe?"

"Nunca ouvi falar. Mas não tem importância. Jesus Cristo pode salvar sua alma da danação eterna, se a senhora o deixar entrar. Quer rezar comigo?", indagara, e, para extremo desgosto de Tehmina, havia segurado a mão dela e baixado a cabeça numa prece.

"Eu não sou... quer dizer, desculpe-me", dissera ela, tentando puxar a mão e olhando aflitivamente em volta, à procura de Susan. E, como se tivesse ouvido seu pedido silencioso de socorro, a nora se materializara às suas costas:

"Mas, que diabo...?"

"Susan, que bom que você chegou", exclamara Tehmina, alvoroçada. Mas o homem que orava abafara sua voz.

"Se não se importa", havia sibilado para Susan, "a senhora não vê que estamos dedicados ao trabalho do Senhor? E nada de praguejar diante do círculo sagrado."

"Escute aqui, moço, não sei quem é o senhor, mas, se não soltar a minha mãe neste instante, vou chamar os seguranças da loja", retrucara Susan, já olhando em volta.

Apesar do medo e do constrangimento que Tehmina sentia, as palavras de Susan haviam penetrado em seu coração. A nora a havia chamado de "minha mãe". Não de sogra. Sua alegria, ao perceber isso, lhe dera coragem para se soltar com um puxão da mão do maníaco que a segurava.

"Venha, vamos embora", murmurara ela para Susan, mas o homem as tinha seguido, passando pelos casacos de inverno e os suéteres.

"É do Senhor Onipotente que vocês estão fugindo, não de mim", dissera o maluco. "Suas almas vão arder como toucinho no inferno eterno, se vocês não abraçarem Cristo como seu salvador."

"Esse homem as está importunando, senhoras?", perguntara um afro-americano magro e alto, de cabelo bem curto, na seção de suéteres masculinos. E então, sem esperar resposta, prosseguira: "Escute, cara, sou o gerente da loja. Se você não cair fora daqui em cinco segundos, eu chamo a polícia."

O homem estava prestes a argumentar, mas se calara de repente, fazendo Tehmina pensar num balão murcho, depois que alguém o esvazia. Sem mais uma palavra, tinha se retirado, resmungando baixinho o tempo todo.

"Muito obrigada, senhor...", dissera Susan, procurando o crachá do rapaz.

O homem dera um sorriso:

"Na verdade, meu nome é Peter. Mas não sou o gerente, apenas um freguês. Às vezes, a gente precisa mentir para os mensageiros de Deus", dissera, com uma piscadela, e as duas tinham rido.

"Bem, muito obrigada, assim mesmo", insistira Susan, e Tehmina havia acenado com a cabeça.

"Ora, não foi nada, não foi nada", dissera ele. Virando-se para Tehmina, com expressão séria, havia acrescentado: "Só quero que a senhora saiba que nem todos somos birutas neste país. Eu mesmo sou cristão, mas não saio por aí tentando converter as pessoas em pleno Kmart", e todos haviam tornado a rir. "Mas uma coisa eu posso dizer: foi muito bonito o que a senhora fez, ao salvar aqueles dois meninos. Eu... eu só quero que saiba disso. Eu mesmo tenho dois garotos, e nem consigo imaginar...", e tinha estremecido.

Tehmina havia gostado tanto desse homem cor de chocolate, que sentira vontade de convidá-lo para jantar.

"Muito obrigada", respondera. Sabia que suas palavras eram insuficientes, mas tinha torcido para que o homem soubesse que as dele haviam significado mais para ela do que o telefonema da prefeita.

"Não tem de quê", dissera ele em tom leve, afastando-se com um ligeiro aceno da cabeça.

"Há muita gente boa no mundo", suspirara Tehmina, vendo-o distanciar-se.

"É, e muitos malucos também", tinha retrucado Susan. "Você precisa tomar muito cuidado, mamãe, especialmente agora que virou celebridade", e dera um risinho ao pronunciar essa palavra.

Como é que a Susan fazia isso?, Tehmina se perguntara. Como conseguia fazê-la sentir-se culpada por uma coisa com que não tivera nada a ver? Acaso era culpa dela se um maluco a havia abordado no Kmart e resolvido ganhar uns pontos extras no céu, convertendo-a? Mas, então, ela se havia lembrado de sua foto no jornal e de como tinha quebrado a promessa feita à nora. Além disso, a lembrança de Susan referindo-se a ela como mãe ainda estava fresca e perfumada em sua memória.

"Desculpe", dissera Tehmina, segurando a mão de Susan. "A vida inteira eu fui assim, atraindo todos os birutas. Só Deus sabe por quê."

"Porque todos eles reconhecem a meiguice quando a vêem", dissera Susan com um sorriso, apertando-lhe a mão. E, como se isso não bastasse para emocionar Tehmina, tinha completado: "A sua bondade simplesmente irradia de você, mamãe. Todo o mundo a vê."

Nessa hora, Tehmina havia ficado realmente sem graça.

"Quanta bobagem você diz!"

"Bobagem? Ora, você pensa que eu não noto? Quando entro numa loja sozinha, ou até com o Sorab, ninguém me dá a menor confiança. Mas, se estou numa fila com você, até os caixas mais emburrados começam de repente a rir e a conversar comigo. Era a mesma coisa quando íamos passear no parque Greendale no último outono, lembra-se? Pessoas totalmente desconhecidas nos davam os sorrisos mais calorosos."

"É que eles vêem o jeito como você e o Sorab cuidam de mim. As pessoas gostam de ver isso, gostam de ver amor numa família."

"Eu sei. E isso a nossa família tem de sobra, graças a Deus."

De repente, ocorrera uma idéia a Tehmina: Susan estava ficando mais parecida com todos eles. Mais emotiva, mais sentimental, mais... bem, mais parse. Menos norte-americana. Menos branca. Era como se a influência que Sorab exercia nela começasse finalmente a aparecer. Tehmina reprimira uma idéia envaidecida: eram a influência dela, sua dedicação ao filho, suas manifestações francas de afeto por Cookie que estavam modificando Susan, tornando-a menos irritadiça, mais flexível.

Quando teria isso começado a acontecer?, perguntou-se. Fazia apenas uma semana, mais ou menos, ela andara se queixando de Susan com Eva, totalmente consciente da escassez de sorrisos da nora, da irritabilidade em sua voz e em seu riso. E então compreendeu — tinha sido a reportagem. A reportagem e a fama decorrente dela haviam reduzido a tensão em casa.

E agora, ao se aprontar para a festa de Joe Canfield, Tehmina se perguntou se devia usar os brincos de brilhante que Rustom lhe dera em seu aniversário de quarenta anos. Não queria parecer pomposa demais. Sabia que ali, nos Estados Unidos, até as mulheres ricas usavam bijuteria, e nem tentavam esconder esse fato. Já na Índia, até a mais pobre das faveladas possuía alguma jóia de ouro, e ouro de vinte e quatro quilates, ainda por cima. Nos Estados Unidos, nem se conseguia comprar ouro de vinte e quatro quilates. Tehmina lembrou-se da ocasião em que Sorab lhe dera essa informação. Sua reação imediata tinha sido pensar: mas, então, como é que eles podem se considerar o país mais rico do mundo? Pegou os brincos de brilhante e os segurou junto às orelhas. Eles faiscaram como as luzes da árvore de Natal da sala. Tehmina resolveu usá-los. Afinal, Joe Canfield tinha deixado claro que o jantar era em homenagem a ela. E tudo que o homem tinha visto dela fora aquela fotografia horrorosa no jornal — embora Luke se houvesse redimido com uma foto mais bonita na matéria escrita no dia seguinte. Mesmo assim, Tehmina sabia que a primeira impressão era importante, e queria certificar-se de impressionar o patrão de Sorab. Faria tudo que pudesse para promover a carreira do filho. Joe Canfield já o havia até convidado a jogar raquetebol com ele, no começo da semana — convite este que só tinha feito uma vez, logo depois de contratar Sorab.

Pôs os brincos de brilhante.

— Boa decisão, Tehmina — ouviu Rustom dizer. Virou-se depressa. Lá estava ele, encostado na parede, com uma das mãos no bolso. Parecendo mais à vontade na casa do filho do que ela própria jamais se sentira.

— Querido! Há quanto... há quanto tempo você está aí?

— *Arre wah*, ora! Minha mulher está toda enfeitada, feito uma estrela de cinema, e você acha que eu perderia a oportunidade de admirar sua beleza?

— Lembra-se de quando você me deu esses brincos? — perguntou Tehmina, com os olhos marejados.

— Lembro — respondeu ele, baixinho. — Eu me lembro de tudo.

— Senti muita saudade de você nesses últimos dias, *janu*. Aconteceram muitas coisas desde a última vez que conversamos.

— Eu sei. Eu a tenho observado.

— Mas eu preciso...

— Mamãe, já está pronta? — disse Sorab, entrando no quarto. Depois, ao ver os brincos e o sári, exclamou: — Puxa! Você está parecendo uma rainha.

— Sorab... — disse Tehmina, dando uma volta, mas Rustom havia sumido, e a parede do canto em que estivera encostado parecia espantosamente vazia.

— Meu Deus, mamãe, o que foi? Você parece ter visto um fantasma.

Tehmina sobressaltou-se, como que em culpa.

— Não foi nada. Você me assustou, só isso.

— Desculpe. Só vim trazer um pouco mais da correspondência dos seus fãs. Algumas dessas cartas vêm até do Havaí e do Arizona. É provável que seja mais gente mandando cheques para os dois meninos. Todos no seu nome, é claro. É incrível como as pessoas são crédulas! E se você resolvesse descontar esses cheques e ficar com o dinheiro?

— Sorab! — exclamou Tehmina, chocada. — Eu nunca faria isso!

— Ora, relaxe, mamãe. Eu nunca disse que você o faria. Tudo o que disse foi: como é que esses estranhos sabem que você não o fará?

— *Beta*, tem que haver um pouco de confiança no mundo. Caso contrário, onde iríamos parar?

Sorab deu alguns passos, inclinou-se e beijou a cabeça da mãe.

— Eu sei. Tendes razão, ó famosa mulher. E então, está pronta?

Joe e Heather Canfield moravam numa antiga mansão no lago Erie. Tapetes orientais desbotados cobriam os ricos pisos de tábua corrida, e havia quadros abstratos e escuros pendurados nas paredes. Tehmina observou os estofados de couro meio gastos, as estantes embutidas, a lareira antiga, a sanca junto ao teto, e sentiu o corpo relaxar. Essa casa antiga dava uma sensação muito, muito mais *real* do que a residência moderna e acarpetada de Sorab e do que o palácio recém-construído dos Jasawala. Por que Sorab e todos os seus amigos moravam naquelas casas novas e sem alma, quando havia casarões como esse para comprar? A casa de Joe Canfield dava a sensação amaciada, gasta e cômoda de um sapato velho. E tinha algo de distintivo, algo que trazia a marca do dono e o peso da história da família. Já a casa dos Jasawala, apesar de ter sido projetada por eles, parecia anônima, intercambiável, como se qualquer pessoa pudesse aparecer e ocupá-la. Seria uma questão das fortunas de gerações mais velhas *versus* os novos-ricos?, perguntou-se Tehmina. Talvez, por ser um homem rico, Joe Canfield pudesse dar-se ao luxo de não trocar um tapete que começava a puir, ou um sofá em que havia um rasgo. Como era mesmo aquele velho provérbio gujarati? Era algo assim: quando se pega um pobre comendo amendoim, o mundo inteiro diz que é por ele não ter dinheiro para comer amêndoas. Mas, se um rico come amendoim, as pessoas dizem que é para quebrar a rotina de comer amêndoas todos os dias. Então, talvez os imigrantes, como os Jasawala, precisassem estar sempre provando seu sucesso ao mundo. E era isso que lhe agradava na casa de Joe, Tehmina percebeu: ela não tinha que provar nada a ninguém. Simplesmente ficava lá, no mesmo espaço que havia ocupado sabia Deus por quantos anos, e, se estava meio torta e um pouquinho surrada, bem, pois que fosse.

Apesar de estar muito escuro para se enxergar o lago, e embora as janelas estivessem fechadas, Tehmina pôde ouvir o marulhar distante batendo nas pedras, enquanto todos bebericavam vinho na sala de Joe e Heather. O som das ondas a fez lembrar o mar Arábico, o que, por sua vez, trouxe-lhe à lembrança sua querida Bombaim. E ela sentiu uma nostalgia intensa. Alguma coisa nessa casa, com seu pé-direito alto e sua sanca entalhada, a fez recordar seu próprio apartamento em Colaba.

— E então, Tammy, quais são as notícias dos dois meninos? — perguntou Joe.

Num sobressalto, ela se obrigou a parar de escutar as ondas e a se concentrar no homem à sua frente.

— Eles estão com os tios. Aliás, recebi um cartão deles ontem — e deu uma olhadela para Sorab e Susan, como quem se desculpasse. — Eu... eu me esqueci de contar a vocês... Eu tinha lhes comprado uns presentinhos de Natal, e eles escreveram para me agradecer.

Tehmina não contou o que Jerome havia acrescentado no fim do cartão: *Desculpe eu ter xingado a senhora de um nome feio. Obrigado por nos ajudar.*

Os quatro caíram na gargalhada.

— E quando foi que você lhes entregou os presentes, Tammy?

Tehmina percebeu que Joe estava se divertindo, encantado com a singularidade dela, ansioso por alguma informação privilegiada que não estivesse nas reportagens dos jornais.

— Foi bem na hora... foi quando a polícia os levou. Eu me lembrei. E quis dar-lhes alguma coisa, porque eles pareciam muito assustados.

Tehmina sentiu todos os olhares voltados para ela e se retorceu por dentro. Desejou fortemente que alguém mudasse de assunto e a tirasse da berlinda.

Como que percebendo seu mal-estar, Heather interveio:

— Está certo, Joe, pare com o interrogatório — disse, e se voltou para Tehmina com um sorriso: — Peço desculpas pelos maus modos do meu marido. Ele é mais curioso que um menino de dois anos.

— É, mas foi isso que fez dele um sucesso tão grande — disse Sorab. E, até para os ouvidos amorosos e tendenciosos de Tehmina, as palavras do filho soaram um pouco bajuladoras e óbvias demais.

Joe, no entanto, não pareceu notar.

— Bom, Tammy, você com certeza viu todos os lados do nosso belo país, os bons e os maus. E então, posso fazer uma pergunta? Qual é a sua coisa favorita nos Estados Unidos?

— Fazer arco-íris — disse ela, prontamente.

Joe levantou a sobrancelha esquerda.

— Fazer arco-íris? O que é isso?

— Sabe, no verão, ao regar as plantas com a mangueira do lado de fora? Às vezes dá para a gente criar arco-íris. Eu adoro aquilo. Em Bombaim, sabe, todos moramos em apartamentos, e nenhum de nós tem jardins, mangueiras ou coisa parecida. Por isso, nunca fazemos nossos próprios arco-íris. Temos de esperar que a mãe natureza resolva nos abençoar com os dela.

Joe Canfield soltou um assobio.

— Rapaz, que metáfora poderosa! Meio que resume os Estados Unidos, não é?

Virou-se para Sorab e disse, no tom de um garotinho de escola:

— Posso pedir a sua mãe emprestada por uns anos? Por favor?

— Pegue uma senha — disse Susan, com um sorriso satisfeito. — Há uma fila enorme na sua frente.

Tehmina enrubesceu e, como se percebessem claramente seu embaraço, todos riram. Em seguida, a campainha tocou, e eles olharam para Joe, curiosos. Ele se levantou do sofá e disse com ar displicente, enquanto ia atender a porta:

— Ah, Sorab, esqueci de mencionar. Também convidei a Grace e o namorado dela, Bryan.

O rosto de Sorab empalideceu. O sorriso sumiu de seus lábios e ele fez força para recuperá-lo.

— Sim, é claro — murmurou. Tehmina sentiu o estômago revirar, e a boa impressão que antes tivera de Joe azedou de repente. "Por que ele não tinha mencionado que convidara a chefe de Sorab para o jantar? Que jogo sujo", disse a si mesma.

Houve uma certa agitação à porta e, em seguida, entraram todos na sala, Joe carregando um enorme buquê de flores, obviamente oferecido por Grace. Pensando na garrafa de vinho e na toalha indiana bordada com que eles haviam presenteado o anfitrião, um pouco antes, Tehmina sentiu-se pequena e humilhada. Eles também deveriam ter levado flores.

Heather deu um beijinho rápido no rosto dos convidados e saiu apressada para buscar um vaso.

Grace Butler era alta, esguia e loura, e Tehmina antipatizou imediatamente com ela. O namorado também era alto, esguio e louro, mas tinha um rosto agradável, que despertou na indiana um toque de simpatia. Ainda assim, ela se obrigou a dar um sorriso, quando Grace se aproximou e a beijou no rosto.

— Ora, ora, é a heroína de Rosemont Heights! Uau! A senhora é muito diferente daquela fotografia no jornal — comentou, com os olhos astutos examinando o sári e os brilhantes reluzentes. — Puxa, foi uma aventura e tanto a que a senhora teve, hein? Mas não é superdeprimente a história daqueles pobres meninos? Que destino azaradérrimo ter uma mãe como aquela!

Será que essa mulher falava uma outra língua, uma forma híbrida de inglês com que ela não estava familiarizada?, pensou Tehmina, enquanto dizia, em voz serena:

— É um prazer conhecê-la, Grace.

— Ah, o prazer é todo meu. É absolutamente fantabuloso conhecer uma verdadeira heroína.

— Olá, Grace — disse Sorab, e, mesmo do outro lado da sala, Tehmina ouviu o tom formal na voz do filho. — Pensei que você estivesse esquiando esta semana.

Sorab estava de pé, rígido como Al Gore. Relaxe, *beta*, pensou Tehmina. Você vale dez vezes mais do que essa mulher superficial. Não a deixe amedrontá-lo.

— Ah, oi, Sorab. E olá, Susan. É um prazer revê-la. Como vai o seu filho? Mel, não é?

— Cookie — disse Susan, em voz baixa. — Mas isso é só um apelido. O verdadeiro nome dele é Cavas.

— Isso mesmo — concordou Grace, descontraída. — Eu sabia que era um nome de coisa doce.

Virou-se para o namorado, segurou a mão dele e acrescentou:

— Ah, e este é o Bryan. Bryan, estes são o Sorab e a Susan. O Sorab trabalha para mim.

— Trabalha *comigo* — corrigiu Joe, em tom leve, balançando o indicador para Grace. — Na Canfield, todos trabalhamos juntos.

— Como queira — disse Grace, revirando os olhos. — O Joe é milionário, mas juro que é socialista, ou coisa assim — acrescentou, dirigindo-se a Bryan.

— Socialista, não. Apenas democrata.

Seria sua imaginação, ou teria havido um tom mordaz na voz de Joe?, perguntou-se Tehmina. E teve um pensamento rápido: Joe não gostava muito de Grace Butler.

— Você aceita um vinho, Grace? Bryan? Tinto ou branco?

— Que tintos você tem? — perguntou ela.

— Ah, meu Deus, sei lá. Provavelmente um Merlot e um Cabernet. Um Pinot Noir, talvez.

— Merlot? — exclamou Grace, estridente. — Pelo amor de Deus, Joe! Você não viu *Sideways: entre umas e outras*? Ninguém mais bebe Merlot. É tão... tão...

— Eu bebo — cortou Heather, entrando na sala. — E gosto — acrescentou, encolhendo os ombros. — Desculpe. Acho que sou apenas uma roceira.

Houve uma segunda pausa e, em seguida, Grace recobrou a pose.

— Bom. Façamos o seguinte, Joe. Que tal me oferecer um pouco do seu Pinot Noir? E para o Bryan também, não é, benzinho? De que safra é?

— Safra?!? — exclamou Joe, a essa altura rindo abertamente. — Não faço a mínima idéia. Compramos nossos vinhos no mercadinho, aqui no Trader Joe's.

Grace pareceu perplexa. Mas só por um minuto:

— Ah, Joe, você tem que me deixar apresentá-lo a uma loja estupenda de vinhos no nosso bairro. Eles fazem uma degustação toda primeira sexta-feira do mês.

Virou-se para Bryan e propôs:

— Querido, vamos convidar o Joe e a Heather para a próxima, pode ser? E depois vamos jantar naquele novo restaurante de sushi.

— Detesto sushi — disse Heather. E, dessa vez, Tehmina decididamente ouviu alguma coisa em sua voz. Ela não gosta da Grace, percebeu. E flagrou Joe lançando um olhar de advertência à mulher.

Antes que Grace pudesse responder, Sorab correu em seu auxílio.

— E como foi a excursão de esqui?

— A excursão de esqui? Ah, meu Deus, que fiasco depressóide! Acabou que não tínhamos reservas no lugar em que pensávamos ter. O Bryan fez uma trapalhada em grande estilo, não foi, querido? E eu me recusei a ficar em qualquer outro lugar. Quer dizer, esse lugar para onde íamos era extraordinariamente brilhante: banheira quente no quarto, massagens também. Absolutamente fantabuloso. Então, enfim, temos ficado em casa, sabe como é, fazendo uns passeios diários, esse tipo de coisa.

Antes que desse por si, Tehmina deixou escapar:

— Ah, então, quer dizer que o Sorab poderia ter tirado a semana de férias? Ele não pôde porque você estaria viajando, pelo menos foi isso que eu pensei.

Pelo canto do olho, Tehmina viu o filho lançar-lhe um olhar estarrecido.

— Não foi um grande problema — começou Sorab, mas Heather o interrompeu.

— Que é que não foi um grande problema?

Os lábios de Grace se comprimiram.

— Ah, é só um assunto do escritório — disse, em tom seco.

— Bem, se é assunto do escritório, acho que me diz respeito — interveio Joe. Usou um tom leve, mas não havia como confundir a seriedade com que falou. — Que aconteceu?

Grace deu um suspiro.

— Bem, o Sorab e eu tivemos um desentendimento. Ele achou que ia tirar a semana depois do Natal, mas o Bryan e eu já havíamos planejado essa viagem de esqui. E então, eu... nós concordamos em que eu tiraria uns dias para um repouso e recreação muito necessários.

Joe franziu o cenho:

— Você não tinha pedido a semana de férias? — perguntou a Sorab.

Sorab enrubesceu. Olhou para os bicos dos sapatos. Parece um garoto de escola que não quer denunciar um amigo, pensou Tehmina, com um calorzinho no peito ao olhar o filho.

— Pedi — disse ele, por fim. — Eu tinha pedido.

— No começo do ano, como sempre fazemos? — persistiu Joe, teimoso. Tehmina percebeu prontamente por que ele fora tão bem-sucedido nos negócios. Embora já não estivesse envolvido na direção cotidiana da empresa, era óbvio o compromisso que mantinha com a agência que havia fundado, mais de vinte e cinco anos antes.

— Sim — disse Sorab.

Joe virou-se para Grace.

— Mas essa é a política da nossa companhia. As pessoas pedem suas férias no início do ano.

— Bem, Joe, esse pode ter sido um modelo que funcionou no passado, mas o mundo empresarial tem mudado muito depressa. Todos temos que nos modificar conforme a época, estar dispostos a ser flexíveis e prontos para...

— Grace — interrompeu Joe, em voz baixa. — Caso você não tenha percebido, esse velho modelo funcionou muito bem para mim.

A mulher ficou de queixo caído.

— Eu não estava tentando...

Calou-se.

A sala ficou tão silenciosa, que Tehmina conseguiu ouvir novamente o bater das ondas. Susan tomou a palavra, preenchendo o vazio:

— E então, Bryan, qual é sua profissão?

Bryan sobressaltou-se à menção de seu nome. Tehmina teve a sensação de que, quando acompanhava Grace Butler, ele não estava acostumado a que lhe prestassem a menor atenção.

— Ah, eu? Sou massoterapeuta? — respondeu, como quem pedisse permissão, em vez de afirmar um fato. — E também *personal trainer*, de quebra?

— Ora, é bom saber disso — disse Sorab, dando um tapinha na barriga. — Estou tão, mas tão fora de forma que preciso fazer alguma coisa com este corpinho.

— Conversa mole — disse Joe, de pronto. — Você me deu uma surra no raquetebol, outro dia. É claro que você é muito mais moço que eu, mas, assim mesmo...

— Vocês jogaram raquetebol juntos? — perguntou Grace, olhando de um homem para outro. — Quando foi isso? Acho... eu não tinha percebido que vocês eram amigos.

Joe fitou-a diretamente nos olhos verdes.

— Ah, o Sorab e eu somos amigos há um bom tempo — disse. Tehmina viu a cabeça do filho erguer-se de um salto, diante da mentira óbvia. Entretanto, ao percorrer os olhos pela sala, notou que Susan e Heather exibiam a mesma expressão: davam sorrisinhos secretos, como que se comprazendo com o mal-estar de Grace.

Bryan pigarreou.

— Hã... é só dar uma ligada para mim, se você precisar de um preparador físico — disse, como se o último diálogo não houvesse ocorrido. Enfiou a mão no bolso para pegar a carteira. — Tome o meu cartão — acrescentou, inclinando-se para entregá-lo a Sorab.

Sorab deu uma olhada e guardou o cartão no bolso.

— Obrigado. Talvez eu lhe telefone antes do que você imagina.

— Bem, estão todos com fome? — perguntou Heather, levantando-se. — Por que não me dão uns minutos para servir a comida e vão todos para a sala de jantar?

Tehmina levantou-se automaticamente.

— Posso ajudá-la? — perguntou.

Heather pareceu prestes a recusar, mas depois deu um sorriso.

— É claro — respondeu, passando o braço pelos ombros de Tehmina, como se as duas tivessem anos de amizade. — A cozinha é por aqui.

— Nada de casais sentados lado a lado — disse Heather, quando todos entraram na sala, minutos depois. — Esta é a única regra. Afora isso, peguem o lugar que quiserem — e puxou Tehmina para a cadeira junto dela.

O cardápio era composto de salmão grelhado, dourado com uma camada de coentro, frango assado com nozes-pecãs, cuscuz com damascos secos e salsa, um prato de massa com manjericão e mozarela e pão feito em casa.

— Heather — exclamou Susan —, você deve ter passado dois dias trancada na cozinha!

— Ah, meu Deus, que nada! Todos esses pratos são muito fáceis, pode crer.

— Bem, você *precisa* me dar as receitas do salmão e do frango. Você é daquelas pessoas que não se importam de compartilhar receitas, não é?

— É claro. Nunca entendi as mulheres que guardam suas receitas como se fossem segredos de Estado. E hoje em dia, com a internet e tudo o mais, parece ainda mais ridículo.

— Você gosta de comida indiana? — perguntou Tehmina.

— Nós *adoramos* comida indiana. Joe, conte a eles aquela história do ano que você passou na Inglaterra.

— Bem, isso foi depois de eu terminar a pós-graduação. Resolvi passar um ano no exterior. Assim, fiquei uns quatro meses na Inglaterra, Escócia e País de Gales... sabem como é, levantando minha herança familiar, esse tipo de coisa. Apenas pegando carona para lugares diferentes. E adorei cada minuto, exceto pela comida pavorosa. Se eu tivesse que comer mais uma vez aquela maldita morcela deles, ou o salsichão com purê, juro que era capaz de morrer. Mas, enfim, cheguei finalmente a Londres. E aí topei com um lugarzinho minúsculo que vendia *curry*. E, a cada dentada, eu sentia uma parte da minha alma se recuperar. Passei a comer sempre no mesmíssimo lugar durante o resto do tempo que fiquei em Londres. O dono...

chamava-se Gautam Patel, ainda me lembro... ele guardava um lugar para mim toda noite. No fim de minha estada lá, eu tinha *curry* saindo por todos os poros, em vez de suor.

— Bem, a nossa comida parse é um pouco diferente da que se encontra nos restaurantes indianos daqui, mas, se vocês quiserem... eu adoraria cozinhar para vocês um dia, antes de voltar.

— Voltar? — disse Heather, inclinando-se, pondo o braço nos ombros de Tehmina e lhe dando um abraço apertado. — Você não vai a lugar nenhum, espero.

Tehmina sentiu os olhos de Sorab e Susan pousados nela. Que raio a fizera dizer que ia voltar? Nem ela mesma sabia se ia ou não. Sabia?

— Eu... eu só quis dizer... bem, seja como for, nós gostaríamos muito de recebê-los para uma refeição parse feita em casa. E vocês também — disse, dirigindo-se a Grace, embora sentisse o estômago embrulhado ao pensar em receber em casa aquela mulher e seu namorado bonitinho, mas burro feito uma porta.

— Ah, obrigada, mas não posso comer nenhuma comida típica. Eu tenho um estômago horro-estarrecedor, execravelmente traiçoeiro.

— Horro-estarrecedor? — riu Joe. — Grace, onde você aprendeu a falar?

Grace retribuiu a risada.

— Ah, é só que fico muito cansada da nossa língua. Imagine, usar as mesmas palavras que usavam na época de Shakespeare. É tão... tão...

— Quinhentista? — sugeriu Sorab.

— Exato — disse ela. Escapara-lhe por completo a ironia no tom da pergunta.

Todos os outros, com exceção de Bryan, sorriram discretamente.

— Bem, parece ter funcionado para Shakespeare — Tehmina ouviu Joe dizer baixinho, quase falando consigo mesmo.

— Ah, sra. Sethna — disse Grace, voltando os olhos verdes para Tehmina —, eu queria mesmo perguntar. Como vão indo aqueles dois garotinhos?

Tehmina sentiu-se tocada. Talvez Grace não fosse tão superficial quanto parecia.

— Vão bem — respondeu, em tom caloroso. — Estão na casa da tia, por enquanto.

— A razão de eu perguntar... Tive uma idéia supercintilante quando estava vindo para cá. O Bryan sempre diz que o meu cérebro funciona desse jeito, não pára nunca, nem mesmo de noite, não é, benzinho? Às vezes deixa o pobrezinho maluco. Mas, enfim, estive pensando que devíamos pôr um anúncio de página inteira nos dois jornais locais, com a senhora e os dois meninos, talvez. E não haveria nenhum texto, apenas a frase "A Canfield & Associates saúda Tehmina Sethna, mãe de um de nossos empregados". E muito espaço em branco, uma coisa realmente de bom gosto — concluiu. Virou-se para Joe e Sorab e indagou: — O que vocês acham?

— Bem, haveria alguns problemas legais quanto ao uso das fotos dos dois meninos — disse Sorab. Tehmina percebeu que ele escolhia as palavras com muito cuidado. — Afinal, eles são menores. E, com a mãe na cadeia...

— Acho que é uma péssima idéia — disse Joe, enfático. — É exploradora, *não tem* bom gosto, é francamente deselegante.

— Joe — murmurou Heather, com o rosto pálido. — Por favor.

Ele a ignorou.

— Na verdade, tenho que ser franco com você, Grace. Isso realmente me faz duvidar do seu senso crítico. E me faz perguntar se você tem alguma compreensão da cultura de nossa empresa.

Grace não ficaria mais estarrecida se Joe lhe houvesse acertado um murro no estômago, pensou Tehmina, e sentiu uma ponta de pena da mulher. Mas, no instante seguinte, Grace se refez:

— Certo — disse, em tom descontraído. — Você não gostou da idéia.

Mas Joe não havia acabado.

— Não se trata apenas de a idéia ser ruim. É o processo de raciocínio por trás dela que...

— Joe — interrompeu Heather, com a voz cortante como uma lança. — Estamos num jantar. Você não pode falar de negócios com nossos convidados a noite inteira.

Com evidente esforço, Joe se deteve. Houve um momento de silêncio tenso, constrangedor, enquanto ele lutava visivelmente para recobrar a calma.

— Muito bem, chega de falar de trabalho — disse, e se virou para Tehmina. — Ah, a propósito, ontem eu entrei na internet, para fazer uma pesquisa sobre os parses — informou. E prosseguiu, ao perceber a expressão de espanto no rosto dela: — Ei, eu tinha que saber tudo sobre nossa convidada célebre! Enfim, deparei com uma bela história sobre quando os zoroastristas chegaram originalmente à Índia, ao saírem do Irã, sabe? A história de como o líder deles duelou, pela inteligência, com o rei hindu. Você a conhece?

Se ela a conhecia? Qualquer criança parse que houvesse tomado leite materno conhecia a lenda de como o grupo de persas que tinha fugido da perseguição islâmica no Irã, uma trupe pequena e exausta, havia chegado à cidadezinha indiana de Sanjan, em busca de asilo político. O governante hindu, na impossibilidade de fazer esse grupo de estrangeiros de língua parse compreender que não lhe era possível acolher mais refugiados, fora recebê-los na praia com um copo de leite cheio até a borda. Não há lugar — era o que pretendia simbolizar o copo cheio. Mas o sumo sacerdote zoroastrista era um homem brilhante. Tirando uma pequena quantidade de açúcar de seus mantimentos, ele o dissolvera no copo, tomando o cuidado de não derramar uma só gota do leite. Essa fora a sua célebre resposta — a resposta que se havia transformado em fonte de orgulho e orientação para as gerações futuras: como o açúcar no leite, nossa presença adoçará o sabor de suas vidas, sem deslocá-los nem lhes causar nenhum problema. E, assim, eles tinham recebido permissão para ficar e se haviam transformado nos parses da Índia.

Sem se dar o trabalho de relatar a história a Bryan ou a Grace, Joe continuou a olhar para Tehmina.

— Pensei em você ao ler aquela história — disse, baixinho. — Foi isso que você fez, sabe? Adoçou a nossa vida com sua presença. Exatamente como fizeram seus ancestrais na Índia.

Tehmina enrubesceu.

— Obrigada — respondeu em voz baixa, sabendo, sem precisar erguer os olhos, que seu filho estourava de orgulho do outro lado da sala.

Grace olhou de um para outro e disse:

— Ei, alguém me diga do que se trata. Como é a história?

Joe fez um ar divertido:

— Ah, você não precisa saber tudo, Grace — retrucou, em tom leve. Olhando para a taça vazia da mulher, levantou-se. — Receio não estar sendo muito bom anfitrião. Quer mais um pouco do meu vinho especial do Trader's Joe, minha cara?

— É claro.

O resto da noite foi bastante agradável. Em certo momento, a conversa enveredou perigosamente para assuntos de trabalho, mas Heather a reconduziu com habilidade para a discussão de filmes, restaurantes e livros. Sorab contou a história de como Cookie tinha dado uma dor de cabeça na professora, por causa da afirmação incorreta que ela fizera a respeito do chumbo nos lápis, e todos riram.

— Ora, eu mesmo seria capaz de jurar que eles eram feitos de chumbo — comentou Bryan, e Tehmina se descobriu gostando do rapaz, robusto e burro como uma posta de carne.

Como sobremesa, Heather serviu *tartelettes* de *cappuccino* e de frutas que ela mesma tinha feito. Joe controlou-se por alguns minutos, depois desistiu:

— Estou fora! O que é uma sobremesa sem chocolate?

Voltou com uma barra enorme de chocolate Lindt com avelãs. Heather revirou os olhos.

Na hora de se despedirem, Joe fez sinal para que Sorab o acompanhasse até a sala ao lado.

— Venha me ajudar com os casacos, sim?

Os dois se ausentaram por quase dez minutos. Tehmina ouviu um ou outro murmúrio ocasional vindo da biblioteca, mas os dois falavam baixo demais para que ela conseguisse captar algo. Pareceu-lhe que Grace estava fazendo força para escutar, mas Heather e Susan mantiveram uma conversa constante.

Depois de saírem pela grande porta da frente, os Sethna pararam um minuto na entrada de automóveis dos Canfield, conversando com Grace e Bryan. Depois, Susan estremeceu.

— Está na hora de levar esta moça para casa — disse Sorab, pondo o braço nos ombros da mulher.

Ele esperou que Bryan tirasse o carro da entrada e, em seguida, deu marcha a ré devagar. Soltou uma grande gargalhada, igualmente composta de alívio e alegria.

— Bem, foi uma noite e tanto, não? — comentou, e, quando as duas concordaram, riu mais um pouco. — Bem, senhoras, talvez seja terrivelmente prematuro da minha parte... desculpem, terrifantasticamente prematuro da minha parte, mas pode ser que haja uma promoção no meu futuro.

Ao ouvi-las respirarem fundo, continuou:

— Isso mesmo. Parece que os negócios não andam tão bem quanto deveriam. E o Joe parece pronto para deixar a admirável e insubmergível Grace Butler à deriva.

E Sorab assobiou durante todo o trajeto para casa.

CAPÍTULO DEZESSEIS

AINDA DEITADA E OLHANDO para o despertador, Tehmina ficou horrorizada ao ver que eram nove horas. Graças a Deus, Susan tinha deixado Cookie brincando na casa de um amiguinho logo cedo. Tehmina detestaria que o neto visse uma avó desleixada ainda na cama, incapaz de manter os olhos abertos nessa manhã. Ela havia acordado rapidamente para usar o banheiro, horas antes, e nesse momento se despedira das crianças com um bocejo. Sorab lhe dera um olhar curioso, mas, se tinha ficado surpreso ou magoado por ela se arrastar de volta para o quarto, em vez de ir para a cozinha, como normalmente fazia, não tecera nenhum comentário.

Tehmina percebeu que estava cansada. Era muita coisa acontecendo, depressa demais. A correspondência dos fãs, o telefonema da prefeita, os sorrisos cúmplices de completos estranhos, as brincadeiras bem-humoradas das mulheres do grupo de carteado de Eva, a atenção solícita com que Joe e Heather Canfield a haviam cumulado, e até o jeito cauteloso e atencioso de Sorab tratá-la; tudo isso era desgastante. E, em vez de sentir orgulho ou alegria, Tehmina andava com vontade de chorar. Toda aquela atenção a vinha fazendo sentir-se terrivelmente só, com mais saudade do que nunca de Rustom. Agora, mais do que em qualquer ocasião, ela precisava da presença sólida, sensata e afável do marido. Com palavras precisas, argutas e certeiras como um dardo, Rustom furaria essa recente bolha de celebridade e admiração que a havia tragado.

E Tehmina andava preocupada com os garotos. Afora o cartão de Jerome, não tivera outras notícias deles. Queria saber como ia Joshy, se os machucados do rosto estavam sarando. Queria saber como ia Jerome, se os machucados do coração vinham sarando. Será que os meninos sentiam saudade da mãe? Como poderiam não sentir? Ela ainda se lembrava da expressão no rostinho de Percy quando sua mãe tinha morrido. Mas isso era diferente, é claro. Shirin tinha sido uma esposa e mãe amorosa, maravilhosa. Mas os filhos decerto sentiam falta das mães, independentemente dos pecados que estas houvessem cometido contra eles, não é? Será que estar com Antonio era algum tipo de consolo? Afora um "olá" e um aceno ocasionais, Tehmina tinha pouquíssima lembrança da mulher de Antonio, da época em que os dois haviam morado na casa vizinha à dos Sethna. A despeito de toda a jovialidade e afabilidade do ex-vizinho, ele e a mulher tinham sido bastante reservados. E, nesse momento, Tehmina pôs-se a pensar: e se a meia-irmã de Tara fosse como a mãe dos meninos — cruel, agressiva, violenta? E se, Deus nos livre, cheirasse a álcool de manhã, como Tara? E se, graças à interferência de Tehmina, eles tivessem saído da frigideira direto para o fogo? Havia alguém supervisionando a mulher de Antonio, para se certificar de que os meninos não fossem maltratados? Será que a polícia ficava de olho neles? Resolveu ligar para Percy e descobrir. Percy era advogado, com certeza saberia. Além disso, Percy era a única pessoa, percebeu Tehmina, assustada, cuja conduta em relação a ela não se havia modificado desde a publicação do artigo de jornal. O olhar de Percy, ao fitá-la, não ficava fascinado, assombrado, entretido nem admirado. Ao contrário, seu olhar sereno lhe dizia que ela fizera pelos dois meninos exatamente o que ele esperaria que fizesse. Que ele não estava surpreso com seus atos. De certo modo, Percy a conhecia melhor do que Sorab, pensou.

É, ela ligaria para o Percy, para saber se ele podia descobrir alguma coisa sobre os dois meninos. Mas ainda não, pensou, com um bocejo. Primeiro dormiria mais um pouquinho. No dia seguinte, Sorab e Susan ofereceriam sua festa anual de *Réveillon*, e ela sabia que ia passar o dia inteiro na cozinha. Hoje precisava descansar, deixar o sono tirar o cansaço dos ossos. Telefonaria para o Percy quando se levantasse.

NO INSTANTE EM QUE A CAMPAINHA da porta tocou, o som se misturou com o sonho de Tehmina, no qual ela abria caminho a golpes de facão por uma floresta verdejante, onde grandes folhas de bananeira-da-terra lhe bloqueavam o caminho. A princípio, achou que a campainha fosse o grito dos pássaros silvestres lá no alto, mas, aos poucos, o som se dissociou do sonho e, com um resmungo de reconhecimento, ela virou de lado e levantou da cama. É o entregador da UPS, pensou. Fazia algumas semanas que eram entregues na porta os presentes que chegavam de parentes e amigos de fora. Tehmina já se acostumara a assinar o recebimento dos pacotes.

Alisando o cabelo com a mão direita e piscando os olhos para afastar o sono, dolorosamente ciente do cheiro de mofo no corpo e da boca azeda, ainda não lavada, Tehmina abriu a porta. E piscou. Em vez de um rapaz com o uniforme marrom da UPS, lá estava Tara. Uma Tara de expressão muito zangada.

— Escute — disse ela, antes que Tehmina pudesse abrir a boca. — Só quero dizer que vocês me entenderam mal, entenderam tudo errado. E que não tinham nada que se meter na minha vida. Eles... aqueles são os meus filhos, não seus. Eu os carreguei na barriga por nove meses, não você. E, se você pensa que pode simplesmente aparecer e...

Tehmina notou que Tara estava com tanta raiva que chegava a tremer, com os joelhos batendo um no outro. Um pouco de saliva se acumulara no canto direito de sua boca. Por sua vez, ela mesma sentia-se inteiramente desperta e com medo. Mas o medo a afetava exatamente como fizera o sono, um minuto antes, agarrando-a por todo o corpo, tornando seus movimentos lentos e entorpecidos.

— Eu... eu não sei o que dizer — começou.

Os olhos de Tara encheram-se de rancor.

— Não, você não diz nada, só me escuta, sua velha desgraçada. Eu estou lhe dizendo, você fique longe da minha vida. Vou recuperar os meus bebês, não importa o que tenha de fazer. Se vocês pensam que vou deixar eles ficarem com aquela falsa beata da minha irmã, estão muito enganados. E, da próxima vez que você se meter comigo, não vou ficar aqui parada, falando calmamente. Da próxima vez...

— Da próxima vez você vai fazer *o quê*?

O rugido que saiu de dentro de Tehmina foi tão alto, que ela teve de resistir ao impulso de ver se outra pessoa — alguém muito maior e mais valente — estava parada às suas costas. Sua boca se aqueceu, como se ela estivesse com febre. Que ousadia a dessa mulher, com seu rosto cheio de espinhas! Ela a estava ameaçando, tratando-a como havia tratado os pobres filhos. A ela, Tehmina Sethna, que se formara com as notas mais altas da melhor faculdade da Universidade de Calcutá! A ela, filha de um pai honrado e culto, que fora médico particular do prefeito de Calcutá. A ela, filha de uma mãe que tinha sido uma das melhores violoncelistas da cidade. A ela, mulher de um homem que nunca chegara sequer a levantar uma sobrancelha em sua direção, que dirá a voz. E ali estava ela, sendo ameaçada por essa moça horrorosa, com cara de galinha. A raiva deixou sua voz ainda mais alta:

— O que você vai fazer da próxima vez, Tara? Vai me bater? Vai me machucar, como fez com aqueles dois meninos inocentes? Vai deixar meu lábio vermelho e sangrando, como fez com o do Joshy?

Tara pareceu tão surpresa quanto Tehmina se sentia.

— Você... você... escute aqui, você trate de falar baixo, tá ouvindo? — vociferou Tara.

— Para quê? Para proteger você da sua vergonha? Uma mulher adulta que bate num garotinho? E sendo mãe dele, ainda por cima?

Tehmina tateou em busca das palavras certas, com a cabeça a mil, querendo expressar o nojo e a indignação que sentia em relação à mulher à sua frente. Já não estava com medo de Tara. Sua raiva a havia libertado, de modo que agora ela temia *pela própria* Tara, temia o que seria capaz de fazer com essa mulher estúpida, preguiçosa e desleixada parada diante dela. Encarou Tara, tentando encontrar as palavras certas, querendo dispará-las feito balas no peito vazio da mulher. Mas nenhuma palavra chegou perto de expressar a repugnância que sentia.

— Que vergonha! — gritou, por fim. E, em seguida, cuspiu duas vezes em seco no chão, com o rosto contorcido de nojo.

Os olhos de Tara se arregalaram.

— Que diabo você está fazendo, sua vaca maluca?

Tehmina a fitou, olho no olho.

— Estou dizendo que você não é digna de ser chamada de mãe. Estou dizendo que você...

De repente, Tara desatou a chorar, com o rosto magro e pálido franzido feito uma passa.

— Você não sabe o que eu passei. Você... é fácil pra gente como você, com a porcaria dos seus carros de luxo e tudo mais. Já vi como você é vidrada naquele seu neto. Bom, a minha mãe nunca me apoiou, entendeu? Eu vivo por minha conta desde os dezesseis anos. E o meu pai, aquele velho bêbado, ele, ele era capaz de me prostituir com quem pagasse mais. Você não sabe o que eu vi, dona, então, cale a sua...

— Já chega — disse Tehmina, tapando os ouvidos. Sentiu-se assistindo a um daqueles programas horrorosos da televisão norte-americana que iam ao ar à tarde, e nos quais as pessoas lavavam toda a roupa suja em público. — Isso não é da minha conta, Tara, o que você faz ou deixa de fazer.

— Essa moça a está incomodando, senhora? — perguntou um velhote meio corcunda, que vinha andando pela entrada de tijolinhos em frente à casa. Trazia na mão uma pá de neve de cabo comprido. — Porque, se estiver, eu posso cuidar dela para a senhora — acrescentou, batendo de leve com a pá nos tijolinhos. Sobressaltada, Tehmina percebeu que era o velho Henderson, o vizinho do outro lado da rua. Sentiu-se desolada. Mais uma cena em que se envolvia com os vizinhos. Era só o que faltava.

Tara virou para trás e encarou Henderson:

— Vá embora! Saia já daqui, seu velho maluco. Puxa, que porra de vizinhança é esta! Uma porção de velhos bisbilhoteiros espionando uns aos outros.

Henderson continuou firme:

— Ela a está incomodando? — tornou a perguntar, ignorando Tara.

Tehmina notou que os olhos do homem lacrimejavam, provavelmente por causa do frio. Empertigou bem o corpo e lançou um olhar de desdém a Tara:

— Não é nada que eu não possa resolver. Mesmo assim, obrigada pela sua ajuda, sr. Henderson.

Sem mais uma palavra, o velho acenou com a cabeça e se afastou. Ao vê-lo recuar, Tehmina quase se arrependeu de tê-lo deixado ir embora e de ter que encarar o rosto magro e banhado em lágrimas à sua frente.

— Tara — disse, baixinho. — Acho melhor você ir embora, antes que alguém chame a polícia — aconselhou. E, em seguida, sem conseguir se controlar, acrescentou: — Você ainda é moça, minha cara. Procure endireitar a sua vida. Deus a abençoou com duas crianças lindas. Não vire as costas para essa dádiva.

Tara elevou a voz num gemido:

— Eu tenho tentado. Só que é muito difícil ser mãe solteira. E aqueles meninos conseguem ser uns demônios, você não faz idéia. Você só vê eles...

Tehmina segurou a maçaneta.

— Eu me recuso a ouvi-la falar mal dos seus filhos. Se eles são ruins, foi você que os deixou desse jeito. Até logo, Tara. Por favor, não volte mais aqui.

E com firmeza, decidida, fechou a porta. E depois a trancou por dentro.

— Ei, dona, não bata a porta na minha cara, droga! — ouviu a mulher gritar do outro lado. Depois veio o som da campainha, tocando com insistência.

— Tara — disse Tehmina, baixinho, pelo lado de dentro —, se você não tiver ido embora em cinco segundos, vou chamar a polícia.

Houve um último "vá se foder". Depois, como se houvesse descido uma cortina, fez-se silêncio na casa. Tehmina esperou, mal podendo acreditar que Tara tivesse ido embora. Mas, à medida que o silêncio se prolongou, notou as batidas de seu coração e a fraqueza nas pernas. No estômago, a sensação era de leite azedo há meses.

Foi à cozinha preparar uma xícara de chá, para acalmar os nervos. Absorta em cortar as folhas de hortelã e abrir a geladeira para pegar o leite, surpreendeu-se ao ouvir o som de panelas e colheres batendo na bancada. Ficou ainda mais surpresa ao perceber que era ela quem fazia aquela barulheira, e que estava silenciosamente, violentamente enraivecida. Furiosa. Furiosa a ponto de sentir o corpo trêmulo e a cabeça latejando. Com o sangue fervendo como a água que começou a verter na xícara.

Miserável da Tara! Desgraçada! Como se atrevia a aparecer na porta de sua casa daquele jeito, cuspindo veneno, falando mal dos filhos, insultando o pobre do sr. Henderson e a ameaçando? Que petulância da mulher! Tehmina lembrou-se, nesse momento, de que Percy havia sugerido que eles obtivessem um mandado judicial para impedir a aproximação de Tara. Mas Sorab havia hesitado. "Vamos esperar para ver o que acontece, parceiro", argumentara. "Pode ser que uns dias em cana dêem um jeito nela."

Mas o período na cadeia só fizera deixar Tara ainda mais cheia de rancor. Tehmina se obrigou a não lembrar o que a mulher tinha dito sobre a mãe e o pai bêbado. Não queria que o menor fiapo de piedade esgarçasse o tapete de indignação e raiva que estava tecendo. Não queria sentir pena de Tara, não se permitiria isso. Uma mulher não devia bater nos filhos. Mesmo neste mundo atrapalhado, essa era uma regra absoluta. Sem exceções. Sem exceções. No entanto, surgiu uma imagem na memória de Tehmina — Krishna e Parvati, o casal de sem-teto que morava na rua, em frente a seu prédio em Bombaim. Krishna ganhava a vida lavando carros e fazendo pequenos serviços para os moradores de classe média do edifício, enquanto Parvati fazia biscates nas casas deles. Toda noite, porém, os fregueses de Krishna o ouviam bater na mulher, ao voltar da birosca que vendia bebidas sem licença. E, toda manhã, ouviam o choro das crianças, quando Parvati as estapeava e maldizia a própria sorte por tê-las trazido ao mundo. Rustom e Tehmina tinham intervindo algumas vezes, repreendendo severamente o marido e a mulher por suas respectivas formas de violência e ameaçando não mais usar os seus serviços se eles continuassem a agir daquele jeito, mas de nada adiantara. Krishna chorava e culpava o álcool por transformá-lo num demônio; Parvati dava com a palma da mão na testa e culpava o marido endemoninhado por fazê-la descarregar suas frustrações nos filhos. No entanto, apesar da violência cotidiana, Tehmina se havia admirado com a intimidade daquela pequena família, reunida em volta de um fogareirinho na hora da refeição noturna, vira Parvati rir, ao pentear amorosamente os longos cabelos da filha, e registrara a expressão de pânico nos olhos de Krishna, quando a mulher tivera febre tifóide. A realidade era complexa, Tehmina sabia. A Índia lhe havia ensinado essa lição repetidas vezes.

Então, por que essa relutância em enxergar Tara na plena complexidade de seu eu? Por que esse endurecimento do coração, esse desejo moralista de não reconhecer as raízes do comportamento precário daquela mulher com relação aos filhos? Porventura Tehmina não vira com freqüência, em seu trabalho de voluntária, como os maus-tratos perseguiam as gerações, como faziam seu pérfido veneno gotejar de um recipiente vazio para outro?

Ela não sabia a resposta à primeira dessas perguntas. Talvez fosse por ter visto de perto o lábio inchado de Joshy, visto o menininho se encolher de dor quando ela o limpara com álcool, visto os olhos de Jerome ficarem oblíquos e baixos, no momento de mentir sobre como o irmão se machucara. Ou talvez fosse porque ali eram os Estados Unidos e Tara era norte-americana, e Tehmina simplesmente esperava mais da nação mais poderosa do mundo. Krishna e Parvati eram pobres, carentes, analfabetos, mortos de fome. Como ela podia culpar Krishna por encarar a bebida como um remédio para seus males? Como é que ela podia não compreender por que Parvati batia nos filhos, se, muitas vezes, a mulher socava o próprio peito por remorso e frustração? Mas Tara! Nascida branca nos Estados Unidos. Morando numa boa casa de classe média, ainda que esta não lhe pertencesse. Podendo ter um carro, mesmo que o silencioso não funcionasse. Podendo mandar os filhos para a escola, de graça. Podendo entrar numa mercearia, comprar alimentos e gastar uma parte menor da renda do que as pessoas de qualquer outro país. E nada disso bastava? Se uma pessoa como Tara não podia ser feliz, que chance teriam as pessoas do resto do mundo?

Depois de tomar o chá, Tehmina foi até a pia. Começou a lavar a xícara, e então se lembrou. Susan vivia pedindo que ela usasse o lava-louças, por favor, em vez de lavar as coisas à mão. Que grande idiota você é, repreendeu a si mesma. Ainda não conseguiu se acostumar com a lavadora, não é? E fica aí, julgando as outras pessoas.

No entanto, ao se lembrar do descaso com que Tara se dirigira a Henderson — saia já daqui, dissera ela ao velho, como se o homem fosse um corvo num piquenique —, sentiu o sangue ferver outra vez. Não deixaria Tara vir a esta casa emporcalhá-la com suas palavras sujas. E se o Cookie estivesse em casa e houvesse assistido àquele horror? O menino já perguntava todo dia como e onde estavam Josh e Jerome. E Tehmina tinha que engolir o bolo na garganta e mentir, dizendo que estava tudo bem com os meninos.

Sentiu uma intensa ânsia de saber como iam os irmãos. E também um desejo de fazer a meia-irmã de Tara intervir, para deixar claro à mulher da casa vizinha que ela não podia perturbar a vida de Tehmina toda vez que fosse dominada pela raiva.

Indo até a sala, abriu o caderno de telefones do filho na letra A. Com certeza, Antonio não estaria tão zangado com ela quanto ficara no dia da ligação para o Sorab, não é? E, como quer que fosse, a indignação dela pela conduta recente de Tara ficaria à altura do mau humor do homem. Mesmo assim, seus dedos hesitaram por uma fração de segundo sobre o telefone, antes de ela os obrigar a teclar o número de Antonio. Por favor, permita que a mulher dele atenda, rezou.

O telefone tocou apenas uma vez, e ela ouviu uma austera voz masculina:

— Alô? — disse Antonio.

Tehmina engoliu em seco:

— Antonio? É a Tehmi... Tammy. A mãe do Sorab. A... a sra. Antonio está?

Tarde demais, deu-se conta de que não se lembrava do nome da esposa dele. Ouviu uma respiração funda, depois um longo silêncio. Teria o homem desligado?

— Antonio? — tornou a dizer.

— Um momento — veio a resposta. Ele depôs o fone com uma pancada. — Marita! — Tehmina o ouviu chamar. — Telefone para você. É a mãe do Sorab.

— Alô-ô? — disse ao telefone uma voz dengosa e suave, que fez Tehmina pensar no creme branco e açucarado que costumava comer sobre o pão crocante e duro dos antigos restaurantes de zoroastristas de origem iraniana. — Em que posso ajudá-la?

Tehmina se deu conta de que havia prendido a respiração. Falou ao soltá-la.

— Alô, é a sra. Antonio? — disse. Como era mesmo o sobrenome do Antonio? Por que Sorab não o tinha anotado no caderno? — Eu sou... aqui é Tehmina Sethna. Não sei se a senhora se lembra de mim. Enfim, só estou ligando para saber como vão o Josh e o Jerome.

— Ah, olá, querida! É claro que eu me lembro de você! E estou tão envergonhada! Faz dias que penso em lhe telefonar. Mas, sabe como é, com as festas e tudo o mais... E com os dois meninos em casa... vou lhe contar, nunca senti tanto a minha idade como nesta última semana. Mas você recebeu o cartão do Jerome, querida?

A voz de Marita era tão sedosa, tão doce, que Tehmina achou que a mulher estava zombando dela. Qual é o problema dessa família? Primeiro, a irmã da Marita berra comigo em minha porta, depois, o marido não é minimamente cortês. E, agora, ela fala comigo como se eu fosse uma menininha de seis anos. Desembuche logo, teve vontade de falar. Se também está zangada comigo, é só me dizer.

— Enfim, meu bem, você devia ter ouvido a descompostura que passei no meu marido, assim que soube que ele tinha telefonado para o pobrezinho do seu filho — prosseguiu Marita. — E no dia de Natal, ainda por cima, que Deus o perdoe! Escreva o que estou lhe dizendo, eu vou arrastar o Antonio até a sua casa para pedir desculpas ao seu filho, assim que as festas acabarem. Espere só para ver se não vou! Enquanto isso, querida, diga ao Sorab que eu sinto muitíssimo, sim?

A despeito de si mesma, Tehmina sentiu o corpo relaxar. Começou a se dar conta de que Marita estava pedindo desculpas a ela mesma, à própria Tehmi.

— Tudo bem — respondeu, debilmente. — O Antonio estava com a razão. Eu não tinha o direito de interferir...

— Não tinha o direito!? — disse a voz sedosa, agora com um toque áspero. — Ah, meu bem, não diga isso! Não diga isso nunca! Ah, querida, eu só queria que alguém tivesse interferido há muito mais tempo. Poderia ter poupado muito sofrimento a esses pobres meninos. E, quem sabe, talvez até ajudado aquela minha irmã problemática a entrar nos eixos. Aquela mulher precisa muito de ajuda, meu bem. Sempre foi meio perturbada, desde pequena. Somos filhas da mesma mãe, sabe? Mas de pais diferentes. Mamãe, papai e eu viemos da Sicília para os Estados Unidos quando eu tinha sete aninhos. Mas ainda me lembro da minha terra natal, Tammy. A gente nunca esquece a própria pátria, não é? Ah, que terra aquela, a Sicília! Cheia de música e sol e paixão! E o meu pai também era assim, que Deus o tenha. Camponês de ofício, mas, no caráter, um cavalheiro. Cheio de riso e de música. Muito diferente daquele demônio americano com quem a pobre da mamãe se casou, anos depois de papai morrer. Mas aí eu já estava fora de casa e muito feliz no casamento, graças a Deus. Por isso, mal conheci minha meia-irmã, entende? E a coitada da mamãe, ela agüentou em silêncio o que aquele animal fez com ela. Mas a Tara era uma menina endiabrada, desde pequena. Mais parecida com o pai do que com a minha doce mãezinha. Eu não sabia o que estava acontecendo nessa casa, eu juro, Tammy. Se soubesse...

— Sra. Antonio — interrompeu Tehmina. Já estava sabendo de muito mais coisas da família do que desejava. — Eu só liguei para dizer...

— Ah, me chame de Marita, meu bem. É como todos me chamam...

— Marita. A Tara esteve na minha casa hoje — disse, e ouviu um arquejo do outro lado da linha. — Estava muito aborrecida, eu lhe asseguro. Na verdade...

— Ora, aquela mentirosa safada! — exclamou Marita. — Fomos nós que pagamos a fiança para ela sair. E as primeiras palavras que eu disse a ela foram: é melhor você não aborrecer aquela boa gente da casa vizinha. Porque eu sabia que ela ia aprontar alguma, sabe? E nós a avisamos para deixar vocês em paz. E aí ela me olhou no olho e me prometeu. Mentiu descaradamente para mim. Ah, minha querida, estou tão, como posso dizer, aborrecida! Eu sinto muitíssimo. Ah, espere só até eu contar ao Antonio. Ele vai arrastá-la para fora da casa pelo nariz, com certeza.

— Escute — disse Tehmina, em desespero —, não estou tentando causar mais nenhum atrito na sua família. Afinal — e deu um risinho amargo —, acho que já causei problemas suficientes. Mas o que estou dizendo é que não vou permitir que a Tara ameace a minha família. Eu tenho um netinho. E tenho medo do que... — interrompeu-se, trêmula, sem conseguir concluir o pensamento.

Marita estalou a língua:

— Você não tem nada a temer, Tammy. Eu juro. Foi um erro meu, um erro estúpido, deixar a Tara se mudar para a nossa casa. Atormentei o meu marido até ele ceder. Ele me disse que aquela ordinária da minha irmã só ia criar encrencas, mas por acaso eu lhe dei ouvidos? Não, só estava pensando nos pobres meninos morando num abrigo, ou com aquele monstro do namorado dela. Mas, depois disso, lavo minhas mãos. Desde que fiquemos com os meninos, pouco me importa para onde ela vá ou o que faça.

— Mas vocês estão com os meninos? A Tara não vai recuperá-los logo?

Agora, a voz sedosa soou perpassada por um fio de aço:

— Teremos de convencer aquele juiz velhote, não é, meu bem? Não vou desistir desses meninos sem uma briga, isso eu lhe garanto. Eu disse à Tara que ela tem que entrar na reabilitação, arranjar um emprego e um apartamento e endireitar a vida, para poder pensar em recuperar a guarda dos meninos. E, palavra de honra, o pão-duro do meu marido vai contratar o melhor advogado que houver, se for preciso. Mas eu vou ficar com esses meninos, meu bem, até toda essa aspereza se dissolver do coração deles.

Tehmina sentiu algo derreter-se em seu próprio coração ao ouvir essas palavras. Quer dizer que Marita também tinha notado a carapaça que os meninos usavam como se fosse pele? Graças a Deus! De repente, sentiu-se muito mais leve, quase despreocupada.

— Eu adoraria ver o Josh e o Jerome, um dia desses — disse. — Isto é, se eles não estiverem muito zangados comigo.

Tehmina ouviu o interesse e a perplexidade na voz de Marita:

— Zangados? Por quê? Escute, meu bem, se não fosse você, eles ainda estariam morando com aquela maluca da mãe deles, levando surras e ouvindo gritos e quase passando fome. Você devia vê-los na minha casa, querida. Não que eu queira me gabar, mas, em poucos dias, juro que os dois engordaram. Nós os temos entupido de comida boa, caseira. Nada daquele lixo com que eles foram criados. E, ainda hoje de manhã, o Jerome me abraçou depois do café e disse: "Eu amo você." Em todos esses anos, desde que conheço esses meninos, quase nunca vi o mais velho sorrir, muito menos dizer uma coisa dessas.

Marita fez uma pausa e acrescentou:

— Vamos combinar o seguinte, Tammy. Por que você não vem nos visitar e almoçar conosco na próxima semana? Na quarta-feira, talvez?

— Não posso — disse Tehmina, pesarosa. — Quer dizer, não sei dirigir.

— Ah. Bem, não há razão para não podermos visitá-la. Eu sei que os meninos gostariam. A não ser que... espere. Se a Tara ainda estiver aí na casa ao lado... deixe-me conversar com o Antonio, meu bem, para saber quando ele vai querer que ela saia. E, de qualquer modo, é melhor os meninos não reverem o antigo bairro, não acha?

— E se eu arranjasse uma amiga para me levar ao shopping de Richwood? Você costuma ir lá?

— Richwood? Ah, é claro. Era lá que eu vivia batendo perna, quando morávamos em Rosemont Heights. Os meninos também gostariam disso. Talvez possamos almoçar na praça de alimentação. Aquele antigo restaurante italiano ainda está lá, o Mamma Santa's?

— Não tenho certeza. Mas deixe eu perguntar à minha amiga se ela pode me levar lá na terça-feira. Fica bom se eu lhe telefonar no domingo, sra. Antonio?

— Marita. É claro que sim. Será um prazer revê-la, benzinho. Os meninos têm falado de você sem parar, desde que chegaram aqui.

— De mim?

— É. De como você é boazinha e tudo o mais. E o Joshy, em especial, não pára de falar num tal sanduíche de queijo que você fez para ele. Já tentei de cinco jeitos diferentes, mas acho que não cheguei nem perto. Isso é outra coisa que você vai ter que fazer quando nos encontrarmos, querida: me dar a sua receita de sanduíche de queijo.

Tehmina riu:

— Eu lhe telefono no domingo.

— Ótimo. Vamos nos encontrar na terça-feira, se Deus quiser e, como diz Rita Williams, o rio não transbordar. Feliz Ano-Novo para você e os seus, meu bem.

Tehmina desligou o telefone e cruzou a sala de estar, para se sentar na poltrona reclinável. Correu os olhos pela sala. Uma réstia de luz incidia sobre um quadrado do carpete cinzento. Mas ela estava distraída, perdida em pensamentos. Os meninos vinham falando dela. De seu sanduíche de queijo, Deus os abençoe. Ela pediria a Eva para levá-la ao shopping na semana seguinte. E lá reveria Joshy e Jerome. Os meninos com quem iria encontrar estariam gorduchos feito gatinhos e já não teriam a expressão amedrontada que costumavam exibir. Até lá, quem sabe, os machucados do Joshy terão sarado. Era sua esperança. E ela também esperava que Jerome lhe sorrisse. Talvez até cochichasse *eu amo você* em seu ouvido.

Você está sendo boba, repreendeu-se. Mas não conseguiu tirar o sorriso dos lábios. Feliz Ano-Novo, dissera Marita. E nessa hora, pela primeira vez, Tehmina admitiu para si mesma a possibilidade de que fosse um ano novo feliz, afinal.

CAPÍTULO DEZESSETE

— OLHE, *DEEKRA*, ESPERO que esteja tudo bem, mas convidei uns amigos para a festa de hoje — disse Tehmina.

Sorab fez um ar perplexo. Em seguida, porém, abraçou a mãe e sorriu:

— Seus *amigos*? Quem é, um novo namorado?

Susan deu um tapinha no braço do marido:

— Fique quieto, meu bem. Quem você convidou, mamãe? — perguntou, com expressão curiosa, mas franca, sem nada da prudência de uns dias antes.

— É só a Eva com o marido. Mas só Deus sabe se o Solomon virá. Eu disse à Eva que deixaremos a porta da garagem aberta, para o caso de ele ter um desejo incontrolável de mexer nuns carros.

Tehmina riu de sua própria malícia e continuou:

— E, ah... sei que está meio em cima da hora, mas também pensei em convidar o Luke.

— O cara do jornal? — resmungou Sorab. — Puxa, mamãe! Será que essa história de celebridade lhe subiu à cabeça, ou o quê? Você acha que agora toda festa tem que ter um jornalista presente?

— Só estou com pena dele, *deekra*. Ele não tem família por aqui. Os pais moram na Carolina do Norte e faz apenas seis meses que ele está em Ohio.

Sorab riu.

— Pode contar com a minha mãe para conhecer a biografia toda do sujeito — disse, dirigindo-se a Susan. — Ele entrevistou você por quanto tempo, uns vinte minutos? Parece que foi você quem acabou por entrevistá-lo.

— E por que ele haveria de ficar sozinho na véspera de Ano-Novo? — acrescentou Susan. — Ele não tem namorada nem nada?

— Isso eu não sei — respondeu Tehmina. Depois, vendo o rosto dos dois, concluiu: — Bem, se vocês acham que é má idéia, não preciso convidá-lo. De qualquer maneira, tenho certeza de que ele deve ter outros planos. Talvez eu possa convidá-lo para um chá na semana que vem.

Sorab virou-se para Susan:

— Lembra-se de quando a mamãe convidou a caixa da Giant Eagle para jantar? E tudo por que a mulher olhou para as latas de leite de coco que ela havia comprado e perguntou como se fazia *curry*?

Todos riram.

— Mas é isso que nós amamos em você, nosso querido milagre de Natal — continuou Sorab, num tom exagerado. — Portanto, convide o seu repórter-com-cara-de-cachorro-sem-dono, se quiser. Desde que deixe claro para o rapaz que ele não está aqui para bisbilhotar.

— Ele não é bisbilhoteiro — protestou Tehmina, com indignação, e Sorab caiu na gargalhada.

— Mamãe, pelo amor de Deus, mamãe! Você devia ver a expressão do seu rosto. Será que sempre tem que ser a protetora dos fracos e oprimidos?

Antes que ela pudesse responder, Cookie fez-se ouvir no alto da escada, gritando:

— Papai, eu não tô atrasado, só estou devagar hoje, tá legal? Me espera!

— É melhor você descer já, se não quiser se atrasar para o encontro com seu amiguinho de brincadeiras, baixinho — gritou Sorab. — E você não pode sair enquanto não tomar o café da manhã.

Cookie desceu a escada resmungando. Segurava os sapatos numa das mãos e uma meia na outra, já tendo calçado o outro pé.

— Não quero tomar droga de café nenhum. E pára de me chamar de baixinho. Eu já sou grande.

— Então, como devo chamá-lo? Rapagão?

— É só me chamar de Cookie, que nem a mamãe.

— Certo, baixinho. Quer dizer, Cookie.

Cookie correu para o pai, soltando um grito indignado, e fingiu esmurrá-lo no peito.

— Está bom, está bom, já chega — riu Sorab, segurando os pulsos finos do filho. — E agora, sente-se e tome o seu café.

— Hoje a mãe do Tim vai levar a gente ao museu de ciências — disse o menino, com a boca cheia.

— Cookie! Não fale com a boca cheia, por favor — disse Susan.

Ele engoliu.

— É a exposição dos dinossauros. O Tim já foi lá uma vez. E a mãe dele disse que a gente pode almoçar no museu. Eu adoooooro o chocolate quente de lá! — acrescentou, lambendo os beiços. — Nham, nham, nham!

Tehmina sorriu. Cookie lhe lembrava uma folha de relva balançando ao vento — esguio, ativo, esticando-se em direção ao sol. Isto é a paz, pensou com seus botões: compartilhar uma refeição com minha família. Mesmo sabendo que passaria o resto do dia sozinha — os filhos iam trabalhar na véspera do Ano-Novo, embora Susan tivesse prometido voltar cedo para ajudá-la nos preparativos da festa —, essa idéia não a deprimiu, ao menos dessa vez. Tehmina sentia-se como quem se recuperasse de uma gripe — aquela sensação arrastada de cansaço que havia experimentado nos meses seguintes à morte de Rustom finalmente começava a deixar seus ossos. E se sentia melhor desde a conversa com Marita, na véspera. Nessa manhã, sentia-se viva, forte e cheia de esperança. É, era isso, era esse o novo sentimento que fazia sua pele comichar, o sangue correr mais depressa, os músculos parecerem lisos e fortes. Esperança. Fazia tanto tempo que ela perdera esse sentimento, que se havia convencido de que parte dela estava tão morta quanto Rustom, e nunca mais voltaria à vida.

— Quem é que você está chamando de morto, mulher? — disse a voz de Rustom, e Tehmina sobressaltou-se. O marido nunca lhe dirigira a palavra quando havia outras pessoas por perto. Ela correu os olhos furtivamente pela sala de jantar, mas, por sorte, não o viu em parte alguma. Deu uma olhadela em Sorab, para ver se ele tinha ouvido alguma coisa, mas o filho lia o jornal, comendo seus flocos de milho.

Mesmo assim, a promessa de uma outra conversa com o marido, a intuição de que ele estava esperando os outros saírem de casa, deixou-a impaciente. Tehmina atarefou-se enchendo o lava-louças, enquanto Sorab e Susan juntavam suas coisas do trabalho e se aprontavam. Como sempre, ela foi até o lado de fora acenar-lhes um adeusinho.

— Tchau, vovó! — gritou Cookie. — Amo você de montão.

— Mamãe, entre. Você vai se resfriar — disse Sorab.

— Vou tentar chegar o mais cedo possível, está bem, mamãe? — disse Susan. — Não se esforce muito. Deixe um pouco do trabalho para mim.

E foram embora, Susan no seu Corolla azul, Sorab e Cookie no Saab preto de Sorab.

Tehmina voltou para dentro.

— Rustom? — disse baixinho. — *Janu?*

Nenhuma resposta. Sentindo-se meio tola, foi procurar Rustom na sala de jantar. Ah, se a prefeita de Rosemont Heights soubesse que sua heroína era uma mulher que conversava com o fantasma do marido!, pensou, dando um risinho.

Nem sinal dele. Talvez ela houvesse imaginado sua voz. Lutou contra o sentimento de decepção e disse a si mesma que era hora de se ocupar. Havia muito que cuidar dos preparativos para a noite. A simples fritura dos *kebabs* de carneiro levaria horas. Para não falar no preparo dos molhos *chutney* para os *bhelpuris* e chamuças que seriam servidos como aperitivos. Além disso, ela havia prometido a Susan que recolheria os livros e brinquedos que Cookie deixara no chão da sala e os levaria de volta para o quarto dele. Aliás, talvez arrumasse a casa primeiro, e depois começasse a cozinhar.

Tehmina entrou na sala e a primeira coisa que notou foi o livro aberto na mesinha de centro. Não se lembrava de tê-lo visto ali na noite anterior. Quando chegou mais perto e leu o título, seu coração começou a bater mais depressa e as lágrimas lhe vieram involuntariamente aos olhos. Era o exemplar velho e cheio de orelhas dos *Rubayat de Omar Khayyam* que pertencera a Rustom, e que agora era de Sorab. Tehmina tivera a sensação de estar se separando de seu braço direito ao dá-lo de presente ao filho no outono anterior. Uma vida inteira de lembranças, um milhão de imagens de Rustom folheando o volume fino estavam guardados nas folhas amareladas do livro. Mas ela sabia que era apropriado Sorab herdar o livro do pai. Era o legado dele, era seu direito possuir o livro cuja poesia lírica e cuja filosofia generosa haviam significado tanto para seu pai. Mesmo assim, suas mãos tinham tremido ao tirar o livro da mala e entregá-lo ao filho.

Agora, ao contemplá-lo na mesa de centro, suas mãos voltaram a tremer. O livro não estivera ali na noite anterior, quando eles terminaram de assistir ao DVD e foram se deitar. Disso Tehmina tinha certeza. E a probabilidade de que Sorab o tivesse levado para o térreo para lê-lo de manhã era pequena. O menino tinha sorte quando conseguia ler o jornal antes de sair para o trabalho, que dirá um livro. E isso significava que Rustom é que... nesse momento, ela teve certeza de que ouvira a voz do marido de manhã, na hora do café.

Firmando as mãos, pegou o exemplar de Khayyam. Seria sua imaginação, ou o livro estava mesmo quente, como se alguém o houvesse segurado pouco antes? Seus olhos pousaram na página aberta. Era um dos poemas favoritos de Rustom:

Ah, enche a Taça: — de que vale repetir
Que célere passa o Tempo sob os nossos Pés?
Não nascidos no Amanhã e falecidos no Ontem,
Por que nos afligirmos com eles, se o Hoje pode ser Doce?

— Rustom. *Janu* — murmurou ela. — Sei que você está aqui. Por favor, querido. Não há mais ninguém em casa agora. Venha conversar comigo.

— O que você acha que eu tenho feito, mulher? — respondeu Rustom. Estava sentado no sofá para dois, junto à janela.

— Ah, Rustom, fico muito contente por você estar aqui! Há tantas novidades que quero lhe contar... aconteceram tantas coisas nesta última semana que você nem vai acreditar.

— Como vão os dois meninos?

Tehmina o fitou, boquiaberta.

— Você sabia?

— Ora, você acha que não leio os jornais? — sorriu ele. — Mas, falando sério, não se lembra do empurrão que lhe dei naquela droga de cerca, Tehmi? *Saala*, se não fosse por mim, você ainda estaria atrapalhada em cima daquela cerca, transformada em picolé, a esta altura.

Ela riu.

— O que você faz, fica me espionando?

— Sim. Não.

— Bem, isso me deixa contente. Eu me sinto menos solitária, sabendo que você está me olhando.

— É, bem, é disso que ando querendo lhe falar. Escute, Tehmi, depois de hoje, não poderei... quer dizer, não poderemos nos encontrar desse jeito. Sabe, às vezes lamento não tê-la forçado a tomar mais decisões quando eu estava... por aqui. Eu sempre pensava por nós dois. E aí, o maldito infarto foi tão repentino... eu tentei lutar, acredite, sabia o choque que aquilo seria para você, mas era tarde demais para alterar as coisas. Enfim, tudo isso são águas passadas. O importante é para onde você irá agora.

— Mas, Rustom, eu não vou a lugar nenhum.

— Vai, sim. Tem que ir. A vida não é outra coisa senão movimento. Tehmina, escute o que eu digo: saia de cima da cerca. De uma vez por todas, desça da porcaria da cerca. Saia de cima do muro, oras! Não me importa se você vai morar aqui ou em Bombaim. Mas, onde quer que decida viver, seja feliz. Querida, essa atrapalhação indecisa e essa hesitação já estão demorando demais. Está na hora de escolher. Portanto, escolha.

Tehmina calou-se, enquanto nuvens de sentimentos — vergonha, esperança, confusão, mágoa — flutuavam por seu rosto.

— Meu amor — disse Rustom, e havia em sua voz uma urgência que Tehmina nunca ouvira antes —, por que se afligir com o futuro, se o hoje pode ser doce? Tudo o que você tem é o hoje, querida. Droga, agora também estou falando em clichês — disse, e sua voz se embargou. — Mas, falando sério, você não sabe a sorte que tem, Tehmi. Eu também não sabia, até deixar de ter os meus hojes. Você acha que eu não gostaria de estar com minha mulher, minha família, meu neto, toda vez que tenho vontade? — indagou, parecendo subitamente zangado. — Tehmi, não tente considerar todas as hipóteses possíveis. O futuro não é da sua conta, droga. Você decide com base no que sabe hoje. Você. Escolha. *Hoje.*

— Rustom! — exclamou Tehmina. — Estou aborrecendo você. Por favor, querido, não se zangue comigo. Eu juro que...

Ele riu, e parecia haver vidro cortante em seu riso.

— Zangar-me com você? Mulher, eu tinha esquecido como você sabe ser boba, às vezes. Querida, estou zangado é comigo mesmo. Será que você não percebe? Detesto vê-la se debater desse jeito. Detesto pensar que foi a pane do meu coração fraco que criou esse dilema para você. Até isto, até estas visitas que eu lhe faço são um sinal da minha fraqueza, será que você não percebe? Não tenho nada que estar aqui. E, quando você tiver tomado sua decisão, irei embora, de volta para onde é o meu lugar.

— Ir embora? Rustom, você já me deixou uma vez. Se tornar a me deixar, não sei se...

Rustom deu um sorriso tristonho.

— Olhe só para nós: dois velhos patéticos. Ah, Tehmi, o que é este encontro pálido e frio, comparado à paixão e ao prazer de que desfrutávamos? Por que nos resignarmos com estes encontros clandestinos? Você merece muito mais, minha querida. Você está viva. Ocupe o seu lugar entre os vivos.

Como Tehmina conhecia bem esse tom! Quando Rustom tomava uma decisão, não havia nada que pudesse alterá-la. Ela fechou os olhos e conteve as lágrimas, sentindo os olhos do marido pousados em seu rosto. Depois, ouviu-o dizer:

— Sabe qual é o meu poema favorito do Khayyam?

Ela abanou a cabeça, ainda de olhos fechados, e murmurou:

— Imagine, em todos esses anos, eu nunca lhe perguntei.

— Receio que seja o mais previsível deles — disse Rustom, com um sorriso. — Mas é isso que é admirável no amor, não é? Ele reduz tudo a um lugar-comum.

A voz de Rustom foi como uma pluma que mal roçasse o rosto de Tehmina:

Aqui com o Pão, sob o Ramo frondoso,
Uma Jarra de Vinho, um Livro de Versos — e Tu,
A meu lado, cantando no Deserto selvagem —,
Eis que o Deserto selvagem faz-se o Paraíso.

Não sei como conseguirei passar o resto da vida sem esse homem, pensou Tehmina.

— Sei, sei, você também disse isso no funeral — retrucou Rustom. — E olhe só para você: está ótima. Eu sempre lhe disse: você é resistente como um touro.

— Você acabou de ler meus pensamentos? — perguntou Tehmina, com a voz dividida entre o assombro e a indignação.

Rustom atravessou a sala, no tempo que ela levou para piscar os olhos, e a beijou de leve na testa.

— Querida, sempre li seus pensamentos. Não preciso estar morto para fazer isso.

Apesar da poça úmida de tristeza dentro do peito, Tehmina sorriu. Sabia que o marido tinha razão. Estendeu a mão para segurar a dele. A campainha da porta tocou. Ela olhou em volta, aflita.

— Não sei quem é. Será que você pode me esperar até... — e se deu conta de estar falando com uma sala vazia. E a sala não retrucava. Rustom havia sumido. — Rustom, escute — cochichou, em tom urgente —, eu não preciso atender à porta.

Mas a sala continuou quieta e silenciosa.

Tehmina nunca sentira tanto ódio de alguém quanto da pessoa que estava batendo, ao se encaminhar com passos pesados para a porta. Se for a Tara, juro que ela vai sair daqui com as mãos na cabeça, prometeu a si mesma. E, se for o entregador da UPS, é melhor estar trazendo o diamante Hope.

Sua raiva desapareceu assim que ela abriu a porta. Eva estava encostada na parede, meio trêmula. Tehmina percebeu seu nariz vermelho e os olhos lacrimejantes. Deve ser o frio, pensou. Mas então lhe ocorreu outra idéia, mais assustadora. Eva nunca havia aparecido em sua casa sem telefonar antes.

— Eva! — exclamou, enquanto dava passagem à amiga. — Está tudo bem? O Solomon...

— Ótimo, o Solomon está ótimo — disse Eva, virando-se para Tehmina. — Desculpe eu chegar aqui desse jeito — resmungou. — Você sabe que eu nunca venho sem ligar. Mas fazer o quê? — e seu rosto desmoronou. — Hoje eu precisava do consolo de uma amiga.

Eva, chorando? Sua amigona animada e destemida, chorando como os mortais comuns? Tehmina sabia que Eva tinha o coração mole, é claro, mas, mesmo assim, nunca a vira daquele jeito. Estava acostumada com as piadas indecentes da amiga e com a energia de seu sorriso sempre presente, que compensava o pálido sol de Ohio. Câncer, pensou com seus botões. Só podia ser câncer. Por que Eva não lhe dissera que ia fazer exames?

— Vai ficar tudo bem, minha amiga — disse, tentando abraçá-la, o que resultou num encontrão desajeitado com seu corpanzil. Resignou-se a pôr a mão no ombro da amiga. — Eu estou aqui com você, vou ajudá-la a enfrentar tudo isso.

Eva tirou um grande lenço vermelho do bolso do vestido e enxugou o rosto. Olhou para Tehmina com ar intrigado:

— Me ajudar a enfrentar o quê, meu bem?

Tehmina a fitou, boquiaberta, incapaz de pronunciar a palavra temida. As duas se entreolharam, e Eva disse:

— Sei que ainda é meio cedo, mas que tal um vinhozinho? Você tem alguma coisa?

Será que ela devia tomar bebidas alcoólicas, se estava doente? Tehmina mordeu a língua.

— É claro. Desde que você consiga abrir a garrafa. Nunca consigo fazer aquele saca-rolhas funcionar.

Eva a seguiu até a cozinha.

— O que você está lendo? — perguntou, e Tehmina se deu conta de que ainda tinha nas mãos o livro de Khayyam.

— Um livro de poemas de Omar Khayyam. Você o conhece? O meu Rustom adorava a obra dele — respondeu, e foi estranho falar do marido no passado, quando ainda sentia os lábios dele em sua testa.

Eva pareceu sem jeito:

— Já ouvi falar, eu acho. Pode me emprestar?

Tehmina ficou desolada. A idéia de o livro sair de casa, ficar longe de seu olhar protetor, deixava-a doente.

— O livro era do meu marido, mas agora é do Sorab. Eu... eu posso pedir a ele.

Sentiu os intensos olhos azuis de Eva, a um tempo inocentes e perspicazes, pousados em seu rosto.

— Compreendo — comentou ela, baixinho. — De qualquer modo, tenho certeza de que deve haver um exemplar na biblioteca.

Eva serviu uma porção generosa de vinho nos dois copos que Tehmina pusera à sua frente, ignorando os protestos de "chega, chega" da amiga.

— Bem — disse, depois de beber um bom gole —, à família!

— À família — ecoou Tehmina.

O rosto de Eva tornou a se franzir, como um penhasco arenoso banhado por uma onda.

— É, à família. Mesmo quando ela nos trata feito merda.

Dessa vez, Eva nem tentou esconder as lágrimas, deixando-as escorrer pelo rosto e pingar no copo.

Então, talvez ela não estivesse doente, afinal.

— Que aconteceu, Eva? Você brigou com o Solomon?

— Solomon? Não! Ele é a única coisa estável na minha vida, Tehmina. Não, foi o meu filho, o David. Ele e aquela sua mulher gói ligaram da Flórida hoje de manhã. Lembra-se de que nós íamos visitá-los lá no dia dez, como fazemos todo ano? Pois bem, acontece que eles não querem que a gente vá este ano. Pode-se dizer que fomos desconvidados.

A voz de Eva soou rouca, como se a mágoa houvesse grudado em sua garganta feito areia.

— Mas por quê, Eva? O que houve?

— Nada, não aconteceu nada. Eles estão cansados, só isso. Parece que o período de festas os desgastou, e eles precisam de tempo para se recuperar — disse ela, revirando os olhos. — Dá para imaginar isso, um garoto judeu que precisa se recuperar do Natal? Como foi que ele se cansou tanto, afinal? É nisso que dá casar com uma cristã. Ela deixa o meu David em frangalhos, de tanto pendurar lâmpadas na árvore de Natal e tomar gemada com rum e cantar canções natalinas, e sabe Deus o que mais.

A contragosto, Tehmina sorriu.

— Também fazemos todas essas coisas, Eva — disse, cautelosa.

Eva soltou uma bufadela.

— Certo. Mas você tem um filho que gosta da mãe, meu bem. Que não tem vergonha dela. Que... — Eva engasgou-se com as palavras, de olhos vermelhos e inchados. — Que não considera os pais um fardo. Que não tem que se *recuperar* para poder se encontrar com a mãe e o pai.

— Então... ele não quer que vocês o visitem este ano?

— Quem sabe? Ele só disse que não pode ser este mês. Disse que eles precisam de tempo para respirar. Pois que respirem! Como se eu e o Solomon fôssemos sentar na traquéia deles. A verdade é que andamos feito ladrões na casa do nosso próprio filho, nas pontas dos pés. Bom. Talvez seja bom vê-los pelas costas. Quem sabe a gente vá ao Caribe, como sempre quisemos fazer.

Os olhos de Eva brilharam.

— Se ao menos o meu pobre Solomon não tivesse ficado tão magoado com o telefonema! Está muito aborrecido, coitado. Só fez abanar a cabeça, ao desligar o telefone, e foi para o quarto sem dizer palavra. Quanto a mim... — interrompeu-se, tentando sorrir, mas seu queixo tremia — estou arrasada, como você pode ver. Só consegui pensar em pegar o carro e vir para a sua casa.

— Fico contente por você ter vindo — disse Tehmina. Queria falar mais alguma coisa, algo suave e consolador, mas se deu conta de um embaraço atípico. Era o embaraço dos ricos e satisfeitos na presença dos que não têm nada. Eva tinha razão. Tehmina jamais imaginaria Sorab e Susan tratando-a como David tinha tratado os pais. Ali estava ela, sendo cortejada e paparicada pelo filho para ficar com ele de vez.

E era ela quem vinha bancando a difícil, era ela que os mantinha a todos tensos, enquanto tentava se decidir. Sentiu vontade de poder falar com Eva sobre o sermão de Rustom, minutos antes, insistindo para que ela se juntasse aos vivos. Mas isso significaria explicar a presença dele na sala, e, por mais que confiasse em Eva, Tehmina não sabia se podia confiar em que ela entendesse isso. Sua amiga mais íntima nos Estados Unidos não precisava saber que a vizinha e parceira de jogos de cartas também era uma doida varrida.

Mesmo assim, era grande a necessidade de consolar a mulher obviamente magoada que tinha diante de si.

— Eva, você já comeu alguma coisa hoje? Está com fome, querida?

Eva animou-se.

— O que você tem aí? Já começou a cozinhar para logo mais?

— Ainda não. Mas há muita comida na geladeira. Do que você gostaria?

No fim, preparou para a amiga um omelete temperado com massala, a mistura indiana especial de condimentos, com um pouco de *daal* de lentilhas para acompanhar. Protestou contra essa combinação esquisita de desjejum com almoço, mas Eva se mostrou insistente. Ao vê-la lamber os beiços, comendo com visível deleite, Tehmina sentiu aquela satisfação antiga e profunda que experimentava toda vez que dava de comer a alguém. Lembrou-se da primeira refeição que Percy fizera em sua casa depois da morte da querida Shirin. Ela lhe havia preparado seu prato preferido de cabaceiro-amargoso com molho, o *doodhi murumba*, como um agrado especial para lhe abrir o apetite. Como era magrinho o menino, antes de ficar sob os seus cuidados! Percy Palito, diziam os garotos da vizinhança, implicando com ele. Mas um ano da comida de Tehmina dera um jeito nisso. Ela pensou em Josh e Jerome mastigando seus sanduíches de queijo grelhado, na mesma cozinha em que agora se sentava Eva, desabafando as mágoas e a tristeza com a boca cheia de comida. Como estavam famintos o Josh e o Jerome! Isso lembrou a Tehmina que ela precisava falar com Eva sobre a carona até o shopping na terça-feira. Talvez pudesse levar para os meninos uns sanduíches de frango no estilo de Bombaim. Sem condimentos, para que eles gostassem.

— Eva, preciso lhe perguntar uma coisa. Você terá tempo livre na terça-feira?

Eva mastigou a comida enquanto pensava.

— Acho que sim. Por quê?

— Por nada. Quer dizer, preciso de uma carona para o shopping. Acho que vou me encontrar com o Josh e o Jerome lá. A mulher do Antonio vai levá-los.

Eva deu uma risada apreciativa.

— Como foi que você arranjou isso? Você é imbatível, sabia?

Ficou séria e acrescentou:

— Seu filho e sua nora sabem disso? Não vão criar problemas?

— Ainda não falei com eles. Quer dizer, se vou pensar em morar aqui pra sempre, Eva, tenho que tomar minhas próprias decisões, não é? Afinal, eles já têm um filho. Não precisam me tratar como mais uma criança.

Havia algo nos olhos de Eva que Tehmina não tinha visto antes. Era respeito.

— É isso aí, Tammy — disse ela, baixinho.

Eva levantou-se e recolheu as migalhas, jogando-as no prato vazio. De meias, foi até a lavadora de louça.

— Estava uma delícia — comentou. — Obrigada, amoreco. Eu nunca soube que vinho tinto e omelete fossem tão bons para um coração partido.

— Ah, Eva. Acho que vai ficar tudo bem com o David. Só... quando você ligar para ele amanhã, diga o quanto ficou decepcionada. É provável que ele nem tenha percebido.

— Quem falou em ligar para ele amanhã?

Tehmina a fitou.

— Vai ser o primeiro dia do ano. Você não vai telefonar para desejar feliz Ano-Novo?

— Acho que ele sabe tão bem o número do nosso telefone quanto nós sabemos o dele — resmungou Eva.

— Ah, Eva, você não é assim! O David não vai deixar de ser seu filho só porque a magoou. Vamos, não faça isso!

— Não sei o que você está querendo dizer.

Pela tensão na voz de Eva, Tehmina percebeu que a amiga estava usando toda a sua boa educação para resistir à vontade de mandá-la meter-se com a própria vida. Ora, mas justamente a Eva já devia saber como é difícil eu cuidar só da minha vida, sorriu Tehmina para si mesma.

— Eu lhe digo o que estou querendo dizer — insistiu. — O que eu quero dizer, Eva, é que nenhuma de nós está ficando mais jovem. Não há tempo a perder, minha querida, não percebe? Que importa de quem é a vez ou o dever de telefonar? Quer dizer, se todos fôssemos viver até os quatrocentos anos, talvez pudéssemos nos dar ao luxo de toda essa formalidade. Mas, do jeito que são as coisas...

As palavras lhe faltaram, da mesma forma abrupta que as torneiras ficavam sem água em Calcutá, quando ela era moça.

— Eva — concluiu —, ligue para o David amanhã. Você precisa. A mãe é você. Você tem que agüentar.

— Ai, ai, ai. Primeiro você é o anjo natalino, e agora quer ser uma *yenta*, uma judia intrometida? Pare logo com esses sermões. Se eu acordar com vontade de ligar para o menino amanhã, eu ligo. Quem sabe?

Estendeu a mão gorducha para segurar a mão fina de Tehmina e acrescentou:

— E, agora, deixe-me ajudá-la na cozinha. O que há para fazer?

— Ah, você não precisa ajudar. Posso dar um jeito, de verdade. A Susan está planejando sair cedo do trabalho.

— Mas qual é, agora você é uma mártir cristã? Ora, vamos, me ponha para trabalhar. Deus sabe que um pouquinho de exercício não me fará mal nenhum — disse, dando tapinhas nos quadris fartos.

Dando uma olhadela no relógio da cozinha, Tehmina surpreendeu-se ao ver como já era tarde.

— Será possível que já seja meio-dia? Santo Deus, Eva, agora eu preciso mesmo da sua ajuda! Juro que esse vinho me fez perder a noção da hora. Você me ajuda a descascar umas cebolas e picar o coentro?

Levantou-se, mas Eva a segurou pelo pulso e a obrigou a sentar-se novamente. Como sempre, Tehmina ficou surpresa com a força da amiga.

— Espere. Esquecemos a parte mais importante.

— O quê?

— A sobremesa — riu Eva. — O que você vai me dar de sobremesa?

ELA FIZERA TREZENTOS *KEBABS* tamanho coquetel e quase todos já haviam acabado. Percy estava pondo um na boca nesse exato momento.

— Ah, mamãe! — exclamou. — Que boas lembranças esses *kebabs* me trazem! Lembra-se dos almoços de domingo que você costumava fazer? Deus do céu, ainda consigo recitar o cardápio de cor: *dhansak* de frango, *kebabs* e *kachuber*, aquela delícia de salada de tomate, pepino, cebola e coentro picados. E, é claro, o tio Rustom sempre levava dois pacotes de rodelas de batata frita do Royal Café.

Tehmina sorriu.

— O Rustom sempre gostou de alguma coisa crocante na comida.

— Eu me lembro da primeira vez que almocei na sua casa num domingo. Lá estava o tio Rustom, aquele empresário importante e bem-sucedido, de quem eu sempre sentia um pouquinho de medo, sabe? Pois lá estava ele, mastigando as rodelas de batata frita feito um garoto de escola. Gostei dele desde aquele instante.

— Ele também gostava muito de você. Acho que o dia em que você se formou na faculdade de direito foi um dos mais orgulhosos da vida dele.

— Que Deus o abençoe — suspirou Percy. — Tudo o que sou e o que tenho hoje eu devo a ele... a vocês dois.

Sabendo que os empréstimos e as bolsas de estudos obtidos por Percy não seriam suficientes, Rustom lhe dera três mil dólares para ajudá-lo em seu primeiro ano nos Estados Unidos, e Percy sempre tinha dito que esse dinheiro fizera a diferença entre ele poder freqüentar a faculdade de direito na América e permanecer na Índia.

— Não fosse a generosidade de vocês, eu ainda estaria na Índia, matando moscas para sobreviver.

— Tudo que você alcançou foi conseguido com seu esforço, *beta* — disse Tehmina. — Nós só ficamos felizes por ajudá-lo a cumprir seu destino, só isso.

— E agora é a minha vez de ajudá-la a cumprir o seu — retrucou Percy, prontamente.

Tehmina riu.

— Que advogado você se tornou! Como é que consegue virar todas as conversas desse jeito?

Antes que Percy conseguisse responder, Tehmina sentiu-se tragada num abraço apertado e morno por um par de braços que a seguraram por trás.

— Olá, amiga! — retumbou a voz de Eva em seu ouvido. — Há quanto tempo! Espero que ainda tenha sobrado algum daqueles *kebabs* de carneiro. Andei cantando louvores a eles para o sol desde que saí da sua casa mais cedo.

— Como vai o Solomon? — indagou Tehmina, olhando ao redor. — Onde está o Solomon?

— O Solomon é o Solomon — disse Eva, com ar displicente. — Está conversando com o seu filho Sorab. E depois vai encontrar um bom cantinho sossegado por aí. Você sabe como ele é tímido. Mas, se a sua comida não o arrancar de onde ele estiver escondido, ele será um caso perdido, com certeza.

Tehmina baixou a voz:

— Como você está, Eva?

— Bem. Muito melhor. Andei pensando no que você disse. Sobre nós, mães, termos que dar a volta por cima e tudo o mais. E, de qualquer maneira, eu não suportaria não falar com o meu David no Ano-Novo.

Tehmina sorriu.

— Ótimo. Fico contente.

Pelo canto do olho, ela viu Joe e Heather Canfield entrarem na sala, à procura do anfitrião. Onde estava Sorab?

— Com licença, Eva. O patrão do Sorab chegou.

— Vá, vá — disse Eva, dando-lhe um empurrãozinho. — Vá cumprimentar o manda-chuva.

Joe beijou-a dos dois lados do rosto. Heather simplesmente a envolveu com um dos braços, como se fossem velhas amigas.

— Sejam bem-vindos à nossa casa — disse Tehmina. — Não sei onde está o Sorab. Mas vou dizer a ele que vocês chegaram.

— Sorab? Ora, e quem quer saber onde ele está? — perguntou Joe, descontraído. — Foi a linda mãe dele que nós viemos visitar. E, de qualquer maneira — continuou, com ar displicente —, terei muito tempo para ficar com o seu filho. Marquei uma reuniãozinha para o dia 3 com a Grace Butler. E, depois dessa reunião, seu filho e eu nos veremos com muito mais freqüência.

Tehmina o encarou, com medo de acreditar no que julgou estar ouvindo. O Sorab será esplêndido dirigindo a sua empresa para você, teve vontade de dizer. Talvez eu seja meio parcial, por ser mãe dele e tudo, mas o meu menino será mesmo um bom chefe — honesto, justo, inteligente —, pensou. Nesse momento, porém, sua felicidade foi espetada por uma outra idéia. Por que a sorte de alguém sempre tinha que vir à custa da de outra pessoa?

— Que vai acontecer com a Grace? — perguntou.

Joe caiu na gargalhada.

— Tammy, Tammy! Você existe mesmo? Tem certeza de que não foi feita num computador? — indagou, e fez um muxoxo. — A Grace é uma sobrevivente. Essas pessoas sempre caem de pé. E ela causa uma ótima primeira impressão, pode acreditar. Eu bem sei, para meu eterno desconsolo.

Cookie veio saltitando até ela:

— Vovó — chamou, puxando-a pela manga. — Quero sorvete.

— E quem é esse? — perguntou Joe, agachando-se para ficar da altura do menino. — Espere, não me diga, eu sei o seu nome. É... Chocolate, certo? Não? Ah, já sei. É Cacau. *Não?* Está bem, deixe-me pensar. Ah, sim, é Mel! Não? Caramelo? Docinho? O quê? Ah, é verdade: Docinho é nome de menina.

Cookie ria e dava pulinhos de um pé para outro.

— Não, não, não! É Cookie! — gritou. — E isso é só apelido. Meu nome de verdade é Cavas — explicou. Ergueu os olhos para Heather e perguntou: — Quem é você? Você é bonita.

Joe levantou-se.

— Talvez eu deva dispensar o pai e chamar o filho para trabalhar conosco — disse, dirigindo-se a Tehmina. — Ele saberá seduzir os clientes.

Tehmina praticamente estourou de orgulho.

— Fico muito feliz por vocês estarem aqui. E agora, por favor, venham comer alguma coisa — disse, com um olhar tímido para Joe. — Fiz até um *curry* de camarão para vocês.

Joe soltou um gemido. Pôs a cabeça no ombro de Tehmina e perguntou, com a vozinha de menino que a fazia rir:

— Você não quer me adotar, por favor?

— Ei, eu estou na fila, e muito na sua frente — disse uma voz. Era Percy, que estendeu a mão. — Sou Percy Soonawalla. Um velho amigo da família.

— É um prazer conhecê-lo. Meu nome é Joe Canfield e esta é minha mulher, Heather. Em que você trabalha, Percy?

Deixando Percy com os convidados, Tehmina pediu licença. A festa corria bem, todos os convidados pareciam se divertir, e Susan e algumas amigas tinham se encarregado de aquecer os pratos e servi-los. Era uma boa hora para dar uma fugida de alguns minutos e descansar. Tehmina sempre fora assim, a vida inteira. Em toda festa que oferecia ou a que comparecia, chegava um momento em que ela era tomada por um sentimento melancólico, que a fazia sentir-se isolada e sozinha, mesmo em meio à efusão de alegria a seu redor. Resolveu subir a seu quarto e se deitar por alguns minutos. Havia trabalhado o dia inteiro e sabia que teria de ficar acordada pelo menos até a meia-noite, para receber o Ano-Novo. Além disso, tinha esperança de que Rustom lhe aparecesse nessa noite, ao menos para vê-la pela última vez. A idéia de enfrentar um novo ano sem ele acentuou o sentimento melancólico de solidão.

Adormeceu praticamente no instante em que deitou a cabeça no travesseiro. Mas foi um sono inquieto, perpassado pelas vozes e pelos risos que subiam da festa lá embaixo e penetravam no quarto como fumaça. Quando Tehmina acordou do cochilo, estava escuro e seu coração batia descompassado, como se ela tivesse avistado um intruso no quarto. Esse é o problema de cochilar antes da hora de dormir, repreendeu-se. Sempre me sinto péssima quando acordo.

Resolveu jogar uma água no rosto e ir ao banheiro, antes de voltar para a festa. Acendeu a luz do banheiro, e seus olhos deram com um livro aberto sobre a caixa da descarga acoplada ao vaso sanitário. Era o Omar Khayyam. Como fora parar ali? Tehmina tinha certeza de havê-lo deixado lá embaixo, depois de Eva chegar, de manhã. Tentou lembrar se o tinha posto na estante da sala, mas não conseguiu. Será que Susan o levara para cima? Mas, por que ela faria isso? Curiosa, desvirou o livro, para ver em que página Rustom o deixara aberto.

Ah, minha Amada! Enche a Taça que retira
D'hoje as Dores do passado e os Medos do futuro.
A-manhã? — Ora, A-manhã talvez eu mesmo
Esteja com os Sete Mil anos de Ontem.

Tehmina riu. Rustom nunca fora um homem de sutilezas. E também não era dos mais pacientes. Ela temia que, se não tomasse logo uma decisão, acordaria uma manhã e encontraria o quarto com as paredes forradas de versos do *Rubayat*. E o piso e o teto também. Era óbvio que Rustom achava que um antigo poeta persa tinha algo a ensinar a uma senhora persa.

— Meu querido — murmurou. — Você está aqui?

Mas não houve resposta. E a textura desse silêncio era diferente. Tehmina o percebeu de imediato. Não era um silêncio que respirasse e ouvisse. Esse silêncio tinha um vazio, um oco em seu bojo. Rustom se fora. Tinha cumprido sua palavra. Dessa vez, realmente a havia deixado. Deixado aonde quer que suas decisões a levassem. De agora em diante, ela estava sozinha.

Dores do passado e medos do futuro, pensou. Isso resumia bem como tinha vivido este último ano. Ela deu alguns passos pelo piso de cerâmica, para apanhar um novo sabonete do armário, e estancou. No andar debaixo estavam reunidas todas as pessoas que ela amava, e a percepção disso lhe trouxe um calafrio. Sorab, Cookie, Susan, Percy, Eva, Solomon, até Joe e Heather — era como se sua família continuasse a crescer. Qual era mesmo a expressão que ela havia escutado no programa da Oprah, algumas semanas antes? *Família que escolhemos.*

Escolha. Tomar uma decisão. Sair de cima do muro. Dentro de poucas horas, seria um novo ano. Qualquer que fosse a decisão tomada — e Tehmina sabia que tomaria a decisão agora, antes de descer novamente para a festa —, o que quer que ela decidisse, as conseqüências seriam transpostas para o Ano-Novo. Minha casa, pensou. Onde fica minha casa? Qual é o meu lugar? Lembrou-se do apartamento de Bombaim, com as paredes descascadas que precisavam de uma demão de tinta, do precioso quadro de Hussein pendurado acima do sofá, do armário de teca em que os ternos de Rustom ainda estavam pendurados, do novo fogão Bajaj que ele lhe havia comprado há apenas dois anos. A idéia de deixar aquele apartamento, de vender a casa em que havia passado quase toda a sua vida conjugal, fez seus olhos doerem. De repente, Bombaim agigantou-se em sua imaginação. Tehmina esqueceu a sujeira, as favelas, a nuvem negra de poluição, o calor insuportável, as multidões atordoantes. Em vez disso, viu o céu dourado do crepúsculo, o mar imenso para além dos prédios *art déco* da avenida à beira-mar, a beleza das antigas construções coloniais da zona sul de Bombaim, a quietude fresca e escura dos templos do fogo. Em vez da umidade terrível e do calor que fazia transpirar, ela se lembrou das cálidas manhãs de Bombaim; em vez dos ônibus perigosos e superlotados, lembrou-se das ruas festivas, repletas de gente, daquela humanidade que reafirmava a vida, em imenso contraste com as ruas mortas e desertas que a acolhiam toda noite em Rosemont Heights. Mas, então, pensou: e, entre aqueles milhões de pessoas das ruas de Bombaim, quem se importa se estou viva ou morta? Sua melhor amiga, Zinobia, se importaria; alguns vizinhos se importariam, como Persis; os presidentes das instituições em que ela trabalhava como voluntária se importariam. E quem mais? Aqui, porém, apesar da esterilidade da vida cívica, apesar dos invernos frios e das ruas desertas, apesar dos condomínios residenciais construídos sem calçadas, havia gente que se importava muitíssimo com seu bem-estar. Que se preocupava, se inquietava, ligava suas próprias vidas e destinos aos dela. E — e, nessa hora, Tehmina obrigou-se a engolir sua modéstia natural — aqui havia pessoas que, a despeito do que ela havia suposto antes, precisavam dela. Agora podia percebê-lo. Cookie precisava dela, precisava do que só uma avó poderia lhe oferecer. A mãe de Susan morava longe demais para lhe proporcionar a dádiva de sua presença constante. Susan precisava dela, para polir algumas de suas arestas mais ásperas, para fazer emergir a meiguice que os horários frenéticos e o excesso de responsabilidades haviam sepultado. Quanto aos meninos

— Percy, Sorab e, agora, talvez até Joe —, Tehmina sabia ter amor suficiente para todos eles.

E também sabia uma outra coisa. Ela ficaria. Aqui, nos Estados Unidos. Foi menos uma decisão do que o reconhecimento de algo já sabido, a culminação lógica de seu processo de pensamento. Ao contrário dos filmes, não houve tambores rufando ao fundo, nenhuma trombeta anunciando sua tomada de decisão. É que, na verdade, a decisão fora tomada alguns dias antes. Na hora em que se soltara da cerca, em que encontrara coragem para pular, ela havia aterrissado em mais do que o quintal de Antonio. Havia aterrissado neste continente. A cerca tinha sido a linha divisória entre o passado e o futuro, entre a Índia e os Estados Unidos. Tehmina admirou-se do fato de não ter sabido disso até um segundo antes, de só agora seu corpo e sua mente estarem captando seu destino. *Move-se a mão que escreve*, pensou. O quarto ficou em silêncio enquanto ela jogava uma água no rosto. Pela primeira vez em meses, aquela sensação nervosa e agitada que se alojara em seu estômago a deixou.

Ela ficaria. Mas com suas próprias condições. E a principal era que precisaria ter seu próprio apartamento. Não havia razão para os meninos venderem essa casa e comprarem outra maior. Sim, ela insistiria nisso — em ter seu próprio canto. Desse modo, poderia ter sua independência e as crianças teriam sua privacidade. Ela nunca havia morado sozinha um único dia na vida — saíra da casa do pai para morar no apartamento com Rustom —, mas, de algum modo, a idéia não a intimidava. Na verdade, Tehmina se sentia ousada e empolgada com essa perspectiva.

Sorab discordaria, com certeza. O filho e Susan não entenderiam, talvez até ficassem magoados. Mas ela se manteria firme. Combateria seus argumentos passionais com a razão fria. E não voltaria atrás. Afinal, ela era uma mulher que havia pulado uma cerca e descido do muro. Que seqüestrara temporariamente dois meninos. Que rezara com um biruta no meio do Kmart. Que recebera um telefonema da prefeita. Que levava completos estranhos a se aproximarem para lhe apertar a mão. Ela era uma celebridade, uma estrela. Era uma heroína norte-americana, desfrutando de seus quinze minutos de fama. Era imbatível, invencível.

Tehmina riu. Que bela maluca você virou, repreendeu-se. Qual é o senhorio que vai alugar um apartamento a uma louca? Mas já estava pensando em como ia decorá-lo. O Hussein ela traria de Bombaim, decididamente. E também alguns dos móveis menores. E, no verão, sairia para comprar plantas com Susan. Talvez o apartamento tivesse uma varandinha em que ela pudesse plantar flores. E fazer arco-íris.

Desceu depressa a escada e viu Sorab a seu lado.

— Mamãe, onde você andou? Eu já estava ficando preocupado, não a vi em parte alguma.

— Eu estava no meu quarto. Só arejando um pouquinho a mente.

Sorab a examinou.

— Está tudo bem com você, mamãe? Você está um pouco, sei lá, um pouco rosada.

— Estou ótima — disse ela. Abriu a boca para lhe contar a novidade, mas se deteve. Não, ela esperaria. Esperaria até a entrada do Ano-Novo. Esperaria a contagem regressiva terminar, esperaria eles contarem dez, nove, oito...; até chegarem ao zero e a sala se desmanchar em vivas comemorativos e preces silenciosas de esperança. Esperaria até abraçar e estreitar o filho, e lhe dizer o quanto o amava, até cochichar no ouvido de Susan a gratidão que sentia por ter uma nora tão maravilhosa, até espremer Cookie e lhe dizer que ele fazia parte de seu fígado, até o menino torcer o nariz e dizer "eca!". Esperaria até ter vagado por aquela sala repleta de pessoas que ela conhecia e amava, até ter desejado a cada uma delas um novo ano cheio de esperança, sonhos e aspirações. Não desejaria sucesso, prosperidade ou riqueza a nenhum deles, porque a magia estava no sonho. Agora ela sabia disso. Era o que os Estados Unidos lhe haviam ensinado. Como era sábio falar de *busca* da felicidade, e não da felicidade em si!

Ela esperaria até passarem uns minutos da meia-noite, e então chamaria Susan e Sorab à parte, por um momento. Talvez os levasse até a cozinha, ou à saleta contígua à sala de estar. E então, a sós com as crianças, revelaria sua decisão. Há quanto tempo você concluiu isso?, perguntariam eles, admirados, e Tehmina diria: "Foi só esta noite." Como foi que você decidiu?, diriam eles, e ela abanaria a cabeça e responderia: "Não sei. Não foi propriamente uma decisão. Foi só um reconhecimento." E depois, se estivesse num clima travesso, citaria um verso de Omar Khayyam, só para ver o neto dar um grunhido e dizer: "Ah, não, você também, vovó?"

— Ah, como eu conheço esse olhar! — disse Sorab, entre risos. — Que é que você está aprontando, mamãe?

Tehmina o fitou, de olhos arregalados:

— Que quer dizer, *beta*?

— Nada — disse o filho. Baixou a voz e segredou: — Mamãe, guarde isso com você por enquanto, *achcha*? Mas o Joe acabou de me dizer que vai despedir a Grace. Quer que eu assuma o cargo.

— Só espero que o Joe saiba a sorte que tem — disse Tehmina, com os olhos marejados e brilhantes. — Ele agradecerá à sua estrela da sorte o dia em que tomou essa decisão.

Sorab riu.

— É a minha mamãe de sempre. Mas tudo isso é graças a você, de qualquer jeito. Foi você quem chamou a atenção do Joe para mim.

— Querido, o ouro pode ficar sob a superfície por cem anos, porém, mais cedo ou mais tarde, seu brilho desperta a atenção de alguém. Isso é resultado do seu próprio trabalho árduo.

— Sorab, meu bem, me faz um favor? Dê um pulo no porão e traga mais umas garrafas de vinho tinto? — disse Susan, aproximando-se. Virou-se para Tehmina e perguntou: — Ele já lhe deu a boa notícia?

— Já. E estou muito orgulhosa.

— Eu também — sorriu Susan. — Está se divertindo, mamãe? Não está muito cansada? Sinto muito por você ter tido que preparar quase toda a comida.

— Não foi nada. Além disso, a Eva me ajudou.

— Escute, por falar na Eva, o marido dela parece ter se dado muito bem com a Tanya Davar — e levantou as sobrancelhas, enquanto se afastava. — Talvez a Eva deva ficar de olho nele — completou, numa voz cantarolada que fez Tehmina rir.

Eva. Ela precisava encontrar a amiga, para lhe fazer uma pergunta. Foi até a sala e olhou em volta, até achá-la parada num grupinho. Esperou educadamente Eva terminar de contar a piada sobre o povo judeu e a comida chinesa, depois puxou-a pelo cotovelo.

— Posso falar com você um instante, a sós? — murmurou.

Eva virou-se, deu-lhe o braço, e as duas se afastaram.

— Está tudo bem? — perguntou ela, e Tehmina notou, com gratidão, o interesse e a preocupação na voz da amiga.

— Está tudo ótimo — respondeu.

Quando chegaram a um lugar em que não havia ninguém por perto, Tehmina virou-se para ela.

— Eva — disse, com o olhar e a voz firmes —, talvez a hora pareça imprópria, mas tenho um grande favor a lhe pedir.

— Está brincando? Por você eu faço qualquer coisa. Mesmo que me diga que quer fugir para Las Vegas com o meu Solomon, eu concordo — e alargou o sorriso. — Na verdade, posso até lhe pagar para fugir com ele.

Tehmina riu.

— Deixe de ser boba. Mas, falando sério, escute. O que eu quero pedir é o seguinte — anunciou. Respirou fundo, expeliu o ar e disse, ciente de que a pergunta validaria sua decisão de ficar. — Eva, você me ensina a dirigir?

A resposta veio em forma de um grito exultante. Eva a abraçou com tanta força, que Tehmina achou que seus ossos se desfariam sob a pressão da alegria.

DA MESMA AUTORA, LEIA TAMBÉM:

A DISTÂNCIA ENTRE NÓS

Sera e Bhima, a patroa rica e a empregada analfabeta que conduzem este arrebatador romance de Thrity Umrigar, moram na Índia contemporânea. Mas a relação de atração e repulsa entre as duas soa familiar no Brasil ou em qualquer lugar do mundo.

A distância entre nós, romance da jornalista indiana Thrity Umrigar, é apresentado ao leitor como uma complexa encruzilhada de semelhanças e diferenças entre Bhima, a empregada, e Sera, a patroa. Distantes pelas diferenças entre classes, elas se aproximam na condição de mulheres oprimidas, que dedicaram as vidas para cuidar dos outros. O leitor acompanha o cotidiano das duas como senhoras maduras e percebe como estas existências vão se construindo juntas, sempre alimentadas por uma relação de atração e repulsa.

SUCESSO DE PÚBLICO E CRÍTICA:

"Fortemente honesta. Umrigar é uma escritora sensível e muitas vezes incisiva." — *The New York Times*

"Um poderoso retrato social do glorioso e frustrante quebra-cabeça que é a Índia moderna." — *The Economist*

"Uma íntima e compassiva história que vai de encontro ao histórico de sensualidade da vida diária em Bombaim." — *The Washington Post*

"Um vital panorama social da Índia contemporânea." — *Financial Times*

EDITORA RESPONSÁVEL
Izabel Aleixo

PRODUÇÃO EDITORIAL
Daniele Cajueiro

REVISÃO DE TRADUÇÃO
Phellipe Marcel

REVISÃO
Ana Julia Cury
Shahira Mahmud

DIAGRAMAÇÃO
Selênia Serviços

Este livro foi impresso em São Paulo, em janeiro de 2008,
pela Lis Gráfica e Editora, para a Editora Nova Fronteira.
A fonte usada no miolo é Sabon, corpo 11,5/15.
O papel do miolo é pólen soft 70g/m², e o da capa é cartão 250g/m².

Visite nosso *site*: www.novafronteira.com.br